北京古籍叢書

[清]于敏中　主編

瞿宣穎　左笑鴻　于杰　點校

日下舊聞考

第四冊

圖書在版編目（CIP）數據

日下舊聞考．第四册 /（清）于敏中主編；瞿宣穎，左笑鴻，于杰點校．— 北京：北京出版社，2018.2

（北京古籍叢書）

ISBN 978-7-200-13587-9

Ⅰ．①日… Ⅱ．①于… ②瞿… ③左… ④于… Ⅲ．①北京—地方史—史料 Ⅳ．①K291

中國版本圖書館 CIP 數據核字（2017）第 282827 號

項目策劃：安　東　　項目統籌：許　可

責任編輯：喬天一　張　帥　　責任印製：宋　超

裝幀設計：郭　宇

北京古籍叢書

日下舊聞考

第四册

[清]于敏中　主編

瞿宣穎　左笑鴻　于杰　點校

出　版　北京出版集團公司

北京出版社

地　址　北京北三環中路六號

郵　編　一〇〇一二〇

網　址　www.bph.com.cn

總發行　北京出版集團公司

經　銷　新華書店

印　刷　北京虎彩文化傳播有限公司

開　本　八八〇毫米×一二三〇毫米　三十二

印　張　十點八七五

字　數　一九七千字

版　次　二〇一八年二月第一版

印　次　二〇二三年五月第二次印刷

書號　ISBN 978-7-200-13587-9

定價　78.00 圓

如有印裝質量問題，由本社負責調換

質量監督電話　010-58572393

欽定日下舊聞考卷六十一

城市 外城北城

原 正南坊有保安寺、響鼓廟、崇興寺。五城坊巷衚衕集

增 保安寺在米市衚衕北口保安寺街。五城寺院册

增 郭秉聰重修保安寺碑畧 保安禪寺在都城南三里許，創自正統年間，歲久寖廢。嘉靖時修復，鳩工聚材，撤頹拓隘，梵宇佛像，金碧輝煌，以至僧舍、齋堂、門廡、庖庫之屬，靡不整飭。規模壯麗，視昔加倍矣。予竊嘗莊誦高皇帝御製改遷靈谷寺記云：山川形勢，迥出尋常，真釋迦道場之所也。又諭僧純一云：釋迦孤處雪嶺，及其道成，善被兩間，所以治世人主每減刑法而天下治，由佛化之溥被也。用是仰窺建寺諭僧之意，非取其陰翊五度而然也。況寺名保安，將使主山僧衆闡揚慈化，利我國家，俾年豐物阜，外謐内寧，鞏固皇圖於億萬祀，豈直保一身一家之安已耶？是役也經始於癸卯，越五載而迄工。嘉靖二十六年十月吉日立石。同上

增 玉皇廟在保安寺街。同上

增 成克鞏重修玉皇廟碑畧 予居京師，所居之右有玉皇廟焉。廟之祀玉皇，蓋自己巳歲始。順治十八年孟夏立。同上

〔臣等謹按〕玉皇廟内大學士成克鞏碑，今猶峙殿庭之左。

原 崇興寺明天順四年勑建，後比丘尼居之。行國録

〔臣等謹按〕崇興寺在粉坊街北口崇興寺街，棟宇已頹敝，存鐵磬二，明成化二十年

三月造。

【增】響鼓廟在崇興寺街迤南。（五城寺院册）

〔臣等謹按〕張爵五城坊巷衚衕集有響鼓廟，亦古刹也。廟北距崇興寺數十武，踞高阜，前後神宇各三楹，縱横不踰半畝。僧云廟之舊制如此。存鐵磬一，勒欵曰萬曆癸未孟秋信官沈銓等鑄。

【原】晉陽庵，出宣武門二里許，內有古銅觀世音像高三尺餘，下有款識云大唐貞觀十四年尉遲敬德監造。黎秘書民表隸書古佛庵三字極工，後移置稽山會館。（燕都游覽志）

【增】尉遲敬德造觀音像，自唐貞觀至今一千一十二年，銅身長三尺，妙相端好。（帝京景物畧）

【增】晉陽庵在宣武門外。有古銅大士像，高三尺餘，下有款識，後移受水塘古佛庵，庵壞，移稽山會館。（畿輔通志）

【增】晉陽庵在宣武門外。有古銅大士像，高三尺餘，妙相慈顔，具丈夫概。下有款識云大唐貞觀十四年尉遲敬德監造。後移受水塘古佛庵，庵壞，移稽山會館。今浙紹會館卽稽山會館。內有眼藥庵，供銅大士一尊，并鑄蓮花寶座，左右列善才龍女，亦皆銅像。僧言他處移供於此。然細驗法身，並無尉遲款識字樣，而銅質古潤，法像端嚴，洵是舊物。（京城古蹟考）

〔臣等謹按〕晉陽庵在潘家河沿南口，稽山會館在虎坊橋東，今皆屬北城。至館中銅觀世音像，諦審之，未覩唐代款識。或係後人更換，抑或本屬相沿附會之說，朱彝尊原書未暇深辨耳。

原 黑龍潭，歲旱於此禱雨。析津日記

補 京師三黑龍潭：一在城西畫眉山，一在房山縣，一在南城黑窰廠，皆禱雨之地也。黑窰廠潭，一方池爾，水涸時中有一井，以石甃之。愚山集

〔臣等謹按〕外城之黑龍潭在祈穀壇西偏，有龍王亭，亦爲祈禱雨澤之地。國朝以來屢加修葺，乾隆三十六年皇上復命鳩工庀治，益昭整潔焉。

增 祈穀壇西積水十餘頃，四時不竭，每旦有羣鳧游泳其間，因名之曰野鳧潭。敬業堂集

增 黑窰，每中窰一座，甎瓦之屬二千二百，計匠八十八工，五尺圍蘆柴八十八束。明諸司職掌

〔臣等謹按〕黑窰廠爲明代製造甎瓦之地。曰黑窰，別於琉璃、亮瓦二窰也。本朝之制，琉璃、亮瓦窰皆仍明舊，至各工程甎瓦，於康熙三十三年奉旨，均交窰户備辦，俾歸簡易，而黑窰遂廢。其地坡隴高下，蒲渚參差，都人士登眺者往往而集焉。

增慈悲庵在黑窰廠，庵西偏爲陶然亭。五城寺院册

勝境由來舊矣。碑曰觀音庵，而壁間工部郎中漢陽江藻石刻詩序則曰慈悲，殆一庵而二名也。庵北院内有遼壽昌五年慈智大德師佛頂尊勝大悲陀羅尼幢并記。又庭前有金天會九年四月石幢，四面各鏤佛像，其三隅刻咒文，皆用西域梵書而標以漢字曰淨法界陀羅尼觀音菩薩甘露陀羅尼智炬如來心破地獄陀羅尼。惟一隅漫漶，僅辨年月耳。

〔臣等謹按〕慈悲庵，康熙二年重修，侍讀北平田種玉碑謂創於元，沿於明，則招提

增慈悲庵西院内有遼慈智師石幢。五城寺院册

增大遼故慈智大德口記畧　師諱賑，俗姓魏氏，漷陰田陽人也。丱歲禮憫忠寺守淨上人落髮，頌白蓮經，遇恩得度。後因遊方止於上都，别創精藍，掛錫而住。大安九年，會門人覺智大師詔赴闕庭，因達黈聽，乃特賜紫衣慈智之號。壽昌四年三月九日，因疾奄化於臨燕講院，至五年四月十三日葬於京東先師塋側。師以精進心脂不退輪，以勇健力摑無畏鼓。儀範所攝，惠用所誘，貴高憎慢，罔不欽服。其威重如是。心行禪，身持律，起居動息，皆有常節，雖沍寒隆暑，風雨黑夜，禮佛頌經，手不釋卷，四十餘年，凡十二時未嘗闕一。其精進如是。即既疾亟，四大將壞，無戀著念，無厭離想。門弟子饋藥數四，師報之云：色身終壞，烏用是爲？言説怡然就化。其了悟如是。臨終之日，暴風急起，晝如暗夜，對面莫覩。洎師遷逝，倏然乃止。門人仰師之德，感師之恩，瘞靈骨於其下，樹密幢於其上，欲存不朽，以示將來。時壽昌五年歲次己卯四月十三日巳時，門人管内左街僧録判官覺智大師賜紫沙門文傑、門人參元沙門文偉、法孫五人，圓心、圓同、圓成、圓翌、圓欽。五城寺院册

增陶然亭，康熙乙亥江郎中藻所建。取白居易更待菊黄家釀熟，共君一醉一陶然。柘坡居士集

增江藻陶然吟并引　京東南隅有慈悲庵，居南廠之中。康熙乙亥歲，余以工部郎官監督廠事，公餘清暇，登臨覽觀，得至其地。庵不數楹，中供大士像。面西有陂池，多水草，極望清幽，無一點塵埃氣，恍置身於山谿沼沚間，坐而樂之，時時往遊焉。因構小軒於庵之西偏。偶憶白樂天有一醉一陶然之句，余雖不飲酒，然來此亦復有心醉者，遂顔曰陶然，係之以詩。家世結廬江漢上，黄鵠磯頭獨來往。一朝作吏去鄉邦，閩海滇雲歎鞅掌。却辭五馬入皇都，手版鑪香晝省趨。敢謂詩人例水部，欣當盛世分工虞。晨光到署荷同輩，清漏入朝聯友于。心閒恒看紫塞雁，身勤慣聽城頭烏。薦達頻加思效職，列廠縱横辨埏埴。庀材鳩工古所重，和土鈞泥今倍力。紛劇寧教阻静便？聊尋丈室學安禪。繩床檖拂依初地，粥鼓鐘魚響梵天。每憩西偏意疏豁，遥峯爽氣當吾前。帝城近挹若几案，方塘碧水森林泉。憑高俯瞰百里内，南山一帶相鈎連。於兹卜築頗軒敞，風光澄淡景物妍。鑿基列砌不數武，架楹覆瓦期牢堅。結構雖微可乘興，槐眉小署名陶然。自春徂夏頻來此，佇立晴簷還隱几。蒹葭摇曳出人家，鷗鷺蹁躚下池水。涼宵千頃霽月明，霜天萬竈寒烟起。三時眺望盡有得，老樹寺門閒徙倚。緑野平泉總莫論，一邱一壑兹爲是。旅寓方當輦轂下，跏趺直在祇園裏。諸公攜酒肯經過，觴詠相將俱色喜。我生懷抱本陶然，坐卧其間亦足矣。九衢車馬日紛馳，誰信鷦鷯寄一枝。他年縱與京城遠，尚想西山拄笏時。陶然亭石刻

增龍泉寺在黑窰廠西。五城寺院册

〔臣等謹按〕龍泉寺東距黑窰廠半里許。碑載明成化間僧智林修復，本朝康熙間僧海㝈重修，其爲緇流掛錫之地舊矣。此外附近窰廠者，如毘盧庵、清慈庵、太清宫、三清廟，遺址已圮廢，又率皆明代監廠内官所建，其人其事無可採録，則屏而弗録焉。

增謝一夔重建龍泉寺碑畧　出正陽門南行五里許，有故寺曰龍泉，歲久傾廢，無遺構。其地已爲編氓所有。正統八年秋，大興隆寺僧萬松游錫於是，見地位亢爽，山水秀拱，喟然嘆曰：是不可以作金刹而妥佛靈耶？詢之鄰叟，知爲龍泉故址。遂誅茅結庵於其地之隙，慨然以興復爲己任。即贖還其基地，聚材鳩工，先作正殿，次祖師、伽藍殿，又次之山門、廊廡、方丈、僧舍與夫庖庾之所，鐘鼓之縣，像位之列，莫不次第畢具。而土木藻繪，焕然一新。事聞，詔復錫以舊額。萬松以是役不可不書，以垂久遠，乃具事之顛末謁予文記之。萬松法名智林，鳳陽之定遠人。年七歲出家，師事鴻義元妙廣慧禪師，兼僧録右街善世杲公。成化九年歲次癸巳五月立石。五城寺院册

增王熙龍泉寺十方禪院碑畧　京城之西南隅有寺曰龍泉。地勢平曠，每風月晴霽，望西山諸峯蒼翠鬱然，誠廛市紛囂之所不至而幽人禪客之居也。其地去余家二里而近，樂其幽寂，暇時輒往焉。當日中分衞，庠序穆然，薄暮誦禪，鐘魚互答。若不知身之在城市者。其住持者爲無生禪師，名修證，山西陵川人。康熙乙丑十月，傳賢首慈恩二宗第二十八代住持河東海㝈立。同上

原正西坊自正陽門外西河沿至宣武門響閘橋東，六牌二十四舖，有延壽寺、雲峯寺、觀音寺、雲居寺、萬善寺、擡頭庵。五城坊巷衚衕集

〔臣等謹按〕延壽寺、觀音寺、擡頭庵今皆屬北城。雲居寺已見中城。雲峯寺、萬善寺無考。

原遼聖宗統和六年四月，幸延壽、延洪二寺。遼史游幸表

原十二年四月，以景宗石像成，幸延壽寺飯僧。遼史聖宗紀

原十五年四月，幸延壽寺。遼史游幸表

原興宗重熙十一年十二月，幸延壽寺飯僧，詔宋使觀擊鞠。上同

原燕京蘭若相望，大者三十有六，然皆律院。自南僧至，始立四禪寺，曰大覺招提、竹林、瑞像、延壽。院主有質坊二十八所，僧職有正副判録，或呼司空。松漠紀聞

原童貫、蔡攸帥師入燕，號撫定，勒碑於延壽寺以紀功，將佐姓名皆列於碑。留十日乃回。東都事略

原太上北至燕山，寓上延壽寺。北狩行録

原道君以丁未五月十八日到燕山，於延壽寺駐蹕，所取本朝略輩逍遥子俱在延壽寺安放。七月中旬，鄭后體遣和，淵聖諸后同來延壽寺候問。燕雲録

原 京師延壽寺凡五六所，大約皆爲祝釐而建。惟琉璃廠東北一區，明正統六年開渠得斷碑，上有大金延壽字可辨。太原僧湛然因爲重建，而翰林檢討四明汪奉爲之記。此當是遼金舊址也。寺在遼金時稱巨刹，遼主嘗臨其地，見游幸表。金人以棲道君，汴京所獲車輦悉置於寺。意今之廠地皆昔寺之基，而今之寺特其一隅焉爾。析津日記

〔臣等謹按〕周篔析津日記所云四明汪奉碑，今尚存。又有嘉靖二年勅賜延壽寺記，字跡漫剥，惟歲月及篆額差可辨耳。

增 汪奉延壽寺碑畧：寺在京畿正陽關外西二里許，方輿勝覽載有延壽寺，未知是否。自元季是寺廢弛，至爲榛蕪之區。宣德八年，湛然禪師自太原交城圓明禪寺游方至此，施主郭金等留住持是寺。於是改其故址，鳩工命匠，始創建焉。正統六年五月興工，構正殿以居諸佛，樹山門以通官衢。工未克就而師圓寂。衆人以是寺無主，僉舉徒道晟住持，言於僧録司，劄付入寺，祝聖壽萬年，以主維之。晟常受業祖定禪師，痛念其爲是寺開山，不有文以記之，久則泯没無聞，來謁爲記云。時正統十二年夏五月。五城寺院册

增 觀音寺在觀音寺街。上同

〔臣等謹按〕觀音寺街以寺得名，則寺之由來久矣，而寺內今無片碣可考。前殿僅存明成化丙午六月鐘一。

增 擡頭庵在觀音寺街後衚衕內。五城寺院册

〔臣等謹按〕擡頭庵載在張爵五城坊巷衚衕集，今比丘尼居之，舊跡無一存者。庭前古槐一株，大數圍，腹空而枝葉茂蔚，數百年物也。

增 五道廟在虎坊橋路東迤北。五城寺院册

〔臣等謹按〕五道廟旁有玉帝殿，明兵部尚書新城王象乾撰記立石。以斯地爲正陽宣武二門龍脈交通之地，因括其意，名其碑曰交龍云。

增 王象乾建玉帝殿記畧：帝城衝要，莫不建神宇以鎮之，蓋護國也。正陽門西，由臧家橋至宣武門，乃龍脈交通車馬輻輳之地，舊有五道廟鎮焉。第其址廣不數武。天中羽士揭真誠者見而喟然曰：衝衢應建玉帝行宮，率諸神威鎮之斯可也。價得故址後地一段，創建殿宇，旁有耳房，前兩楹，設中門，外兩楹，建八聖殿，設正門，以金爲像，以彩爲宇，巍然焕然。經始於三十五年七月，至次年乃告成，乞言於予。予曰：事無鉅細，至理具存。宇在龍脈交通處者，智也；志在護國佑民者，義也；焚修諷誦，禮也；誠能格天，信也；行旅得湯藥之惠者，仁也。舉一事而五者備，可勒石垂遠不致湮没也已。文成即以交龍名碑，正以見帝城王氣之所鍾云。萬曆四十二年，歲在甲寅孟秋上澣之吉。五城寺院册

原 明教寺在正西坊，有勑建碑。順天府志

原 宣北坊有海波寺、永光寺、永興寺、圓通寺。五城坊巷衚衕集

〔臣等謹按〕宣北坊寺觀隸西城者爲多，兹卷祇録其現屬北城者。

增 海波寺今廢，其地尚名海波寺街，在清廠迤北。五城寺院册

〔臣等謹按〕海波寺街舊有古藤書屋，朱彝尊嘗居此，有移居及贈別諸詩。

增 曲阜孔東塘尚任燕臺雜興詩：藤花不是梧桐樹，却得年年棲鳳凰。自箋：宜興蔣京少景祁寓海波寺街古藤書屋，予與阮亭先生數過談。朱竹垞、黄俞邰、周青士諸公先後寓此。東舍詩評

增 僦宅宣武門外，庭有藤二本，檉柳一株，旁帖湖石三五，可以坐客賦詩。曝書亭集

增 朱彝尊自禁垣移居宣武門外作：詔許攜家具，書難定客蹤。誰憐春夢斷，猶聽隔城鐘。同上

原永光寺，元大萬壽寺也。曹洞下青州辨公居之。寺有大萬壽寺開山傳法歷代宗師實跡碑記，文字磨泐。又明正統十一年一碑，本山住持本恩立石，昭化寺住持妙清碧潭篆額。碑稱辨公居此，湛然、屏山居士爲其上首外護。湛然卽耶律文正王楚材；屏山，金李翰林純甫也。析津日記

原萬壽寺有許道寧畫屏。金臺集

原許道寧，京兆人，畫山水法李成，獨造其妙。墨莊漫録

原果囉洛納延萬壽寺懷古詩 皇唐開寳構，歷刦抵金時。絶妙青松障，清涼白玉池。長廊秋屧響，高閣夜鐘遲。獨有乘閒客，扶藜讀舊碑。金臺集

〔朱彝尊原按〕寺東清廠有巨潭，易之詩所云清涼白玉池者，疑卽是也。

增永光寺在順承門外東南永光寺街。殿三層，前殿有景泰年碑二，胡濙撰文。中殿有萬壽寺開山傳法歷代宗師實跡二石碣，僅存萬壽辨公等字可辨。許道寧畫屏已久湮矣。京城古蹟考

〔臣等謹按〕永光寺内元大萬壽寺實跡碑，雖字跡已剥，而碑尚完好屹立。明景泰間二碑半沒於土，正統時碑不復存。

補永興寺在宣北坊柳巷之南，寺東向。南行約五十步折而東有興仁寺，南向，其建置年月無考。行國録

〔臣等謹按〕今南柳巷有永興庵，門東向，當卽寺之遺址。特改寺稱庵，稍異其名耳。殿三楹，無幢碣可考。惟正德十五年鐘一，而勒款云本觀弟子某某，又云京都大興縣黄華坊奉道信士某，則又係道觀之器，未知何時移置此庵也。至沈進行國録所稱興仁寺已廢。

增圓通庵在棉花五條衚衕。五城寺院册

〔臣等謹按〕圓通庵卽舊圓通寺，比丘尼居之。國朝乾隆十一年重修，壁間有刑部尚書汪由敦記刻石。

增汪由敦重修圓通禪庵記略　佛教流布中國二千餘年，今世梵刹琳宮，照耀寰宇，京師尤盛。上爲聖天子祝釐，下爲兆民祈福，飛閣層軒，雲霞蔚起，宸章碑額，日月光輝。洵乎極天下之巨觀矣。圓通庵在南城靈中坊，乃女僧焚修之所，供大士諸佛像。有古碑久仆階下，漶漫不可識。惟宋皇祐紀年隱隱可辨，則此庵創建蓋六百年於兹矣。乾隆十有一年，住持照珠新葺殿宇，請記於予。予惟此庵雖在京都，然僻處闤闠，非有名山勝境廣術通津之雄踞也；堂止數楹，非有重簷峻宇玉瑱銀黄之璀璨也；二三女僧焚祝膜梵，非有三乘教門八萬法藏之具足也；特以虔禱響應，靈感昭著，故自宋迄今巋然常存，而門廡一新。夫福善禍淫，天之常道。然福人而不能福不善之人，意者皈依而來，一念清潔，卽爲善之根苗。信受而去，業行淳至，卽爲善之柯葉。善集厥躬，福利洊至，此天人呼吸自感自應之至理，而佛法圓通廣大之妙寄焉。其於聖治裨益不淺，不得以尼庵而忽之也。因爲之記，使刻諸石，來者庶有考云。乾隆十有一年，歲次丙寅建子之月。五城寺院册

增琉璃廠，每窰裝二樣板，瓦坯凡二百八十，計匠七工，五尺圍蘆柴三十束；每窰裝色凡二百八十，計匠六工，五尺圍蘆柴三十束。明諸司職掌

〔臣等謹按〕琉璃窰，本朝設滿漢監督各一董其事，廠地南北狹而東西長，約二里

許。

增胡氏經籍會通云，燕中書肆多在禮部門外、拱辰門西，花朝後三日則移於燈市。每朔望並下浣五日則徙於城隍廟中。今京師書肆皆在正陽門外西河沿，餘唯琉璃廠間有之。香祖筆記

增燈市在東華門崇文街，今亦在琉璃廠。燕都游覽志

增勅建火神廟在琉璃廠東。五城寺院冊

〔臣等謹按〕琉璃廠東舊有火神廟，乾隆乙未年，步軍統領衙門奏請發所存備賞銀以兩計者五千八百有奇，委員監修，得旨俞允，以丙申年正月經始，九月工竣。凡重修正殿前殿各三楹，東配殿十五楹，又增建西配殿及東西廡各三楹。

〔又按〕廠東有仁威觀，明正統年建，正德年修。廠西有真武殿，萬曆年修。以其皆係內監等鳩葺，茲不具録。

增琉璃廠東有遼御史大夫李內貞墓。五城寺院冊附録

增遼御史大夫李內貞墓誌 大遼故銀青崇禄大夫檢校司空行太子左衛率府率御史上柱國隴西李公諱內貞，字吉美，潙汭人。唐莊宗時舉秀才，除授將仕郎，試秘書省校書郎，守雁門縣主簿，次授儒林郎試大理寺，守嬀州懷來縣丞。亂後歸遼，太祖一見器之，加朝散大夫檢校工部尚書兼御史中丞，賜紫金魚袋，兼屬珊都提舉使。太宗初，改銀青光禄大夫檢校尚書右僕射兼御史大夫，世宗加檢校尚書左僕射。故燕京留守南面行營都統燕王達喇以公才識俱深，委寄權要，補充隨使左都押衙中門使兼知廳勾，次攝薊州刺史，次授都舉銀冶都監。景宗改檢校司空兼御史大夫上柱國，次行太子左衛率府率。保寧十年六月一日薨於盧龍坊私第，享年八十。其年八月八日，葬於京東燕下鄉海王

村。同上

〔臣等謹按〕遼李内貞誌石乃乾隆三十六年工部郎中孟澔得之窑廠取土處，以其爲古墓所在，因復封識，存其舊。

【原】京師賣花人聯住小城南古遼城之麓，其中最盛者曰梁氏園。園之牡丹芍藥幾十畝，每花時雲錦布地，香冉冉聞里餘。論者疑與古洛中無異。篁墩集

【原】小南城梁家園往時芍藥最盛，人多攜酒賞之，後其家廢，無一本在者。匏翁家藏集

【原】梁園在京城之西南廢城邊，引涼水河入其中，亭榭花木，極一時之盛。春明夢餘録

〔臣等謹按〕涼水河今流經南苑，由張家灣入白河，在外城之外。孫承澤春明夢餘録所稱梁園引水故道，不復存矣。

【原】梁氏園在今京師西南五六里，其外有舊城。舊城者，唐藩鎮遼金別都之城也。元遷都稍東，於是舊城東半遂入於朝市間，全無跡可見，而西半猶存，號爲蕭太后城，即梁氏園所在也。蕭太后者，遼后皆以蕭爲姓，有子爲帝，則太后別居宮城，統部屬。故其亡也，末帝淳之妻猶得獨存，稱太后以主其國，踰年乃滅也。或謂此雖遼金都城，而非唐藩鎮城。不然也。唐時此爲范陽藩鎮，安史反後，改名盧龍，而所治幽州薊縣不改。今移薊以名州，移盧龍以名縣，各去此數百里，其實唐之盧龍與薊在此也。惡得非唐藩鎮

舊城乎？遼金不因藩鎮以爲都而曷因乎？且稽諸載記，遼金亦何嘗創建都城乎？今其城僅存土爾。甓皆爲人取去，今取者未已。其土皆真黄土，人取之和煤炭以燒，亦有即之作墓者，以其高堅也。（呆齋集）

增梁家園在宛平縣西南宣武門東南舊城邊，明時都人梁氏建，亭榭花木，極一時之盛，今廢。（大清一統志）

增萬明寺在香廠。（五城寺院册）

〔臣等謹按〕萬明寺爲元代水淅庵遺址，本朝康熙年間，都司谷之麟碑載其事，殿宇頗崇麗，稱巨刹焉。

增谷之麟重建萬明寺碑略　京師正陽門外有萬明寺，相傳爲水淅庵故址也。考庵之所由，蓋自元季有游僧水淅，道行最高，結茅於此，邦人欽仰，即以其名名之。明萬曆間始改名萬明禪林，康熙己丑歲重修。五城寺院册

欽定日下舊聞考卷六十二

官署

〔臣等謹按〕都邑爲四方歸極之所。百司庶府，拱翊宸居，躔次星羅，上符法象。故宋敏求長安志備列府寺規模，潛説友臨安志亦詳行都廨宇，蓋卽周禮設官分職以爲民極之義也。朱彝尊原本，凡官署建置皆散列於城市，義例未臻盡善。今謹析出，別爲一門。其敍次悉以今制爲準，而以前代沿革本末分麗其間。其或昔置而今廢者，則附之於後，以備考訂。其間如內閣、六科，近依禁籞，與他官廨不同。但既增官署一門，自應薈萃成編，以昭畫一。其宮室門中不復瑣綴。但各標其方位所在而已。至諸司條格本與稽攷古蹟無關，朱彝尊沿孫承澤春明夢餘録、天府廣記之例，泛爲輯載，因其蒐採頗博，今亦並仍其舊。至我國家立綱陳紀，百度惟貞，大清會典及各部院則例諸書咸已勒爲成典，昭示無疆。凡制度文爲，實非是編所能臚具。茲故不敢泛載云。

原正統七年四月，建宗人府、吏部、兵部、户部、工部、鴻臚寺、欽天監、太醫院於大明門之東，翰林院於長安左門之東。明英宗實録

原宗人府在闕東吏部衙門之上，西向。考玉牒所載，親王二十四，郡王二百五十一，鎮國、輔國、奉國將軍七千一百，中尉八千九百五十一，郡主、縣主、郡君、縣君七千七十三，庶人六百二十，而未封、未名與夫齊府之餘、高牆之庶皆不與焉。春明夢餘録 以上二條原在城市門，今移改。

〔臣等謹按〕宗人府署後明碑二：一爲正德十四年宗人條格記，上黨劉闕名撰；一爲嘉靖四年宗人府題名記，餘姚孫清撰。今皆已摧剥，字畫幾不可辨。

增宗人府，皇城東，西向，設宗令及左右宗正、宗人各一，親王、郡王、貝勒、貝子、宗室公、將軍爲之。又設漢府丞一，理事官、副理事官各四，及主事、經歷等員。大清一統志

〔臣等謹按〕宗人府署，國朝順治九年仍舊址而恢廓之。左爲經歷司，迤南爲左司，迤北爲右司。又有黄檔庫、黄檔房、銀庫、玉牒庫，並在其後。堂額曰敦崇孝弟。前列訓辭曰：堯舜之道不外孝弟，天潢繁衍，尤宜親遜恭順，風示臣民，敦崇不可不講。世宗御筆也。

〔又按〕宗人府署理事官以下，其初以宗室及滿洲兼用，近年以來全用宗室。惟主事中有漢缺二。

增宗學，左右翼各一，雍正三年特建，以教宗室子弟。左翼舊在大市街東，今移燈市口。右翼舊在瞻雲坊北，今移絨線衚衕。有正副總管及教習清漢書騎射各員，並選翰林官稽察之。乾隆二十一年，裁漢教習九人改爲繙譯教習。大清一統志

增覺羅學，八旗各一所，雍正十年建，以教覺羅子弟。大清一統志

增覺羅學左翼在安定門香兒衚衕者爲鑲黄旗，在南小街新鮮衚衕者爲正白旗，在東四牌樓北十條衚衕者爲鑲白旗，在崇文門内大阮府衚衕者爲正藍旗；右翼在西直門内北衛兒衚衕者爲正黄旗，在阜成門内宫門口者爲正紅旗，在承恩寺街者爲鑲紅旗，在玉帶衚衕者爲鑲藍旗。宗人府册

〔臣等謹按〕以上各條敍宗人府。

原大學士直舍，所謂内閣也。在午門内東南隅。外門西向，閣南向。入門，一小坊，上懸聖諭；過坊即閣也。永樂初，開内閣於東角門，簡翰林待詔解縉爲侍讀，中書舍人黄淮、王府審理楊士奇爲編修，進修撰胡廣爲侍讀，編修楊榮爲修撰，户科給事中金幼孜、桐城知縣胡儼爲檢討，入直文淵閣辦事，以備顧問。終永樂之世，二奇、榮官止五

品。蓋宣德以前，内閣與外九卿爲平交。至宣德後，三楊眷重，漸柄朝政。英宗九歲登極，凡事啓太后。太后不欲事，多令内閣議行，此内閣票旨之所由始也。（春明夢餘録）

【原】閣制初甚隘，嘉靖十六年命工相度，以閣中一間奉孔子四配像，旁四間各相間隔，開户於南，以爲閣臣辦事之所。閣東誥勅房裝爲小樓，以貯書籍。閣西制勅房南面隙地添造捲篷三間，以處各官書辦，而閣制始備。（同上）

【原】殿閣大學士雖設自洪武中，然同在内閣視事，則自永樂年始。其坐次不敢正席者，以車駕所嘗臨幸故也。天順中，大學士李賢欲正席而坐，同列彭時不可，乃止。（翰林記）

【原】文淵閣在午門之内迤東，文華殿南，甎城凡十間，皆覆以黄瓦。西五間中揭文淵閣牌，牌下置紅櫃，藏實録副本。儘前楹設凳，東西坐，餘五間皆後列書櫃，隔前楹爲退休所。李公令人移紅櫃壁後，欲設公座。予曰：不可，殿閣皆至尊所御。原設官之意，止可侍坐以備顧問，無正坐禮。李語塞，意猶未已。踰數日，上遣太監傅恭送范銅飾金孔子并四配像一龕來，置於中間。又數日，遣太監裴富送聖賢畫像一副來，懸龕後壁上，乃罷不設焉。（可齋筆記 以上四條原在宮室門，今移改。）

〔臣等謹按〕舊文淵閣在内閣旁，當文華殿之前，明時已燬於火。乾隆四十年，皇上命於文華殿後度地創建藏書之閣，仍名曰文淵。詳見宮室門。

增 太和門之左爲昭德門，東南隅爲内閣公署，其正衙御書額曰調和元氣。大清一統志

〔臣等謹按〕内閣門西向，二門南向，滿漢本堂蓋黄瓦，票籤房及蒙古堂、典籍廳、稽察房皆用常瓦。規制宏廠，較前明所云東閣五間白晝秉燭者，氣象迥不同焉。

原 國初設符璽郎，後改曰尚寶司。曰奉天之寶，惟祀天地用之。凡詔若赦則用皇帝之寶，以册封及賜勞則用行寶，詔親王大臣調兵則用信寶，册上尊號則用尊親之寶，勑諭親王則用親親之寶，祀山川鬼神則用天子之寶，封外藩及賜勞則用天子行寶，詔外調兵則用天子信寶，曰誥則用誥命之寶，曰勑則用勑命之寶，獎臣工則用廣運之寶，諭來朝官員則用敬天勤民之寶。凡寶之用必請命而後發焉。天子饗祀郊廟、視學、耤田，勳衛扈從當值，則給金牌，虎賁巡城則給銅符，九門守衛則給銅牌，錦衣校尉入直則給銅魚，京官朝參者則給牙牌，牌有圓花長花長素之别。龍湖文集

原 明制，各寶皆内尚寶監女官掌之。遇用寶，則尚寶司以揭帖赴尚寶監，尚寶監請旨，然後赴内司領取。西垣筆記

原 每年三月廿九、九月廿九爲用寶之期，請出寶洗滌。尚寶太監用大黄絨絛兩手恭捧掛於項，尚寶卿以金盆盛水濯之，次日乃用。玉光劍氣集

原 尚寶司在午門外西兵科之上。春明夢餘録 以上四條原在宫室門，今移改。

〔臣等謹按〕明代用寶之制，尚寶司以揭帖赴尚寶監，得旨乃赴内司領取。考明史宦官十二監，有尚寶監，女官六局，有尚服局，領司四，一曰尚寶，此其職也。永樂後，女官之職移於宦官，遂成秕政。本朝定制，内閣奏用寶之數，内閣學士率侍讀學士、侍讀及典籍等官同總管内務府大臣赴乾清門，總管内監奉寶出，閣臣等驗用。其外司與内監内司之職悉汰除之，典守既極尊嚴，法制益徵清肅矣。

原故事，禁中不得舉火，雖閣老亦退食於外。一日宣宗過城上，令内監覘閣老何爲，曰：方退食於外。上曰：曷不就内食？對曰：禁中不得舉火。上指庭中隙地曰：是中獨不可置庖乎？今烹膳處是也。自是得會食中堂。又一日過城上，覘閣老何爲，曰：方對弈。問何以不聞落子聲？對曰：棋用紙。上笑曰：何陋也！明日賜象牙棋一副，至今藏閣中。震澤長語

原成化中始賜内閣兩連椅，藉之以褥；又賜漆牀、綿綺衾褥，以便休息。閣門則夏秋懸朱篘簾，冬春紫氈簾。瑣綴録

原文淵閣印不得下諸司；下諸司以翰林院印。明憲宗類編

原文淵閣印銀鑄，方一寸七分，厚六分，其文玉筯篆也。各衙門印皆用於行移中，獨内閣印惟機密文字鈐封進至御前開拆，始用之。翰林記

原永樂初，選翰林文學之臣六七人直文淵閣，參典機務，詔册制誥皆屬之。而謄副繕正則中書分直更入，事竣輒出。宣德間，三楊始置廚饌於閣之東偏，而選能書者處以閣之西小房，謂之西制勑房。諸學士則居閣之東五楹，專管誥勑，具稾定正於閣老，乃付中書繕進，謂之東誥勑房。而帶知制誥銜則惟閣老與諸學士而已，中書等官不敢僭也。瑣綴録

原翰林舊選學士六七人直内閣，掌誥勑，居閣之東號東誥勑房。以閣西小房處中書能繕寫者爲西制勑房。諸學士晨與閣老會食。至陳循時，劉鉉過自遜避，會食之例遂廢。後止輪一人專掌，多挨次入閣者。吴寬以司制誥久，雖不相，例稱閣老，蘇郡閣老坊見存。嘉靖中罷，今爲中書官供事之所。國史唯疑

原成化年間，中書與閣下如同僚然，投刺俱平交，蓋一堂共處，今之西房卽文淵閣也。閣臣居中，中書居東西兩房，各辦其事。已撤内庫十間，以西五間居閣下，謂之文淵閣。以東五間藏書籍，而東房中書亦遷居之，故今以閣下稱中堂。而東西非房矣，猶稱兩房者，沿舊名耳。明世廟識餘録

原中書舍人每大朝會則與翰林史官上殿，東西班侍立，東宫朝賀文華殿，導駕侍班，其初本與翰林宫坊六科同爲侍從之臣，諸司無相並者。石宗稿

【原】文淵閣本翰林内署，非衙門名，故朝廷之宣召，諸司之文移，雖事關機務，亦止稱翰林院或稱會同翰林堂上官，初不以内閣名。瑣綴録

【原】王文端直題梁用之詩後謂内閣在東角門内，常人所不能到。其外爲文淵閣，則翰林諸公所處也。今内閣傍文淵而不在東角門之内，諸學士所處則在左順門之南廊，而旁爲東閣云。玉堂漫筆

【增】舊制輔臣直閣率辰入申出。崇禎間，出必二鼓，始議輪一人宿精微科候票。春明夢餘録

【原】會極門在皇極門之東，凡京官上下接本俱於此處。南入爲内閣，輔臣票本地也。宣廟賜有文淵閣印一顆，凡封進票本、揭帖、聖諭、勑稿用此鈐之。萬曆中爲人開内閣鎖盗去。上命補鑄賜之。玉光劍氣集

【補】東閣五間，夾爲前後十間，前中一間供先聖位，爲諸輔臣分本公敍之所。閣輔第四員以下則居後房，雖白晝亦秉燭票擬。薛韓城當國，特鑿一牖，復開門構數椽以通日色。及韓城賜死，説者謂破壞風水。然韓城卽不破壞風水，能免此禍哉？明烈皇小識

【補】永樂初，内閣官遇常朝，立金臺東，錦衣衛在西，後因不便，移下貼御道東西對立。後因雨，各衙門俱上奉天門奏事，五府立西檐柱外，六卿序立東檐柱内，内閣遂無地可立。景泰二年秋，以户部尚書兼學士陳循奏，始令常朝内閣學士與錦衣衛官東西對立。

明典故記聞

補文淵閣在奉天門東廡之東，文華殿之前，前對皇城，深嚴禁密，百官莫敢望焉。吏人無敢至其地，閣中趨侍使令惟廚役耳。防漏泄也。禁密文書一小匣在几上，鑰之而不合，大學士暮出，鑰其門，匙懸門上，恐禁中不時有宣索也。震澤長語　以上十五條原在宮室門，今移改。

增永樂初，命編修等官於文淵閣參預機務，謂之内閣，漸陞至學士諸職。洪熙元年，或加師保及尚書、侍郎、卿，仍兼學士、大學士銜，自後因之，稱内閣大學士。凡大學士加三師則爲一品，加尚書二品，侍郎三品，若未加陞而止係大學士者，則仍正五品。詞林典故

原永樂四年，上視朝之暇，御便殿閲書史，問：文淵閣經史子集皆備否？解縉對曰：經史麤備，子集尚多闕。上曰：士人家稍有餘貲，尚欲積書，況於朝廷乎？遂召禮部尚書鄭賜，命擇通知典籍者四出購求遺書。且曰：書籍不可較值，惟其所欲與之。又顧縉等曰：置書不難，須常覽閲乃有益。凡人積金玉亦欲遺子孫，金玉之利有限，書籍之利豈有窮也！明成祖實録

原永樂辛丑，北京大内新成，勅翰林院凡南内文淵閣所儲書，自有一部至百部，各取一部送北京。時修撰陳循如數取進，得一百櫃，督舟十艘，載以赴京。青谿暇筆

原十九年四月，三殿災，火勢猛烈。奉天門東廡切近秘閣，學士楊榮麾武士三百人將御書圖籍舁至東華門河次。是時書籍淆亂無紀，典籍周翰理淆葺亂，逾二載而後復舊。今館閣書目，蓋永樂間定也。（翰林記）

原宣德四年十月，上臨視文淵閣，少傅楊士奇，太子少傅楊榮，太子少保金幼孜，學士楊溥、曾棨、王直、王英，侍讀李時勉、錢習禮，侍講陳循等侍。上命典籍取經史，親自披閲，與士奇等討論已，詢以時政，從容密勿者久之。命中官出尚膳酒饌賜士奇等，并賜纂修實録等官。士奇等叩首謝。上曰：朕聞有道之朝，顯治之主，崇禮儒碩，講求治道。卿等爲朕傅保，與諸學士皆處秘閣，朕躬至訪問，冀有所聞耳。稍暇當復至，卿等必有所陳論也。已而親製詩賜士奇等。（明宣宗實録）

原中秘書在文淵閣之署，約二萬餘部，近百萬卷，刻本十三，抄本十七。閣凡五楹，中一楹當梁栱間竪一金龍柱。宣廟常幸其地，與閣臣繙閲咨詢，故史臣不得中立設坐。（東湖集）

原正統六年六月，少師兵部尚書兼華蓋殿大學士楊士奇、行在翰林院侍講學士馬愉、侍講曹鼐上言：文淵閣見貯書籍有祖宗御製文集及古今經史子集之書，自永樂十九年南京取來，向於左順門北廊收貯，未有完整書目。近奉旨移貯於文淵閣東閣，臣等逐一點勘，編置字號，輯成文淵閣書目，請用廣運之寶鈐識，仍藏於文淵閣，永遠備照，庶無遺失。奉旨：是。次日於左順門用寶訖。（文淵閣書目）

【原】弘治五年，大學士邱濬請於文淵閣近地別建重樓，不用木植，但用甎石，以累朝寶録御製玉牒庋於樓上，内府藏書庋之下層，每歲曝書，委翰林堂上官查驗封識。上嘉納之。（明典彙）

【原】弘治九年三月，大學士徐溥以内閣書籍浩繁，請以翰林待詔潘辰管典籍事，仍乞命吏部於教官内選除典籍一員與之共事。從之。因以河南息縣教諭夏賌爲翰林院典籍。（明孝宗實録）

【原】正德十年十一月，大學士梁儲等言：内閣并東閣藏書年久殘闕，必須專官管理，方可次第修補。誥勅房辦事中書舍人胡順、序班劉偉，俱堪委用，宜令順仍舊，偉改典籍，同原管主事李繼先管理前項書籍。從之。由是其書爲繼先等所盜，亡失者多矣。（明武宗實録）

【原】初永樂大典書成，貯之文樓。及三殿災，上命左右趣登文樓，出大典。甲夜中，諭凡三四傳，是書遂得不毁。嘉靖四十一年，選善書人禮部儒士程道南等百人重録一部，命高拱、張居正等校理之。（明世宗實録）

【增】文淵閣藏書，十九皆宋板，但歷朝以來所失已强半。正德十年乙亥，命原管主事李繼

【原】十九年四月，三殿災，火勢猛烈。奉天門東廡切近秘閣，學士楊榮麾武士三百人將御書圖籍舁至東華門河次。是時書籍淆亂無紀，典籍周翰理淆葺亂，逾二載而後復舊。今館閣書目，蓋永樂間定也。翰林記

【原】宣德四年十月，上臨視文淵閣，少傅楊士奇，太子少傅楊榮，太子少保金幼孜，學士楊溥、曾棨、王直、王英，侍讀李時勉、錢習禮，侍講陳循等侍。上命典籍取經史，親自披閱，與士奇等討論已，詢以時政，從容密勿者久之。命中官出尚膳酒饌賜士奇等，并賜纂修實録等官。士奇等叩首謝。上曰：朕聞有道之朝，願治之主，崇禮儒碩，講求治道。卿等爲朕傅保，與諸學士皆處秘閣，朕躬至訪問，冀有所聞耳。稍暇當復至，卿等必有所陳論也。已而親製詩賜士奇等。明宣宗實録

【原】中秘書在文淵閣之署，約二萬餘部，近百萬卷，刻本十三，抄本十七。閣凡五楹，中一楹當梁栱間竪一金龍柱。宣廟常幸其地，與閣臣繙閱咨詢，故史臣不得中立設坐。東湖集

【原】正統六年六月，少師兵部尚書兼華蓋殿大學士楊士奇、行在翰林院侍講學士馬愉、侍講曹鼐上言：文淵閣見貯書籍有祖宗御製文集及古今經史子集之書，自永樂十九年南京取來，向於左順門北廊收貯，未有完整書目。近奉旨移貯於文淵閣東閣，臣等逐一點

勘，編置字號，輯成文淵閣書目，請用廣運之寶鈐識，仍藏於文淵閣，永遠備照，庶無遺失。奉旨：是。次日於左順門用寶訖。（文淵閣書目）

原弘治五年，大學士邱濬請於文淵閣近地別建重樓，不用木植，但用甎石，以累朝實録御製玉牒庋於樓上，内府藏書庋之下層，每歲曝書，委翰林堂上官查驗封識。上嘉納之。（明典彙）

原弘治九年三月，大學士徐溥以内閣書籍浩繁，請以翰林待詔潘辰管典籍事，仍乞命吏部於教官内選除典籍一員與之共事。從之。因以河南息縣教諭夏賫爲翰林院典籍。（明孝宗實録）

原正德十年十一月，大學士梁儲等言：内閣并東閣藏書年久殘闕，必須專官管理，方可次第修補。誥勅房辦事中書舍人胡順、序班劉偉，俱堪委用，宜令順仍舊，偉改典籍，同原管主事李繼先管理前項書籍。從之。由是其書爲繼先等所盜，亡失者多矣。（明武宗實録）

原初永樂大典書成，貯之文樓。及三殿災，上命左右趣登文樓，出大典。甲夜中，諭凡三四傳，是書遂得不毁。嘉靖四十一年，選善書人禮部儒士程道南等百人重録一部，命高拱、張居正等校理之。（明世宗實録）

增文淵閣藏書，十九皆宋板，但歷朝以來所失已强半。正德十年乙亥，命原管主事李繼先查校，由是更攘取其精者，所亡益多。向來傳聞，俱云楊升庵太史因父爲相，潛入竊去，然乙亥則新都公方憂居在蜀，升庵又安得闌入禁地？野獲編

原文淵閣藏書皆宋元秘閣所遺，雖不甚精，然無不宋元板者。因典籍多貲生，既不知愛重，閣老亦漫不檢省，往往爲人竊去，今所存僅千百之一矣。鬱岡齋筆麈

〔朱彝尊原按〕宋靖康二年正月，金人索秘書監文籍，節次解發。見丁特起孤臣泣血録，而洪容齋隨筆亦云宣和殿、太清樓、龍圖閣所儲書籍，靖康蕩析之餘，盡歸於燕。元之平金也，楊中書惟中於軍前收集伊洛諸書，載送燕都。及平宋，王承旨構首請輦宋三館圖籍，宋之實録正史皆完。當時勅平章政事太原張易兼領秘書監事，有詔許京朝官假觀。由是言之，文淵閣藏書乃合宋金元所儲而匯於一。益以明永樂間南都所運百櫃，考正統六年編定目録，凡四萬三千二百餘册。而列朝實録寶訓不下數千卷，若永樂大典一書多至二萬二千九百三十七卷，皆藏諸皇史宬，不與焉。縹緗之富，古所未有。其後典守不嚴，歲久被竊。萬曆三十三年，内閣制勅房辦事大理寺左寺副孫能傳、中書舍人張萱等奉閣諭校理，纂輯書目，則并累朝續添書籍入焉。大半殘闕，校之正統目録十僅存二三爾。崇禎甲申之變，散佚轉多，秘本罕得。欲復香廚四庫之盛，戛戛其難矣。

補永樂十七年三月，上在北京，遣侍講陳敬宗至南京起取文淵閣所貯古今書籍，自一部至百部以上各取一部北上。皇太子乃遣修撰陳循如數齎送，其餘封貯本閣。南京詹事府志以上十四條原在宫室門，今移改。

〔臣等謹按〕此條與原採青谿暇筆略同，但奉命取書者陳敬宗，而陳循則係太子遣送書籍，其紀載較前條尤明晰耳。

〔又按〕明代文淵閣逼邇内閣，庳狹暗黑。所藏宋元以來秘籍，典籍官既不知愛惜，閣臣又無暇留心，故積久闕失，無復香廚四庫之盛。我皇上稽古右文，搜宛委之奇，發嫏嬛之祕。命儒臣纂校四庫全書，幾暇親爲釐訂，特建文淵閣爲珍貯之府。有領閣、直閣事及校理、檢閱諸職。文治光昭，曠古罕儷矣。

原宣德幸文淵閣，命於閣右築石臺，植澹紅芍藥一本。景泰初，增植二本，左純白，右深紅。留青日札

原文淵閣芍藥，舊嘗有花。自景泰增植後，未嘗一開。天順改元，徐有貞、許彬、薛瑄、李賢同時入爲學士，居中一本遂開四花，其一久而不落。既而三人皆去，惟賢獨留。明年春，忽各萌芽，左二右三，中則甚多，而彭時、吕原、林文、劉定之、李紹、倪謙、黄諫、錢溥相繼同升學士，凡八人。賢約開時共賞。夏四月盛開八花，遂設宴以賞之。時賢有玉帶之賜，諸學士各賜大紅織衣，且賜宴，因名純白者曰白玉帶，深紅者曰宫錦紅，澹紅者曰醉仙顔，惟諫以足疾不赴。明日復開一花，衆謂諫足以當之。賢賦詩十章，閣院官寮咸和，彙成曰玉堂賞花詩集。雙槐歲抄

原玉堂賞花會賦詩者四十人，學士則南陽李賢、安成彭時、槜李吕原、莆田林文、安成李紹、永新劉定之、錢塘倪謙、東吳錢溥，侍讀則金城黄諫，詹事則盧陵陳文、長洲劉鉉，侍講則眉山萬安、漁陽李泰，中允則古杞孫賢，贊善則范陽牛綸，修撰則吴中陳鑑、博野劉吉、錢塘童緣、華容黎淳，編修則西蜀李本、毘陵王僎、餘姚戚瀾、宜興徐溥、瓊山邱濬、泰和尹直、安成彭華、霅川陳秉中、臨川徐瓊、四明楊守陳、臨江吴匯，檢討則嚴州傅宗、安成

張業、河東邢讓，翰林五經博士則天台鮑相，典籍則西蜀李鑑、泰和陳穀，侍書則浙江謝昭，其二人則禮部員外郎臨淮凌耀宗、中書舍人江東曹冕。詩成，李賢序之，彭時作後序。淥水亭雜識

【原】南大内有紅芍藥一本，仁宗爲太子監國時，遇花開嘗設宴與宣宗賞之。後宣宗嗣位，移植京師禁中，歷宣德、正統兩朝，無歲不花，繁郁無比。景泰改元，復增植二本，凡歷七年皆不花，及英宗復辟之春，花忽盛開，識者異之。當時賞花諸學士計花開多寡，合其同升之數，亦淺之乎爲言者矣。說聽

【原】景泰中内閣賞芍藥賦詩，本院官皆和之，有玉堂賞花集盛行於時。成化末，少傅徐溥在内閣賞芍藥，賦二詩，次年又賦二詩，本院官亦皆和之。正德中，大學士梁儲、楊一清賞芍藥唱和，則人各四首。按宣德八年本院諸寮有文淵閣賞雪詩，蓋詞林紀事多有題詠，不特賞花而已。翰林記

【原】嘉定宣嗣宗爲中書舍人。宣宗幸内閣，以銀錢撒地，令諸從官競取。嗣宗俟諸臣取畢，徐拾一支。寓圃雜記

【原】内閣二瓷缸，乃憲廟所賜種蓮者。謙齋集

【原】明宣宗詩　秘閣弘開當巽隅，充棟之積皆圖書。仙家蓬山此其處，上與東壁星相符。罷朝閒暇一臨視，衣冠左右環文儒。瓊琚鏘鏘清響振，寶鼎馥馥香烟敷。維時日上扶桑初，始看曈曨絢綺疏。忽已燦爛明金鋪，從容燕坐披典謨。大經大法古所訓，講論啓沃良足娱。朝廷治化重文教，旦暮切磋安可無？諸儒志續漢仲舒，豈直文采凌相如？玉醴滿賜黄金壺，勗哉及時相勵翼，輔德當與夔龍俱。庶幾致治希唐虞。明宣宗御製集

【補】顧清文淵閣賦　昔我文皇之統萬方也，稽往古，遵舊章。攬衆維，提要綱。謂六典之分，雖倣於周禮；而百揆之總，實自於虞唐。或合而分，或約而詳。蓋不可無樞機之總，疇咨之良也。乃眷斯顧，禁垣之隅。乃崇傑閣，翼彼宸居。錫文淵之嘉號，擢鑾坡之碩儒。職論思於九重，贊元化於中樞。雖官曹之未彰，實名體之隱如。此其大略也。若乃其地則日華之右，丹鳳之東。重門側啓，複磴中通。長廊後帶而龍矯，層城對起而繚虹。非密勿之有關，蓋不得以闖乎其宮。其中則有石渠之秘，金匱之藏。殷周訓誥，洙泗典常。班馬之所敍述，賈董之所鋪張。奎光壁耀，照灼乎虹梁。其前則有玉階珉礠，仰接俯延。文杏敷錦，碧芸連錢。瑶臺植和鼎之卉，銅池分並蒂之蓮。承雨露之先及，各獻巧而呈妍。其爲制也，邃密高閎，沉深肅清。黄扉豁其前敞，白間疏以通明。案有硃墨，庭無訟争。希夷乎紫宫，逍遥乎玉京。邈風雨之何及，時仙韶之遠聆。乃有臯夔之輩，稷卨之倫。大冠長劍，鳴玉垂紳。坐於兩楹，敷帝猷而演皇墳。萬幾倚以裁決，庶績賴以經綸。則有大官供帳，天府奇珍。湛恩渥禮，眷我儒紳。至於睿思時凝，事資訪逮。中貴傳宣，東朝賜對。日度晷而徐還，步金扉而緩退。其或金根戾止，玉輦幸臨。畧等級於堂陛，咨失得於古今。每先過而陳善，亦隨時而獻箴。或都而俞，或吁而咈。言皆可書，動鮮有愆。此則建閣以來累朝之盛節也。嗚呼！漢開金馬，賢俊雲蒸。唐啓學館，士誇登瀛。徒取技於雕蟲，尚無關於大經。然猶耀簡策，熙鴻名。

而況地兼乎木天之重，名並乎鳳池之榮。酌元氣以運四時，敷王言而令庶正。宜乎萬事於此理，萬化於此成。而陶冶乎其中者又可闕於頌聲耶？於是拜手稽首，敷陳其概而系之以歌。歌曰：五雲葱龍，黄閣崇兮。東壁流照，光煜空兮。維帝伊佐，志浹道同兮。政於此成，民物豐兮。有隆自今，垂之無窮兮。東江集

【原】胡儼直閣詩　清曉朝回秘閣中，坐看宮樹露華濃。緑窗朱户圖書滿，人在蓬萊第一峯。頤庵集

【原】陸粲賦内閣芍藥詩　金門柳色鬱深緑，上苑春餘雜花撲。夭桃已歇穠李衰，紅藥翻階正芬郁。此花初種自宣皇，百曲雕闌七寶妝。融光窈窕昭陽殿，暖日輕盈白玉堂。玉堂學士看花早，賦成芸閣留詩草。卷幔頻看碧霧流，揮毫正耐紅雲繞。憶昨宣皇居法宫，太平樂事君臣同。宸遊每出濯龍裹，曲宴偏臨翔鳳中。沉吟此事六十載，當日繁華宛然在。紺幰金輿絶幸臨，黄扉紫禁留風采。不羨揚州寶帶圍，長安紅紫競芳菲。五侯七貴同邀賞，寶馬香車疾若飛。争似名花出天上，霧閣雲窗儼相向。浪蝶游蜂未許窺，酒徒詞客空惆悵。江南三月足豪華，繡帳圍香富貴家。亦有幽姿在空谷，風雨憔悴天之涯。燕山游子江南客，獨對名花感今昔。草木何知人自憐，逢時亦復升沉隔。世間榮辱偶然事，不獨此花堪歎息。陸子餘集　以上十一條原在宮室門，今移改。

【增】内閣後門東爲紅本庫，又東爲尊藏實録庫及書籍表章庫，俱北向。誥勅房在協和門之南。大清一統志

【增】雍正八年，於隆宗門外設上諭事件處，乾隆元年移昭德門外東廊議政處。内閣冊

【原】中書科直房在午門外之西。春明夢餘録

〔臣等謹按〕今中書科在午門外西朝房，凡六楹。

〔又按〕以上各條敍内閣。

【增】東華門内國史館，南嚮，旁列書庫，卽前此恭修實録及會典處也。續三通館在西華門内咸安宮垣後，方略館在武英殿垣後，俄羅斯文館在東華門外北池街西。館冊

〔臣等謹按〕會典載國史館在熙和門西南，蓋舊制如此。後因實録館地較寬廣，復移置今處云。

〔又按〕以上一條敍各館。

欽定日下舊聞考卷六十三

官署

〔臣等謹按〕六部公廨，其在元代者閲時既久，罕詳其處。春明夢餘録謂貢院爲元之禮部，太僕寺爲元之兵部，殆亦相傳云爾。明永樂時，吏、户、兵、工四部及鴻臚寺、欽天監、太醫院諸署皆仍舊官舍爲之，散處無序。正統七年，始各以行列方位，次第改建，本朝多因其舊焉。詳見各條下。

原 吏部在闕東，宗人府衙門之下，西向。春明夢餘録 原在城市門，今移改。

增 吏部在皇城東，宗人府之南。設尚書滿漢各一，侍郎滿漢各二，文選、考功、驗封、稽勳清吏四司，各設滿漢郎中、員外郎、主事等官，司務廳一。大清一統志

增 吏部署，明永樂十八年建，國朝仍其舊址。大堂西向，左司務廳，右土地祠。其南爲文選、稽勳二司，北爲考功、驗封二司。又稽俸廳、督催所皆在其左。吏部冊

〔臣等謹按〕吏部額曰公正持衡。前列訓辭曰：能虚中之謂公，能端己之謂正，以才

以器，循名責實，銓選之法，莫重於此。世宗御筆也。

原 明宣宗吏部箴 周官六卿，其長太宰。統治百寮，以熙功載。漢設選部，官置尚書。有佐有屬，代襲弗渝。致治之本，實資用賢。甄拔簡任，爾持衡銓。爾惟敬之，務公戒私。善爾勿蔽，才爾勿遺。必黜憸邪，必進忠貞。用舍適宜，治由汝興。苟或貿貿，弗博詢采。謀面而用，弗究其內。玉石不分，臧否莫明。治之弗興，亦由汝成。度德定位，乃稱任使。小知大受，官罔不弛。精爾識鑒，勵爾正直。相予於治，夙夜無斁。官箴

原 羅欽順吏部題名記署 吏部之稱於北京，始自永樂辛丑，迄今嘉靖壬午，凡百有二年。中間十六七年，雖仍以行在吏部稱，然大政所出固無改也。故今題名之刻，斷自永樂辛丑始，卿佐凡七十五人。其在南京及辛丑以前之行部不與焉。後來者可得而續書也。整庵集

原 紫藤花二株，其一在少宰右署中，吴文定公手澤也。其一在司廳左署中。莆田方興邦古藤記略曰：吏部廳事左署有古藤一株，鐵榦如椽，兩兩相比，盤薄輪囷，而枝蔓扶疏，緣攬直上，不知誰所植也。堂上左右廂有藤三株，乃弘治六年長洲吴文定公爲少宰時手植，於今殆六十餘年。圍而挈之，不及茲藤三分之二，然則樹此者殆百年矣。燕都游覽志

原 吴寬詩 手種朱藤已七年，長條緣架每相纏。只看葉密清陰覆，忽報花多紫粉懸。風下掉頭嫌一老，雨餘舒眼眄三賢。從今堆字詩還和，寫入當時草木編。自注：吏部右廂前有朱藤一株，予所種也。匏翁家藏集 以上四條原在城市門，今移改。

〔臣等謹按〕吴寬手植藤今在吏部穿堂之右，屋三楹曰藤花廳，乃吏部長官治事之所。惟寬詩自注云朱藤一株，而今實二株，蓋後人補植也。左署古藤已不可見，獨方興邦撰記石刻尚存文選司庫後，有萬曆二十年兵部職方司員外郎宣化蔣行可跋。

增吏部有水鏡堂，冢宰長洲陸公所建，而毛少宰澄爲之記。今之南大火房是也。雕邱雜録

〔臣等謹按〕吏部有許公祠，在文選司。考明史列傳，許直，字若魯，如皋人，崇禎七年進士。除義烏知縣，徵授吏部文選主事，進考功員外郎。都城陷，賦絶命詩六章，闔户自經。本朝順治九年賜謚忠愍。

〔又按〕吏部後堂有明碑二：一爲萬曆壬寅重建吏部正堂火房記，禮部尚書馮琦撰；一爲衡鑑叟語，萬曆辛巳濩澤王國光書。文選司署内奎星像石刻一，上有題詞，不著姓名，下有明歷科會狀題名，俱漫漶。又萬曆二十二年銓署公籍引石刻一，尚書陳有年載其所購官書部目，司務馬怡跋。

〔臣等謹按〕以上各條敍吏部。

原户部在闕東吏部之下西向。春明夢餘録　原在城市門，今移改。

增户部在吏部南。設尚書滿漢各一，侍郎滿漢各二，江南、浙江、江西、福建、湖廣、山東、山西、河南、陝西、四川、廣東、廣西、雲南、貴州，凡十四清吏司，各設滿漢郎中、員外郎、主事等官。而順天、直隸及奉天所屬州縣則以福建、山東二司分理之。司務廳一。大清一統志

增户部署，國朝因明舊址建。大堂西向，司務廳在其左，諸司屬以次分列。江南、貴

州、陝西、湖廣、浙江、山東六司在左廊後南夾道内，福建、江西、河南、雲南、四川、廣西六司在右廊後北夾道内，山西、廣東二司在二門外南北向，又有南北檔房、飯銀處、俸餉處、現審處、督催所、軍需局，皆有公廨在署内。戶部冊

〔臣等謹按〕戶部堂額曰九式經邦。前列訓辭曰：周禮以九式之法均節國之財用，職綦重焉。尚其平準出納，阜成兆民，毋曠乃守。世宗御筆也。

〔又按〕明代戶部置十三司，國朝增以江南，爲十四司。諸司多明季題名石刻，文已漫滅。惟萬曆十八年雲南司主事張問仁題名記碑尚完好，在今貴州司署内。蓋本明雲南司舊署，而今則互易其地者也。

原 明宣宗戶部箴 君國之道，子民爲先。黎庶既安，邦本植焉。相古地官，實爾之職。均節惠和，民乃衣食。賦稅有經，徭役有常。民之所供，舊典式張。惟爾卿佐，暨乃攸屬。庶幾夙夜，恪謹乃服。民克阜殷，樹藝以蕃。上下畢充，何有卒殫？惟公惟勤，惟時惟允。惟仁之溥，而義之盡。秦之商鞅，唐之宇文。苛征暴括，邦以不振。爾惟鑒茲，毋縱掊克。毋詭於隨，毋敗於墨。予惟爾任，爾其懋哉。尚友古人，執德不回。官箴 原在城市門，今移改。

增 正統七年，設戶部太倉庫。各直省派剩麥米。十庫中綿絲、絹布及馬草、鹽課、關稅，凡折銀者皆入太倉庫。籍没家財、變賣田產、追收店錢、援例上納者亦皆入焉。專以貯銀，又謂之銀庫。明史食貨志

增 大庫在署東北，緞疋庫在東安門内，顏料庫在西安門内，謂之三庫。特派大臣管理。其郎中、員外郎、司庫等官，於各部院揀調。又有火倉在署西。大清一統志

增寶泉局在皇城東北。國初，錢法專屬工部寶源局。自天啓二年始設户部錢局，以右侍郎督理之，名錢法堂。加鑪製造，以濟軍興。春明夢餘録

增舊設寶泉局，在東四牌樓街北，今爲公署。別設四廠，建鑪鼓鑄，以侍郎滿漢各一員總之，滿漢司官各一員爲監督，其下有大使五員。大清一統志

增今寶泉局仍明舊址置，門額後有濟陽倉萬曆六年立八字，蓋天啓中卽倉基改建者也。其四作廠乃國朝添設。東作廠在東四牌樓四條衚衕，南作廠在錢糧衚衕，西作廠在鑼鼓巷千佛寺衚衕，北作廠在北新橋三條衚衕。户部册

增總督倉場公署在城東裱褙衚衕，設於正統三年。糧儲抵通，分貯京通二處，户部侍郎或尚書總理之。其公署在舊太倉内。春明夢餘録

增總督倉場公署在城東，設侍郎滿漢各一員董其事，世宗御書堂額曰慎儲九穀。通州亦有公署。京城通州各設倉。又本裕倉在會清河。簡科道及各部郎中爲坐糧廳，内閣中書及部院監寺官屬爲倉監督，每歲差副都統及滿漢御史稽察之。大清一統志

原曹履吉重修京糧廳碑：國家歲漕東南四百萬粟以實京邊，特於户部左右曹外別領以總督，號曰後部，而以倉部郎隸之。倉部舊署稱東官廳。嗣以總督截漕歲五之一就邊軍，便置通糧廳，而東官廳改稱京糧廳，總京倉五十有二，分六司屬監督焉。廳寢室南向，堂東向，額曰咸裕，東北築臺，内有藏書室。博望山人稿　原在城市門，今移改。

增朝陽門内有禄米倉、南新倉、舊太倉、富新倉、興平倉，東直門内有海運倉、北新

倉，朝陽門外有太平倉、萬安西倉、儲濟倉，東便門外有裕豐倉、萬安東倉，德勝門外有本裕倉、豐益倉。又東便門外通惠河北岸有大通橋公署。（户部冊）

〔臣等謹按〕大通橋公署門東楹有明夏言詩石刻尚存。

補 元於大都腹裏設税務七十三處，其在京城者，猪羊市、牛驢市、馬市、果木市、煤木所，有宣課提舉司領之。利網雖密，然自酒醋而外，若魚蝦藥果之屬，以及書畫、藁薦、草輭、篠帚、甎瓦、柴炭、諸色燈、銅、鐵、線、麻綫、苧綿、草索、麴貨，皆爲不合税之物，比於明崇文門税課，條目疏矣。（稼堂雜抄）

增 成化二十一年，令順天府委佐貳官一員於崇文門宣課分司監收商税。（明會典）

增 弘治元年，差御史、主事各一員於崇文門宣課司監收商税。六年，令崇文門宣課司商税止差主事監收，不必御史巡察。（續文獻通考）

增 崇文門監督署在崇文門外街東，又左右翼監督城内各有公署。（大清一統志）

增 左翼税署在東四牌樓之西大街，右翼税署在西四牌樓之東大街。（户部冊）

〔臣等謹按〕以上各條敍户部。

原 禮部在闕東户部之南，西向。有嘉靖十五年秋欽定大報諸祀禮儀牌，在寅清堂。（春明夢餘録）

【原】宣德五年，北京五府六部皆未建。上以禮部所典者天地宗廟社稷之重，及四方萬國朝覲會同，皆有事於此，遂首建之。明典彙

【原】宣德六年五月，行在禮部成。踰月，上命寮屬入莅事。賜什器百六十二，刻禮部公用四字其上。已而南禮部復析所藏書百二十部總二千八百册以實之。劉忠愍集　以上三條原在城市門，今移改。

【增】禮部在户部南。設尚書滿漢各一，侍郎滿漢各二，儀制、祠祭、主客、精膳清吏四司，各設滿漢郎中、員外郎、主事等官。司務廳一，鑄印局、會同四譯館附焉。大清一統志

【增】禮部公署，國朝仍明舊址建，門左爲鑄印局，右韓昌黎祠。堂之南舊儒士廳，今改督催所，北爲司務廳。儀制、主客二司在左，祠祭、精膳二司在右。禮部册

〔臣等謹按〕禮部堂額曰寅清贊化。前列訓辭曰：秩宗爲典禮之司，必心存寅畏，志氣清明，始無忝厥職。故特取虞書夙夜惟寅、直哉惟清二語示之。世宗御筆也。

【原】明宣宗禮部箴　聖人立極，法天出治。爲法之本，莫大於禮。稽古伯夷，爲虞秩宗。所典三禮，宗伯攸同。既治神人，亦和上下。政本之地，實宣教化。惟我祖宗，承古之道。品節制度，式昭禮教。幽明崇卑，秩乎有序。大法大經，靡不備舉。咨爾禮臣，夙夜惟寅。秉其直清，以交神明。安上治民，爰及四裔。祇循舊章，亦義之比。惟卿暨佐，於汝協恭。暨厥四屬，於卿率從。治國去禮，猶耕無耜。咸篤敬之，以懋政事。官箴

【原】楊士奇勅建禮部賜宴碑畧　宣德六年十月，北京新作禮部成。其地在大明門之東，西向。中爲正堂，堂之側爲司務廳。前爲周序，爲中門，爲前門，正堂之後爲後堂，左右爲賓客之位，後爲庖庫。堂序之外爲四屬，儀制、主客在左，祠祭、精膳在右。鑄印在中門之左。既成，命京師諸司長貳咸往落之，命光禄賜宴。臣伏覩未作禮部之先，有司以上所居宮殿卑隘，請拓地改作，上卻其奏。暨禮部成，有司復請改作宮殿，且言治材已具。上曰：朕夙夜求民之安，今天下匹夫匹婦豈皆得所，而何暇於自求佚？又却其奏。昔大禹薄自奉而所勤者民之事，所致飾者宗廟朝廷之禮；與皇上聖心異世而同符矣。是役也，重禮爲先務而再卻有司之請，聖德之大者，臣謹備書之焉。東里集

原視日儀刻石，禮部寅清堂前。明世廟識餘録

原禮部儀制司有優鉢羅花，開必四月八日，至冬而實，如鬼蓮蓬，去其衣，中金色佛一尊，不知何人所植。七修類稿 以上四條原在城市門，今移改。

〔臣等謹按〕郎瑛所記儀制司署之優鉢羅花，今已無存。

原行人司在西長安街朝房之西。春明夢餘録 原在城市門，今移改。

〔臣等謹按〕明之行人司署在西長安門外，本朝順治年間改建兵部督捕公署者也。至國初所設行人公署在正陽門外大栅欄，有司正、司副、行人等官，屬禮部，後裁。

原行人司行人初置三百六十員，今存三十六員。菽園雜記

原明宣宗行人司箴 法宫建官，以熙於治。國之行人，實承周制。慎簡髦士，俾居俾藏。朝有命令，肅肅用將。有容有章，必敬必飭。毋爲奇衺，毋縱貪墨。載馳載驅，周原諮諏。靡及之懷，益毖弗渝。克篤念兹，不忝於士。不忝於國，有聞於世。官箴

原四夷館在玉河橋之西，永樂五年十一月始設。命禮部選國子監生蔣禮等三十八人隸翰林院習譯書，人月給米一石。遇開科令就試，仍譯所作文字，合格出身。置館於長安左門外處之。燕都遊覽志

原洪武十五年，命侍講火原潔譯蒙古文字。譯字官隸本院始於此。永樂中，學士楊榮掌其事。宣德元年，命本院學士稽考課程。弘治初，奏准科目出身四品以上二員提督。自

後提督官例用太常寺卿及少卿。翰林記

原景泰三年八月，改造四夷館。先是，譯書子弟俱於東安門外廊房肄業。至是，提督譯書郎中劉文等請建館於廊房之南隙地，從之。明景帝實録 以上五條原在城市門，今移改。

增會同四譯館，本朝以禮部郎中兼鴻臚少卿銜提督之，並典務廳、正教、協教序班隸於禮部。凡八館，曰西天，曰暹羅，曰回回，曰八百，曰高昌，曰西番，曰緬甸，曰百譯。舊設譯字生九十六名，今酌留八名。大清一統志

〔臣等謹按〕提督四譯館舊制加太常寺少卿銜，館舍在正陽門外楊梅竹斜街。乾隆十三年奉諭歸併禮部會同館，即以其地改稱會同四譯館。其提督官始易以郎中而兼鴻臚少卿銜焉。

增明會同館在玉河橋西，國朝改設會同四譯館。其外有朝貢使人之館舍三，一在宣武門内京畿道衚衕，一在宣武門外横街，一在東江米巷御河橋。禮部册

增典樂，禮部滿尚書兼之。各部院内務府堂官知樂者簡用無定員。掌五音六律以合陰陽之聲。所屬有神樂、和聲二署，掌儀司鑾儀衛樂並隸焉。大清會典

增樂部公署在景山西門外迤北道西，乾隆七年創建。禮部册

〔臣等謹按〕以上各條叙禮部。

原兵部在闕東宗人府後，西向。（春明夢餘録 原在城市門，今移改。）

增兵部在皇城東宗人府後。設尚書滿漢各一，侍郎滿漢各二，武選、職方、車駕、武庫清吏四司，各設滿漢郎中、員外郎、主事等官。司務廳一，其外有會同館隸焉。（大清一統志）

增兵部公署，國朝因明舊址建。大門西向，門内南爲會同館。大堂五楹，武選、職方二司在其南，車駕、武庫二司在其北。又司務廳、督催所、稽俸廳皆在大堂左右。二堂五楹，中有照壁，刊周禮大司馬法一則，猶明代物。又楊繼盛祠在武選司。又職方司内明時遺礮三位，其一高尺有八寸，徑四寸，餘各高尺五寸，徑三寸五分，質尚完堅，今安設關帝廟中。（兵部册）

增兵部舊有督捕公署，本舊行人司署，在西長安門外，本朝順治十一年特設，一侍郎主之，佐以理事官及郎中、員外、主事、司獄等官，專詰八旗逃丁與窩逃者，並察緝盗賊。康熙三十八年，裁併刑部。（同上）

〔臣等謹按〕兵部堂額曰整肅中樞。前列訓辭曰：司馬之官爲樞衡重任，國家武備修明，道在整肅，是所望於司其職者。世宗御筆也。

原明宣宗兵部箴 部以兵名，實古司馬。詰是戎兵，以固華夏。凡厥武臣，疇過敍勳。乘馬在坰，考牧用蕃。車駕輿服，城成郵驛。守經制宜，皆爾之職。董之以卿，承以衆寮。簡畀維賢，庶其昭昭。爾宜懋兹，敬共朝夕。顧諟弗忘，以熙庶績。書有明訓，儆戒無虞。兹用敉寧，其可勿圖！怠則隳政，貪則亂法。毋爲泄泄，毋爲沓沓。職所宜爲，式克慎修。福禄攸集，永孚於休。思古良臣，鞠躬盡瘁。用是作箴，以勵有位。（官箴）

原永樂六年八月，設北京會同館，改順天府燕臺驛爲之。明成祖實録 以上二條原在城市門，今移改。

〔臣等謹按〕明代會同館之制，永樂初改燕臺驛烏蠻市之地爲之。其後又有北館、南館之設，皆以處遠使也。本朝於城内外建置賓館三所，秩宗掌之。又併四譯於禮部會同館，規制具備。至明之諸館已廢，惟大興縣東王府街會同館專屬兵部爲牧養驛馬之地，猶永樂時舊館也。今録之兵部條下，以識其緣起，而明之會同各館以類附見焉。

原正統六年九月，命於玉河西堤建房一百五十間以館迤北使臣。七年二月，造會同館。明英宗實録

原弘治三年二月，英國公張懋上言：京城原設兩會同館，各有東西前後九照廂房，專以止宿屬國使。但北館有燕廳後堂以爲待燕之所，而南館無之。每賜燕止在東西兩照房分待，褊迫不稱。乞勅工部將近日拆卸永昌寺木料改造燕廳於南館。從之。明孝宗實録

補自京師達於四方，設有驛傳，在京曰會同館，在外曰水馬驛并遞運所。北京會同館，永樂初設。三年併烏蠻驛入本館。正統六年，定爲南北二館，北館六所，南館三所。明會典

補北會同館在澄清坊大街東，正統六年蓋造，弘治五年改作，共房屋三百七十六間。南

會同館在東江米巷玉河橋西街北，亦正統六年蓋造，弘治五年改作，共房屋三百八十七間。兵例 以上四條原在城市門，今移改。

【增】會同館在大興縣東王府街，明永樂六年改順天府燕臺驛爲之。今爲在京牧養驛馬之所，有館大使。大清一統志

〔臣等謹按〕以上各條敍兵部。

【原】刑部在皇城西，與都察院、大理寺並列爲三法司。春明夢餘録

【原】正統七年十一月，建刑部、都察院、大理寺於宣武街西。明英宗實録

【原】國初比部之制，分爲十二。其雲南隸陝西部，永樂間安南内屬，置交趾司，析雲南、四川之交爲貴州，置貴州司。方定都之初，百務草創，率皆權寓莅事。今城隍廟西惜薪司，俗呼舊刑部是也。彭惠安集 以上三條原在城市門，今移改。

【增】刑部在皇城西。設尚書滿漢各一，侍郎滿漢各二，直隸、奉天、江蘇、安徽、浙江、江西、福建、湖廣、山東、山西、河南、陝西、四川、廣東、廣西、雲南、貴州、督捕，凡十八清吏司，各設滿漢郎中、員外郎、主事等官。司務廳一，司獄司附焉，以主事提牢。又有贓罰庫、秋審處。大清一統志

【增】刑部公署，國朝卽明錦衣衞故址移建。大堂壁間舊有錦衣衞題名碑，後燬於火。堂東

向。直隸、奉天二司在堂左右，左廊湖廣、廣東、陝西三司，右廊河南、山西、山東、江西四司，及司務廳在二門外。江蘇、安徽、福建、浙江、四川、廣西、雲南、貴州並督捕司凡九，在南夾道内。督催所在江西司稍北。西南西北二隅合置獄，曰南北所，北所圍垣東大榆樹一株，傳爲明楊繼盛手植云。刑部册

增 律例館以滿漢司員提調纂修，五年一編緝。大清會典

〔臣等謹按〕刑部堂額曰明刑弼教。前列訓辭曰：司寇掌邦禁，明刑所以弼教也。必輕重咸宜，始成協中之化。慎守爾典，欽哉毋忽！世宗御筆也。

〔臣等謹按〕律例館舊在西長安門外，歲久漸圮，乾隆三十七年移建於太常寺後。

原 明宣宗刑部箴：聖人制刑，輔治弼教。掌邦之禁，惟仁之蹈。咨爾刑部，卿佐暨屬。惟公乃明，惟明能燭。匪廉弗公，勉篤於行。惟敬惟慎，毋忘哀矜。死獄求生，何昔之德？移情就律，何今之刻？深文巧詆，實民之賊。如鑑如衡，刑乃弗忒。毒威以逞，下情鬱堙。私意以行，枉直失真。司命之寄，毫絲罔僻。罪疑惟輕，庶鮮寃抑。天不可違，民不可罔。斷不可續，應則如響。往體予仁，欽哉勿渝。庶幾祥刑，有永令譽。官箴

增 嘉靖七子，王李輩同官西曹，建白雲樓，相聚論詩。一時目刑部爲外翰林。于鱗句有諸山城上出，落日署中寒。元美歌有儻問曹中理公事，君其且看西山碧。漫堂詩話

原 刑部福建司軒曰甘露。貴溪江以潮爲郎時，甘露降於軒柏，作記刻碑。碑僅三尺，萬曆庚子，四明馮若愚移砌軒前壁中。耳談

原 彭惠安韶在刑部司，舊有王顯廟，公命碎其象，易以清獻趙公神主。西園聞見録 以上四條原在城市門，

今移改。

〔臣等謹按〕明時刑部在長安街西，今俗呼刑部街者是也。國朝遷建後，其地已廢，白雲、甘露諸遺蹟亦皆無存。今刑部治事之所榜曰白雲，蓋第數典徵名，而非復當時之故址矣。

〔又按〕以上各條敍刑部。

原 工部在闕東户部之後，西向。春明夢餘録 原在城市門，今移改。

增 工部在皇城東户部後。設尚書滿漢各一，侍郎滿漢各二，營繕、虞衡、都水、屯田四清吏司，各設滿漢郎中、員外郎、主事等官。司務廳一。大清一統志

增 工部公署，國朝即明舊址建，大堂西向。營繕、都水二司在左廊，虞衡、屯田二司在右廊。司務廳在大堂之左，料估所在堂右。堂後爲督催所。其堂官視事之所亦曰藤花廳，枝榦蚴蟉，與吏部相彷彿，第不傳爲何人所植也。工部冊

〔臣等謹按〕工部堂額曰敬飭百工。前列訓辭曰：五材是飭，六府孔修，繄冬官攸掌。綜理核實，審度程功，其悉體此意！世宗御筆也。

原 明宣宗工部箴 虞舜之世，垂若百工。暨於成周，乃設司空。漢制水衡，將作少府。備物致用，必謹其度。我朝建官，列次六卿。率屬有四，各底於成。凡諸繕作，儀品有秩。辨其楛良，去華就實。凡厥有位，宜慎其官。順理而治，勿苛以殘。山澤之利，羽毛齒革。金鑛丹漆，暨木與石。爲所當爲，毋耗於財。逸所當逸，毋殫其力。毋縱己私，縱則召菑。毋溺於賄，溺則取敗。必祗必勤，必施以公。百役具宜，惟爾之功。其懋敬哉，視古仁智。率履

勿愆，用保禄位。官箴

原工部居六曹後，仕進者冷局視之。嘉靖間興大工，添設工部官，比曩時數倍，營繕司尤盛。郎中多至十餘員，得驟升京堂，或有先賜四品服者，人始慕之，而爲語曰：馬前雙，馬後方，督工郎。馬前雙者棍，馬後方者杌也。說聽

補劉麟爲工部尚書，奏建節慎庫，與臺臣同典出納，自是財無濫用。萬姓統譜

補嘉靖八年二月，工部尚書劉麟上言：本部設立衙門之時，原有大庫一座，規制頗宏。在本部之後，有堂二重，并大牆限隔，但有中正大路前通。臣等相度本庫之北，循鑾駕庫外牆而行，正與東朝房一間相對。查係兵馬司官住，其房年久損漏，可以改爲門道。庫官庫吏亦不必增添。本部所屬皮作局，其務甚簡，可以改爲庫官。架閣庫吏并匠科典吏俱可改爲庫吏。庫門責委虞衡司掌管，其未盡事宜聽臣等臨事損益。具奏得旨允行。麟又上言：庫藏既立，當揭額定名以垂久遠。本庫所貯本以奉國之公，似當名曰奉公之庫，若求設庫本意，不宜濫興工作，以節爲本，不宜横取悖出，以慎爲尚，名曰節慎，意義亦通。疏上，定庫名曰節慎。春明夢餘録　以上四條原在城市門，今移改。

增北京節慎庫金銀元寶各一，蓋鎮庫之物，以梯登其上，其邊尚高於人，上刊永樂九年字。查浦輯聞

原文思院在皁場衚衕，屬工部屯田司，官有大使副使。長安客話

原正德四年閏九月，遷文思院於安仁廠隙地，以成造軍器數多，舊院空僻，嘗被盗故也。明武宗實録

原六年七月，改建工部文思院於東城明時坊，以舊置地卑沮洳，不便攻作故也。同上 以上三條原在城市門，今移改。

增節慎庫在署東，製造庫在長安右門外，丙丁戊三庫在西安門内，皆屬焉。大清一統志

〔臣等謹按〕節慎庫，本朝因明舊址建。復創建製造庫。所屬分五作，曰銀作，曰鍍作，曰皮作，曰繡作，曰甲作，其職掌與前代文思院相類。又惜薪廠在宣武門外，砲子庫在左安門内，濯靈廠即鉛子庫與火藥局在右安門内。

原寶源局在城東石大人衚衕，石亨舊宅也。亨誅，宅没入官。嘉靖中，以賜仇鸞。鸞敗，復没入官，因改爲鼓鑄公署。蓋鼓鑄一事，其初惟屬工部，至天啓二年始添寶泉局，屬之户部，而工部所鑄微矣。春明夢餘録 原在城市門，今移改。

增寶源局在朝陽門内西南，新增一廠在崇文門内泡子河。滿漢侍郎各一總之，滿漢司官各一爲監督，又大使二員。大清一統志

原正德三年六月，開設神木千户所。先是朝陽、崇文門外大木廠二，調鎮朔、永平、遵化等三十四衛所軍士千人護視神木。至是，軍士陳志等奏：往來勤苦，乞比蕃牧嘉蔬事例

改設一所。兵部覆奏，從之。明武宗實録

【原】七年三月，革神木千户所。同上

【原】十年六月，復設神木千户所於朝陽門外，從太監張鋹請也。同上

【補】工部設五大廠：一曰神木廠，在崇文門外，額發軍千名辦工；一曰大木廠，在朝陽門外，卽獐鹿房廠也，辦工軍數與神木同。凡各省采到木植，俱於二廠堆放，大木廠則兼收葦蓆。一曰黑窰廠，一曰琉璃廠，燒作甎瓦及内府器用。一曰臺基廠，堆放柴薪及蘆葦。又有五小廠：曰營繕所，木工也；曰寶源局，金工也；曰文思院、曰王恭廠，俱絲工也；曰皮作局，革工也。其外别設三廠：曰北窰，曰南窰，曰鐵廠，主范金合土之事。後廢，止徵地租銀貯節慎庫，與料價同用。明水軒日記 以上四條原在城市門，今移改。

〔臣等謹按〕琉璃廠，本朝仍其舊制。黑窰廠今裁。俱詳見城市卷中。

【增】琉璃廠、黑窰廠、柴廠、煤炭廠、木廠皆分遣司官監督。大清一統志

【補】北京工部廳前有鐵甎，相傳爲石季倫家舊物。庫中有玳瑁簾，横數尺，其長倍之，四旁縫以錦繡。又有玳瑁席，經緯相錯，若莞與蒲，不知何代物。先君子爲屯田郎日嘗見之。鴻一亭筆記 原在城市門，今移改。

〔臣等謹按〕高承埏鴻一亭筆記所載工部廳前鐵甎，已莫詳其處，至簾席諸物亦淪失

久矣。

〔又按〕以上各條敍工部。

增理藩院在玉河橋東長安街，南向。本朝特設，掌外藩蒙古及喇嘛事，西域平定，凡回部伯克皆隸之。設尚書一，侍郎二，及郎中、員外、主事、筆帖式等員，皆用滿洲并蒙古人。大清一統志

〔臣等謹按〕自平定兩金川以來，凡各土司入覲之職亦隸於理藩院云。

增理藩院署舊在刑部北，後移今處，分典屬、王會、旗籍、柔遠、徠遠、理刑六司。司務廳一，銀庫司庫附焉。大清一統志

〔臣等謹按〕理藩院堂額曰宣化遐方。前列訓辭曰：盛代聲施赫濯，無遠弗屆，遐方屬國，共効享王，務在弘宣德化以盡懷柔之道。世宗御筆也。

〔臣等謹按〕以上各條敍理藩院。

原都察院在皇城西。春明夢餘録 原在城市門，今移改。

增都察院左都御史，滿漢各一人；左副都御史，滿漢各二人；監察御史，京畿道、河南道、浙江道、山西道、陝西道、湖廣道、江西道、福建道滿漢各三人；江南道滿漢各四人；山東道滿漢各三人；四川道、廣東道、廣西道、雲南道、貴州道滿漢各一人；經

歷、都事滿漢各一人。大清會典

〔臣等謹按〕都察院原設有左僉都御史一人，乾隆十年議裁。

增都察院在刑部北，掌河南道别有公署在其西，本京畿道署也。大清一統志

增督催所、查旗處皆在署内穿堂後。都察院册

〔臣等謹按〕都察院堂額曰都俞吁咈。前列訓辭曰：言路以都俞吁咈勉之，則上不虧於天，下不失人臣事君之大義。故書尚書都俞吁咈四字賜之。聖祖御筆也。

〔又按〕明都察院在長安街西之刑部街，今署之在西長安門外者，乃本朝卽明通政司舊署改建。明嘉靖乙未通政司題名碑一通在大堂左，已剥落不可辨矣。舊制，各道以河南爲首，乾隆二十年改制，首京畿道，與河南道互易其署。今京畿署之在大堂右者，卽故河南道也。江南、山西二署在堂左廊，浙江、江西、四川、廣東、雲南、貴州六署在堂右廊，陝西、湖廣二署在二門外之左，山東、廣西二署在二門外之右，福建道署在内堂。後堂左爲經歷廳，穿堂之北爲都事廳。惟河南道署别在刑部之南，本京畿道署，俗猶呼京畿道衚衕云。

增聖祖御製臺省箴：臺省之設，言責斯專。寄以耳目，寧取具員？通明無滯，公正無偏。黨援宜化，畛域宜捐。洞達政體，斯曰能賢。古昔諍臣，風規凜然。訏謨讜論，垂

光簡編。朕每覽繹，如鑑在懸。居是官者，表裏方直。精白乃心，充廣其識。國計民生，臧否黜陟。凡所敷陳，敬將悃愊。風霜之任，以懲奸慝。搏擊之威，以儆貪墨。毋摭細務，苟塞言職。毋紛成憲，妄逞胸臆。書思入告，當宁對揚。沽名匪正，營私孔傷。或藏嫌怨，謬爲雌黃。受人指囑，尤爲不臧。形諸奏牘，有玷皁囊。職司獻替，亟宜審詳。敬爾在公，風紀嚴廊。箴詞用勗，誕告聯常。大清一統志

原 明宣宗都察院箴　歷代建官，皆有御史。任之耳目，委以綱紀。糾違繩愆，激濁揚清。用獻嘉言，惟直與明。祖宗之制，有長有貳。其下之屬，凡有十四。敷達民隱，舉察官邪。必究大體，毋刻毋頗。必由中道，毋過不及。毋以賄遷，毋以勢懾。敦仁之存，篤義之行。冰霜之清，松柏之貞。凡爾憲臣，敬慎以勗。庶幾朝政，資爾以肅。媕婀緘默，徒取充位。職是用弛，國則何賴？必端諸心，必修諸己。庶懋爾績，庶輔予理。官箴

原 徐階京畿道題名記　御史以監察爲職，出入中外，激揚刺舉，無避大吏。京畿道又在十三道之右，爲特置焉。説者謂始以僉都御史領之，後乃易以御史之久次者。然其沿革不見於會典。而今兩京畿道印其一有文曰洪熙元年造，則其領以御史也久矣。豈僉都御史之説乃洪武永樂間事，御史其定制歟？嘉靖丙午，今中丞王君某以御史視道事，值署舍爲雨所圮，修復之。既而稽前之莅兹道者，其姓名往往不得存，喟然慨文獻之湮没也，於是即所聞見扁之署中，而請予記其後。御史黨君某，今廷尉魏君某，張君某，太僕鄢君某，御史邢君某繼至，遂相與勒石題名，以申前請。予惟國朝建立諸司，條理品式，燦然備具，而又以文案嚴照刷之條，重埋没違枉規避之罰，期以杜吏欺，飭法守。故每省必命御史董之，而是道之設則又居京師重地。凡六曹五府暨百司庶政文案之照刷咸屬焉。故其文移之體視諸道有加，益重其任，俾得行其法也。及其久也，吏既視以爲常，而御史間亦習於姑息，送刷者舉其一或遺其二，照刷者詳於細或畧於大，而當時建署設官之良法美意且將爲彌文故事，日以墜失，則前此姓名之不存，復何怪哉！今諸君精明剛毅，咸克舉其職，而肆其餘力，搜羅前人，列之貞石，將俾來者指其名，第其政，於以審淑慝之辨，其慮遠矣。然予又聞今世文人學士往往重史籍，而於文卷則詆爲鄙俗，至却去不欲觀。夫文卷視史籍雖其文不同，然而國之故實與夫賢人君子經世佐時之具，民生政治休戚興替之由，舉於是在。其有資於見聞政理，宜無不同。而輕重之若是其異，是大惑也。嗚呼！士誠知文卷之不可鄙，則其從事於照刷，有不思盡其心以舉其職者乎！世經堂集

原 御史差委，在内則京畿道刷卷及巡視京營、提學、巡倉、巡庫、巡視光禄、清恤鹽

課，在外則巡按、清軍、刷卷、巡鹽、巡河、巡關、巡茶、印馬、屯田，遇有征行，則特遣監軍紀功。西垣筆記 以上三條原在城市門，今移改。

【原】入端門內則六科也，東曰闕左門。再東松林，會推處也。西曰闕右門。蕪史

【原】六科直房在午門外，東西相向，初在掖門內之西，與內閣相對，所謂六科廊是也。以災移外直房。春明夢餘錄

【原】都下舊有諺語云，吏科官，户科飯，刑科紙，工科炭，兵科皂隸，禮科看。宙載 以上三條原在宮室門，今移改。

【增】六科在午門外東西兩廊，吏、户、禮西向，兵、刑、工東向，吏科迤北恭勒聖祖御製并書臺省箴滿漢碑文各一通，與都察院同。六科冊

〔臣等謹按〕六科掌印給事中，滿漢各一；給事中，滿漢各一；筆帖式二十有五。舊制，六科無所統，雍正二年始命以科隸都察院。

【原】明宣宗六科箴 國家建官，內外有制。給事之臣，密邇廷陛。爰準六典，分科置員。各司其務，有簡有繁。命令之出，於汝紀之。章奏之入，於汝度之。考其得失，舉其愆戾。釐革欺蔽，以贊予治。敬共朝夕，無縱以逸。無易以忽，必毖以密。達夫大體，由乎至公。維汝之賢，光奮於庸。怙威以騁，不率正道。汝之不賢，辜亦自造。自昔邇臣，左右承弼。正人自資，邪佞必斥。其篤念哉，毋苟充位。往端乃志，以懋乃事。官箴

【原】宣德十年九月，置六科庋閣文書之所於承天門外。明宣宗實錄

【原】殿試進士文華殿讀卷畢，內閣填寫黃榜，各官散出。宮坊以下與執事者是日赴兵科觀唐人十八學士圖。詞林典故

原閻立本畫十八學士一卷，于志寧贊，沈存中跋，惜多剥落。其畫法與近時所傳全不同，當時真蹟卷藏山西蒲州監生魏希古家。嘉靖癸卯、甲辰間，希古攜以游京師，京山侯崔都尉以二百金購之，不與。是時邊患孔棘，希古因條陳邊事，并以此卷封進，意圖進用。疏入，不省，以其疏并卷俱發兵科，此卷遂留藏科房。太岳集

原殿試次日，詞林詣兵科一飯，觀唐人十八學士圖，相傳爲故事。畫皆立像，上署銜名，末有沈括跋。問所從來，則嘉靖間蒲州監生魏希古條陳兵事，兼進此卷，疏既下，并此卷俱發兵科，遂留至今云。玉堂薈記

補唐書褚亮傳：武德四年，太宗爲天策上將軍，寇亂稍平，於宫城西作文學館。下教以大行臺司勳郎中杜如晦，記室考功郎中房元齡、于志寧，軍諮祭酒蘇世長，天策府記室薛收，文學褚亮、姚思廉，太學博士陸德明、孔頴達，主簿李元道，天策倉曹參軍事李守素，王府記室參軍事虞世南，參軍事蔡允恭、顔相如，著作郎攝記室許敬宗、薛元敬，太學助教蓋文達，軍諮典籤蘇勗，並以本官爲學士。七年，收卒，復召東虞州録事參軍劉孝孫補之。薛收傳：收卒，王哭之慟，其後圖學士像，歎其早死不得與，蓋閻立本圖像，褚亮爲贊，乃七年以後事。司馬公通鑑并以圖像爲贊載入武德四年，故有薛收而無劉孝孫，誤矣。閻立本學士圖向在兵科，其所畫者收耶，孝孫耶，惜不可得而見也。竹素辨譌 以上六條原在宫室門，今移改。

〔臣等謹按〕明張居正太岳集、楊士聰玉堂薈記載兵科所藏唐閻立本十八學士圖，今已久佚。

原吏科題名記，吏部尚書靈寶許讚撰文；户科題名記，禮部尚書南郡張璧撰文；禮科題名記，禮部尚書内江張潮撰文；兵科題名記，吏部左侍郎泰和歐陽德撰文；刑科題名

記，吏部左侍郎華亭徐階撰文；工科題名記，翰林院修撰新都楊慎撰文。掖垣人鑑　原在宮室門，今移改。

增巡視五城御史，每年輪差。公署在正陽門内迤西。五城兵馬司在外城，設指揮一，副指揮一，吏目一，分轄於五城御史。大清一統志

增中城署在兵部窪，東城、南城署在正陽門内西，城下道北，西城署在高碑衚衕，北城署在紅井衚衕，中城正指揮署在鷂兒衚衕，副指揮署在猪市口西，吏目署在北蘆草園，東城正指揮署在花兒市，副指揮署在朝陽門外鶏市口，吏目署在東河漕，南城正指揮署在清化寺街，副指揮署在永定門外，吏目署在東打磨廠，西城正指揮署在彰儀門大街，副指揮署在阜成門外，吏目署在西便門内，北城正指揮署在菜市口鐵門，副指揮署在德勝門外，吏目署在椿樹三條衚衕。都察院册

〔臣等謹按〕兵馬司副指揮衙署舊在城内，乾隆三十一年移置城外。

原舒芬東城公署記　御史之巡視東城者，舊有分署，在南新倉之西。前爲堂三間，後爲寢三間，左右廂咸一間，其正面爲牆，庭亦偪側，其門在西南隅，西向，書號火房，然湫隘，御史多弗居之。遂頹弊，歷兹年所，曾無改作之者。以京朝官私署欲近朝，多卜於西城，是特爲休舍，而巡視者且歲易耳。甲申，楊君惟賢職是城，乃大省於心，以每日則有内外八坊人民囂囂之所，當飭，水陸商販竹木之所，當譏，軍民捕邏奸慝之所，當詰，每月則有七十二衞官軍俸糧之所，當給，每歲則有東西四百萬石糧運及漕吏漕卒幾千萬人之所，當稽糾，蓋公移私牒日不啻千人，俾就西城次且候伺，則近者十餘里，遠者四十餘里，計其往廻，則尤遠者日奔走百里，寒而瘃，暑而暍，風雨饑罷之侵淩，人大不堪。顧分署不可居，簿書無所貯，欲棠茇而便之，而巷街阨塞不可結駟。矧日萃千百人以一命令，則非所以尊瞻視肅風紀也。乃因舊址，增修牆廡，爲私署以居家人，於其右買民地若干步，建正堂三間爲公署。堂之前爲牆，其庭袤縱廣若干步，可置一旅。其左爲廂房三間，以貯簿書，以寓府史，廂之南爲小門一間，以入私署。堂之其右稍却爲門屋五間，中一間稍高爲正門西向，兩掖爲屬吏候館，垣於外而反向除焉，以遠市喧，以屬耳目。掖之

北爲小屋三間，以休輿皂。浹月工告成，事會之則凡地之費若干，木石之費若干，梓匠陶瓦之費若干，然非取諸民也。諸城舊設修司户，楊君惟賢不他役之耳，故甘心焉，子來而木石之，有不足則内總督太監某户部監督主事某又稽諸修倉羨材而贊成之，美輪美奂，其可以稱察院哉！既而楊君欲以此意告夫來者，來問記。予以是役也固以見惟賢，舉措不苟之一端，然勞一身以逸千萬人，亦今之賢者所措也。宜特記之。梓谿集

〔臣等謹按〕以上各條敍都察院。

原通政使司在太常寺南，東向。春明夢餘録

補登聞鼓院在西長安門。小廳三間東向，旁一小樓懸鼓，俾寃民擊之。每日科道官各一員、錦衣衛官一員輪司其事。民有寃抑，有司不爲審理，具狀通政司，又不爲轉達，審實列其狀以聞。春明夢餘録 以上三條原在城市門，今移改。

增通政使司在西長安街南，北向。通政使滿漢各一，副使滿漢各一，參議滿漢各一，知事、經歷附焉。又登聞鼓院在長安右門外。舊設滿科道各一掌之，雍正二年併於通政司。大清一統志

〔臣等謹按〕通政司堂額曰慎司喉舌。前列訓辭曰：夙夜出納，虞廷所重，銀臺職在納言，實膺喉舌之司，可不慎歟！世宗御筆也。

原明宣宗通政司箴　通政所司，實古納言。出納政令，用名厥官。有虞之聖，后龍是職。周仲山甫，亦謹朝夕。君爲元首，臣則股肱。篤念如子，維彼庶民。崇卑一氣，流貫無間。有遏勿流，體乃爲患。爾職於斯，必敬必忠。命必下究，情必上通。讒説殄行，師用震驚。爾謹爾明，予治乃成。維樞維機，維喉維舌。爾飭無怠，庶儆在列。官箴 原在城市門，今移改。

〔臣等謹按〕明通政司署，國朝改爲都察院，其今署之在長安街路南者，乃移建之

地，亦因明代官廨爲之，但佚其名耳。

〔又按〕以上各條敍通政司。

原 大理寺在都察院南。春明夢餘録 原在城市門，今移改。

增 大理寺在刑部南，東向。卿滿漢各一，少卿滿漢各一，有左右寺丞、評事諸職，司務廳附焉。大清一統志

〔臣等謹按〕大理寺堂額曰執法持平。前列訓辭曰：廷尉天下之平也，持平則法當，一切輕重出入務存矜慎，用能洽好生之德，致刑措之風。世宗御筆也。

〔又按〕明大理寺署其地距舊刑部街當不遠，其跡已湮廢無考。今署乃國朝移建，傳爲明南鎮撫司故址。

原 明宣宗大理寺箴 有虞用士，弼教明刑。秦漢相繼，廷尉是稱。命曰大理，由景之世。暨於今兹，一以輔治。惟列之九卿，有翼有承。鑑空衡平，視獄之成。簡於五辟，以正刑罰。維過斯宥，維義之合。刑不可續，死不可生。惟爾是憑，其可不務？易簡明慎，書戒欽恤。祇率勿違，乃德之吉。惟官惟反，惟貨惟來。終迷不復，乃禍之階。粵昔蘇公，式敬由獄。以長王國，永命攸屬。嗚呼若人，悠悠我思。爾儀爾規，服此戒辭。官箴

補 大理寺廨舍有怪石棄置溝中，因復舁置臺端，高四尺許，兩峯角立，一竅中通，錦紋粲然，誠天壤奇物也。素園石譜 以上二條原在城市門，今移改。

〔臣等謹按〕明林有麟素園石譜所載大理廨中怪石，今已無存。

〔又按〕以上各條敍大理寺。

欽定日下舊聞考卷六十四

官署

原宣德七年八月，行在太常寺奏：永樂中本寺寄處故元萬壽宫承慶堂，祭器神帛品物，皆貯於内，請别建置。上諭工部尚書吴中曰：太常專奉神明，亟尋潔淨之居徙之。明宣宗實録

原太常寺在皇城西後府之南，東向。中爲崇正堂，萬曆中董其昌爲寺卿，改書寅清堂扁。後堂左右爲官舍，堂後爲香帛庫，庫北爲浴堂，南爲柴庫，右爲祭器庫。春明夢餘録以上二條原在城市門，今移改。

〔臣等謹按〕太常紀要謂寅清堂董書真蹟已失，今所懸者乃後人補題，猶仍其名耳。又寺内有明代題名碑，禮部尚書于慎行撰文，今尚存。

增太常寺在西長安門外，都察院之北。滿漢卿各一，少卿各一，寺丞滿漢共三，博士滿漢共三，讀祝、贊禮郎、典簿、筆帖式、庫使，滿漢共五十餘人。大清一統志

〔臣等謹按〕太常寺公署國朝卽明舊址建，堂左博士廳，其前有漂牲庫、科神祠，右

典簿廳，其前有關帝廟及土地神祠，堂額曰祗肅明禋。前列訓辭曰：禋祀貴明潔，凡鐘簴豆籩洎祼薦興俯之節，罔敢不祗肅。世宗御筆也。雍正元年，始命大臣總理寺事，嗣經奏准，與鴻臚寺皆歸禮部滿尚書兼管。

原太常寺在後府之南，典簿廳附焉。外有神樂觀、犧牲所，各祠祭署亦隸之。明一統志 以上二條原在城市門，今移改。

原明宣宗太常寺箴：爲國之要，事神理民。太常典祀，式交百神。昔予祖考，致嚴祀享。厥有純誠，敬恭協相。朕承丕緒，思用允迪。爾祗爾肅，以輔以翼。儀度必飭，粢盛必潔。無黷無慢，凛乎對越。事神之本，惟心之虔。豈直臨事，平居有嚴。神之鑒矣，來歆來止。神之歆矣，民之福矣。無曰冥冥，洋洋有臨。汝惟懋哉，其慎其欽。官箴

增神樂署東嚮，正中凝禧殿，後顯佑殿，殿後袍服庫、典禮署、奉祀堂，左門東通贊房、恪恭堂、正倫堂、候公堂，南轉穆佾所，右門東掌樂房、協律堂、教師房、伶倫堂，北轉昭佾所。大清會典

增洪武二年，置神牲所。四年，神牲所革，立犧牲所。永樂中建於京師，是後倉與牲房遞加焉。太常紀要

增犧牲所建於神樂署之南，南向，五楹，爲大祀牲房。即正牛房。左三楹太廟牲房，有東晾牲亭及穀房，右三楹社稷牲房，有西晾牲亭及糖麥倉。兩倉之北爲山羊房，西北羊房，又北有穀倉豆倉，有看牲房，正牛房之北爲官廨，廨東兔房、鹿房，前亦爲晾牲亭，又

前石栅欄官廨西爲小倉，東羊房後有新牛房及後牛房。養中祀小祀牛。皇上視牲日，大臣止其中，西羊房後爲大祀猪圈，西房爲中祀小祀猪圈，亦有晾牲亭，又北爲草廠。太常紀要

〔臣等謹按〕祀牲舊隸太常寺飼養，乾隆二十六年始隸内務府，每年欽派大臣監視之。

〔又按〕以上各條敍太常寺。

補 元時翰林院以金烏珠第爲之，歐陽楚公詩：翰林老屋勢深雄，猶是金家兀朮宮，是也。瀛洲道古録 按：烏珠，滿洲語頭也，舊作兀朮，今譯改。詩從原文。原在城市門，今移改。

原 鼇峰者，國史院庭中石名也。伯寧御史爲僕言，自其先公時與諸老名勝賦詩者蓋數百篇。今玉堂無本而御史家具有之。道園學古録 原在宮室門，今移改。

〔臣等謹按〕元之翰林國史院屢經遷徙，至順間賜居北中書省舊署。析津志稱院内古木繁陰，蔚然森樾者，是也。自後遂爲定制。其地在鳳池坊北，鐘樓之西，鐘樓又在中心閣西，俱見析津志。按中心閣址爲今之鼓樓，則元之翰林院在今鼓樓迤西，與今翰林院無涉，第皆爲玉堂故實。今就原書所引，按時代先後編入。又析津志云，南省北省乃金時二税賦宰相之莊，曰南相莊、北相莊。據此則元之北省後改翰林院者，爲金時北相莊，烏珠亦稱北相，可互證也。

原翰林院在東長安門外，北向，其西則鑾駕庫，東則玉河橋，元之鴻臚署也。春明夢餘録原在城市門，今移改。

〔臣等謹按〕據瀛洲道古録，元時無鴻臚寺官名，但有侍儀司。又析津志，侍儀司署在都省之東，水門之西，南倉之前。今按都省卽元之中書省，以尚書省改設，所謂南省也。南倉卽元之太倉，亦見析津志。其跡雖皆不可考，而以金水河水門按之，元時署在其西，今則當其西北，蓋明時展築南城，水門遂徙而南，而署廨之縈帶玉河，則自元迄今未改也。

補孫氏春明夢餘録謂翰林院本元之鴻臚署，焦氏玉堂叢語載宣德七年以故鴻臚寺爲翰林院。考元史百官志，止有侍儀使，無鴻臚，所云故鴻臚寺，當是永樂年間所建爾。瀛洲道古録

〔臣等謹按〕據元史百官志，侍儀使之使當作司。析津志同。其稱使者，則司中之一官耳。

原翰林院在玉河西岸，四夷館隸焉。明一統志

原國初建官，以本院爲近侍衙門，故公署雖在外，而僚屬相聚恒在館閣。洪武初，建翰林院於皇城内，學士而下晚朝卽宿其中，扁之曰詞林。永樂中，行在本院官仍在禁内供奉，不别立公署。正統七年八月，詔建於長安左門外玉河西岸，而東岸則爲詹事府焉。

正堂三間，中設大學士、侍讀學士、侍講學士公座，左爲史官堂，右爲講讀堂。首領官房在儀門之外之右。嘉靖戊子，始建御製五箴碑於敬一亭，亭樹於堂之南。左則劉文定井，井之外爲蓮池，右則柯竹岩亭，亭之前爲土山。殿閣詞林記 以上二條原在城市門，今移改。

增翰林院掌院學士，滿漢各一；侍讀、侍講學士及侍讀、侍講，滿漢各三；修撰、編修、檢討無定員；典簿、孔目、待詔，滿漢各二；筆帖式，滿洲四十人，漢軍四人，俱掌繙譯。大清會典

增翰林院，國初併於内三院，詞臣皆值宿禁城，後復專設院署。院門北嚮，第三重爲登瀛門。堂五楹，堂西偏爲讀講廳，東爲編檢廳，左廊圍門内爲狀元廳，右廊圍門内南向者爲昌黎祠，北向爲土穀祠。翰林院册

增堂之後爲穿堂，左爲待詔廳，右爲典簿廳，後爲後堂，南嚮，中設寶座，列御屏，上臨幸時所御也。同上

〔臣等謹按〕翰林院儀門左有掌院學士題名碑，堂内恭懸聖祖御書道德仁藝額。左右列横屏各一，左曰整齊嚴肅，右曰中正和平。無款識歲月。後堂左右壁恭勒乾隆九年皇上御製示諸臣詩。

增後堂東西屋二楹，爲藏書庫。院内東偏有井，覆以亭，曰劉井，西偏爲柯亭。翰林院册

〔臣等謹按〕據後條焦竑玉堂叢語云，清風亭下鑿池蒔蓮，則柯亭當在池上。今以後堂院内對劉井者當之，非其舊跡矣。

增 自後堂而南，門内爲敬一亭。翰林院册

〔臣等謹按〕敬一亭中恭貯聖祖御書賜陳廷敬龍飛鳳舞四字，及昇平嘉宴詩石刻各一。壁間龕石刻皇上柏梁賡韻詩及東壁圖書府四十字分韻詩。左右碑亭各一，舊碑則明嘉靖間所頒敬一亭箴、范浚心箴、程子視聽言動四箴也。

增 自劉井而東爲清秘堂，堂前爲瀛洲亭，亭下方池爲鳳凰池，池南爲寶善亭，堂後爲成樂軒。翰林院册

〔臣等謹按〕清秘堂，上臨幸時更衣於此，恭懸御書集賢清秘額。舊爲東齋房，以賜額易今名。

增 自柯亭而西爲先師祠，祠南爲西齋房，又南爲原心亭。翰林院册

〔臣等謹按〕西齋房舊爲皇清文穎館，後又爲功臣館。乾隆三十八年，於院署置欽定四庫全書館，原心、寶善二亭及西齋房皆爲校讐之所，遂移功臣館於狀元廳。

原 宣德七年六月，賜御製翰林院箴，今揭於院之後堂，朱髹牓字，用金塗之。殿閣詞林記

補 翰林院設於長安門外，爲齋宿委積之所。内有東閣，學士聚焉，爲朝退會揖之地；史

館爲講讀史館所聚集，皆無公座。至修史之日，旋設十館於東角門之右，事竣去之。（震澤長語）

【原】宣德七年，以故鴻臚寺爲翰林院落成，諸殿大學士皆至，學士錢習禮不設西楊、南楊座。或問之，應曰：此非三公府也。三楊以聞，上命工部設座，禮部叙位次，二楊始自内閣出，坐諸學士上。（玉堂叢語）

【補】建置官署，必立土穀祠。翰林院所祀則昌黎伯韓子也。古稱鄉先生歿而祭於社。夫以土穀名祠，亦祭社之義，宜以鄉先生主之。京師燕地，竊謂祀昌黎伯不若易以常山太傅嬰也。（西神脞説　以上四條原在城市門，今移改。）

〔臣等謹按〕自乾隆九年重修祠宇，已分昌黎、土穀爲二祠矣。

【原】京師翰林院門左右各積有飛沙，高三四尺，並栢梐若短牆然。微風一動則坌起，出入者厭之。世廟中掌院某嘗令除去，官僚罷謫幾空，沙還積如故。或以爲形勢宜爾。（燕山叢録）

【補】第三廳，史官廳也，又曰槐廳，即今翰林院正廳之西偏，史官所居是也。（儼山集）

【原】嘉靖五年十月，上製敬一箴及注范浚心箴、程頤視聽言動四箴，頒賜大學士費宏等。宏等疏謝，請勅工部於翰林院築亭立石，以垂永久。從之。（明世宗實録）

【原】七年二月，敬一亭成。（同上）

原劉井，學士劉定之所濬，在公署後堂之左。柯亭，學士柯潛所建，在公署後堂之右，前後二間，凡八楹，後堂有二柏，亦潛所種。翰林記

原柯潛既綜院章，就詞林後圃結清風亭，亭下鑿池蒔蓮，決渠引泉，公退偃坐其中，翛然若真登瀛洲者。玉堂叢語

原廖道南遊翰林，見有亭一區曰柯亭，有柏二株曰柯學士柏，歎曰：流風遺澤，令人永矢勿諼。同上

原瀛洲亭在翰林院内堂之右，故有隙地一區。萬曆秋，甃爲方池，構亭中央，額曰瀛洲池，逼近玉河堤。聞先是亦常引河水一勺入池，而今遂湮塞，無敢以上請之。燕都遊覽志

補唐秘書省壁有薛稷畫鶴、郎餘令畫鳳、賀知章草書。宋初玉堂後廡二閣悉畫烟嵐曉景，北壁則董羽水、巨然山，屏風則燕肅山水，易元吉畫猿及狚。迨南渡後，學士院地迫皇城，號爲窄隘，然紅蕉畫壁，山水嵌屏，其中石渠石橋，蓬巒鶴砌，且有松坡菊逕，蘭畦橘洲藥洞，無不雜植花果，蓋著作之庭似宜與尋常官舍稍別。明之翰苑雖嘗鑿池引玉河橋水蒔蓮，而棠梨桃杏之屬未有一本，亦異乎李肇之志陳騤之録矣。蓉湖日纂

原寶善亭，三楹，在翰林院東偏。軒窗虛豁，旁臨玉河，環蔭喬木，學士大夫静觀之所也。燕都遊覽志

原翰林院尊道堂、修吉堂、瀛洲亭、寶善亭、原心亭、成樂軒，大小門窗竹簾鈎，俱工部器皿廠辦送。翰苑須知

原楊晉菴守隨掌翰林院，院之後庭有巨柳數章，參天蔽日。民之輸稾米者欲曝於庭，患

柳陰之翳之也，請伐其最鉅者。公不許，作伐老柳賦示意。湧幢小品

原 甲戌五月，翰林院中吏舍有白燕一雙，獻之内閣。又池中蓮花早開，相君并以獻。上温旨諭答之。穀城山房筆麈

原 萬曆二年，翰林院中白燕雙乳，輔臣以獻進，兩宫並賞焉。長安客話

原 南昌張直閣位在翰院，嘗上疏請令史官行人奉使四方，各求遺書一部送國學翰林收藏。得旨允行。穀城山房筆麈 以上十五條原在城市門，今移改。

原 翰林直房在右闕門内錦衣衛直房之次，凡三間，每早朝時，諸閣老分座北楹，諸學士居中楹，其餘居南楹。俟門吏報三鼓，乃俱赴左掖門。瑣綴録 原在宫室門，今移改。

增 乾隆八年冬，上以翰林院署歲久傾圮，詔頒太府金重加修葺。九年十月，御書稽古論思、集賢清秘二額顔其堂，并賜古今圖書集成一部貯寶善亭，敕所司諏吉日送掌院大學士鄂爾泰、張廷玉進院。上親臨錫宴，以張説東壁圖書府五律字爲韻，上賦東字、音字二首，敕諸臣各分一字賦詩。又以人數爲字所限，未能徧及從臣，命復賦柏梁體一篇，上首倡，諸臣依次分韻，俾凡籍翰林及既改官晉秩而舊爲翰林者皆與焉，凡百六十有五人。詞林典故

增 乾隆九年御製東字音字詩二首 乾隆九年十月，重葺翰林院落成，車駕臨幸錫宴，送

大學士掌院事鄂爾泰、張廷玉進署，以張説東壁圖書府五律字爲韻，賦東字、音字二首，勅諸臣各分一字賦詩。撫序權居北，占星壁在東。斯干歌翰苑，於樂𨚕儒風。改殿當年異，登瀛此日同。三台司道筦，二老亮天功。樂具卿雲奏，筵開湛露融。底希光舊史，長此贊微躬。木天臨翠輦，鴛侶集華簪。廣學心常切，因文道可尋。横汾陰豈昔？來泮水猶今。禮樂於焉盛，觥壘取次斟。詩慙得珍字，辭喜獻官箴。返轡重城暮，猶聞歌誦音。

增又御製柏梁詩首句　重開甲子文治昌。佐文贊治資賢良。大學士伯臣鄂爾泰以聖繼聖垂經常。大學士伯臣張廷玉於赫太上示清行。大學士臣福敏繩武弼基緊我皇。大學士臣陳世倌四聰四目開明堂。大學士臣史貽直野無遺賢始悦康。禮部尚書臣任蘭枝梗楠杞梓松柏桑。兵部尚書臣彭維新珣玕琪映璆琳瑯。刑部尚書臣張照從龍從虎雲風翔。工部尚書臣汪由敦葭徵玉管追初陽。左都御史臣劉統勳集賢落成隆桷宋。吏部侍郎臣阿克敦連延崗𥻆以輝煌。户部侍郎臣梁詩正老槐蔽景緑庭廊。倉場侍郎臣彭樹葵奪暑却寒温又涼。兵部侍郎臣王承堯法度既備丹雘彰。兵部侍郎臣陳悳華諄誨故老宜徜徉。刑部侍郎臣錢陳羣展也宴寢凝清香。工部侍郎臣德麟將作入奏報克襄。工部侍郎臣吕熾帝曰朕其鴻厥慶。內閣學士臣宗室塞爾赫來游來歌雅所臧。內閣學士臣德新況今二老民之望。內閣學士臣秦蕙田爰飛神翰拂縑緗。副都御史臣勵宗萬金壺墨瀋流淋浪。宗人府府丞臣任啓運璇題雙賁日月光。通政使臣敷文仙毫雄健擺礌硠。通政使臣張若靄筆勢一落千丈强。大理寺卿臣萬壽勁刀外爽神内藏。詹事臣張鵬翀點䵡芒玉磔迴㕁。太僕寺卿臣劉綸金薤倒披貫柳舫。僉都御史臣稽璜鸞鶴交翥上銀潢。（左通政臣張映辰）煙雲舒卷難形相。（右通政臣鄧時敏）榮光屬天莫可量。（少詹事臣裘日修）未許常侍擬登牀。

（侍讀學士臣世臣）飛白賜蘇讓美芳。（侍讀學士臣于振）矧乃仙巢署蒼筤。（侍讀學士臣陳邦彥）吉日庚午日之剛。（侍讀學士臣涂逢震）遂移

天屣下閶闔。（侍讀學士臣龔渤）警蹕駭顧陛楯郎。（祭酒臣鄂容安）龍鸞和鈴鏗復鏘。（祭酒臣崔紀）揚金鏤而拖玉鑲。（鴻臚寺卿臣梅瑴成）

（四譯館少卿臣余棟）雲罕俾倪導纓纕。（順天府府丞臣鄭其儲）葉葉秀文覆儀鍠。（太僕寺少卿臣陳其凝）紛敷旖旎從風揚。

歷天捎星耀日鋩。（光禄寺少卿臣竇啓瑛）紫煙熠爚御道黃。（庶子臣周資陳）瀛池儼立千鴛鴦。（侍讀臣雙慶）金紫銀艾簪

截肪。（侍讀臣周玉章）入門升階和以莊。（侍講臣觀保）吉輝真氣溢圓方。（侍講臣雙頂）六章五采葱衡瑲。（諭德臣興泰）如天

啓門日在房。（洗馬臣李文鋭）馮翼孝德瞻顒卬。（候補洗馬臣陸宗楷）王多吉士咸對敭。（中允臣于敏中）尊師九拜謁素王。

（中允臣董邦達）迴過劉井憩東廂。（贊善臣宋楠）昌黎文伯社茲鄉。（司業臣鶴年）北門學士奠椒漿。（司業臣陳世烈）編鐘蕤鼓韶

濩綱。（左參議臣薄海）崇牙樹羽虡趪趪。（右參議臣吳應枚）高管噭嘯龍耶凰。（編修臣阮學濬）象鳳翼笙斑管長。（編修臣僧格勒）玟

瑰作柱朱絲張。（編修臣沈文鎬）翿籥繁會相低昂。（檢討臣鐘音）繞風停雲慨矣慷。（編修臣陸嘉潁）人聲諧律相和倡。

（編修臣白瀛）分刌節度窮窈茫。（編修臣周煌）欣與人心犁然當。（編修臣路斯道）鳥爲拊翼魚闖防。（檢討臣德保）如軒張樂洞

庭旁。（編修臣秦勇均）元臣稽首鳴珩璜。（檢討臣周長發）敬上千秋萬歲觴。（編修臣周正思）于胥樂兮無怠荒。（編修臣柏謙）一獻

百拜禮則詳。（編修臣張映斗）朱虎熊羆與殳斨。（編修臣任端書）雝雝肅肅濟濟蹌。（編修臣林蒲封）炊金饌玉出禁坊。（編修

臣萬年茂）太清紅雲員嶠霜。（編修臣李龍官）翠濤𨣧醽酏醴醇。（編修臣曹秀先）粔籹蜜餌有餦餭。（檢討臣韓彥曾）猩唇旄約雋

翠膷。（檢討臣周禮）越駱菌和陽樸薑。（檢討臣郭肇鐄）江橘夢柚常山棠。（編修臣錢琦）遠方口實導擇將。（編修臣董泰）鼎中

變化尹對湯。編修臣宋邦綏微纖精妙大官湘。編修臣姚廷祐炙三弋五應未嘗。編修臣葉西帝歌卿雲宮統商。編修臣王居正八伯咸進拜手颺。編修臣汪師韓韻得燕公五字章。編修臣金相聯吟更仿漢柏梁。編修臣孫人龍式瞻天藻萃圭璋。編修臣潘乙震圓龍方虎排明瑺。編修臣楊述曾日星胸迴錦繡腸。編修臣徐景熹薰風晨露相頡頏。編修臣湯大紳燭龍銜曜光四煬。檢討臣廖鴻章衝波激岳聲蔣蔣。編修臣蔡揚宗昭融至道若雨暘。編修臣王覺蓮天光下濟濡荄芒。給事中臣鍾衡五色秀華流戴匡。給事中臣程鍾彥披條振藻六藝場。給事中臣楊二酉風雷鼓舞物蒼蒼。給事中臣程盛修鐫勒琬琰傳膠庠。給事中臣王興吾流播樂府諧笙簧。給事中臣周祖榮從臣才藝花發莒。給事中臣鄒一桂駑駘步武龍騰驤。給事中臣胡定蓬萊望見風引檣。給事中臣馬宏琦桃開鬱水滿磅磄。監察御史臣包祚永聖涯游泳涵綋滄。監察御史臣李清芳淼不可即空傍徨。監察御史臣孫灝乃知天文元氣航。監察御史臣吳文炳聖處不須一葦杭。監察御史臣張漢雕蟲篆刻宜慙惶。監察御史臣馮秉仁越玉五重厠匏甗。監察御史臣范咸分翣立仗老肅爽。監察御史臣張孝捏泰華千仞登跛牂。監察御史臣楊開鼎學優得文愧應瑒。監察御史臣馮元欽春蘭秋菊雜藏莨。監察御史臣歐堪善風松奚用引蜩螗。監察御史臣沈景潤迫窘詰屈走踣僵。監察御史臣沈廷芳願歸夜讀發青箱。庶吉士臣邵齊燾畋獻二酉羅三倉。庶吉士臣竇光鼐天祿石渠居就糧。庶吉士臣凌鎬易參肅弼詩申莨。庶吉士臣羅暹春斟羹嚌胾飫膏粱。庶吉士臣田沇研味道腴棄粃糠。庶吉士臣胡澤潢博聞爲饋貧之粻。庶吉士臣王世仕學海萬里去鳴榔。庶吉士臣王太岳珊瑚結網麗鯊鱨。庶吉士臣朱櫄寧甘決起搶榆枋。庶吉士臣張泰開不離省闥希文彊。庶吉士臣姚範温恭朝夕莫或遑。庶吉士臣劉炳煙霞泼濯玉雪裝。庶吉士臣孫廷槐効愚千慮一贊勷。庶吉士臣朱佩蓮中夜起舞不能忘。庶吉士臣德保聖人端拱垂衣裳。庶吉士臣蔡時田調和玉燭握珠囊。庶吉士臣徐瑋淳風沕穆恩滂洋。庶吉士臣經聞鈐轄不動矢直狼。庶吉士臣王鋌化被萬國通狼䚫。庶吉士臣杜若拙遠致赤兔來白麈。庶吉士臣盛格不但蠻狄與戎羌。庶吉士臣顧汝修皇仁旁魯風泱泱。庶吉士臣戈岱上天降豐歲其穰。庶吉士臣劉錫齡六氣無易盛德禳。庶吉士臣閻循琦十雨五風絶旱蝗。庶吉士臣覺羅奉寬引恬引養無胥戕。庶吉士臣惠元士際兹休明敢不蘉。庶吉士臣金洪旁招俊乂匪其彭。庶吉士臣蔣辰祥涣羣元吉馬匹亡。庶吉士臣叢中芷橘徠服兮甘在瓤。庶吉士臣周孔從素絲五緎風羔羊。庶吉士臣王康佐朝黻永無鵜味妨。庶吉士臣廖芳蓮泰交一德凛復隍。庶吉士臣陳桂洲永膺萬福儲千祥。庶吉士臣熊爲霖天人和樂未渠央。庶吉士臣黃遇隆冬日晏温下紅牆。庶吉士臣熊元龍戛然清韻傳風篁。庶吉士臣張日譽六龍迴跋搖鏤錫。庶吉士臣陸樹本拜送遥瞻豹尾槍。庶吉士臣周人騏都人抃舞喜若狂。庶吉士臣周燾作歌賡拜追虞唐。庶吉士臣程景伊不數橫汾與長楊。庶吉士臣邱柱蓼彼蕭斯零露瀼。庶吉士臣陳大喻恩深如海奚以償。庶吉士臣出科聯玉堂盛事垂無疆。庶吉士臣儲麟趾

增又御製是日復得詩四首并示諸臣　歡騰芸署小陽春，此日崇文引席珍。顧我慙爲房杜主，豈伊獨數馬鄒臣？石渠典故應增舊，壁宿光華更覩新。影麗花甎爭到八，儘教沾醉酒三巡。瑞旭曈曨靄扇鸞，筵開翰墨會衣冠。五車四庫從來紀，劉井柯亭次第看。玉版揮毫盈鳳沼，花瓷賜茗擘龍團。濟川自古資舟楫，便欲因尋學海瀾。昌辰天禄集鵷聯，欣詠斯干小雅篇。鳥革翬飛躋君子，誦詩講易共高賢。光凝黼座垂華藻，篆繞猊爐散瑞烟。咫尺玉堂清切地，底誇瀛島説登仙？百年禮樂慶昭融，保泰常持惕若衷。漫

以新詩鳴豫大，誰將忠告贊欽崇。傅巖夢賚應無藉，唐室賡歌訝許同。心喜百僚知我意，不將高議詡升中。按唐書張説倡封禪議，帝召説與禮官學士置酒集仙殿云云，故其時諸臣詩中有高議待升中及將陪玉檢泥之句，夫以崇儒之雅舉，隱遂滿盈之私志，非朕所取。惟有兢兢業業，與日俱長，頌不如規，我君臣其共勉之。

原　明宣宗翰林院箴　廷有司言，自周則然。後世襲用，愈密而重。策命所書，講學所資。幾務之嚴，於度於咨。代有賢哲，博文明識。克勵翼之，用光厥職。咨爾儒臣，朝夕左右。必端乃志，必慎乃守。啓沃之言，惟義與仁。堯舜之道，鄒孟以陳。詞尚典實，浮薄是戒。謀義所屬，出毖乎外。必存大公，罔役於私。昔人四禁，汝惟勵之。獻納論思，以匡以益。以匹前休，欽哉無斁。官箴

原　周子義重修翰林院記　長安門之左，厥基南峙，厥向北拱者，其位置也。門之内爲儀門，爲堂，爲後堂，堂之左右爲二廳，後堂之左右爲二室，學士諸僚之所登而依也。堂之兩廂有齋若干楹，庶吉士之所居而習也。堂之後爲敬一亭，宸碑峙焉，羣屬之所瞻而仰也。亭之左爲先師堂，羣屬之所禮而拜也。交翠軒佚稿

補　蕭端蒙敬一亭頌　維皇御㝢，建中於民。聖敬日躋，一德孔純。乃作訓辭，垂之世世。乃勒堅珉，用昭勿替。誕隆厥制，有亭覆之。倬彼雲漢，昭回於兹。維亭翼翼，萬世之式。維碑峩峩，永言無渺。同野集

原　虞集詩　視草堂前石一拳，何人移置自何年？久憐翠色連重地，故拔孤根近九天。俯仰百年承雨露，等閒千尺接雲烟。故鄉御史遺書在，爲録鼇峯舊賦篇。同上

原　歐陽原功詩　鼇山六月少蚊蠅，四壁松風動畫繒。長貳聚廳清澈骨，一人人繫一條冰。翰林老屋勢深雄，猶是金家兀朮宮。定鼎初年曾作省，至今門徑鳳池通。圭齋集

原　袁桷玉署鼇峯歌　女媧五色餘刀圭，化爲蓬萊東海之虹蜺。神君方瞳怒凝睇，不如百鍊積鐵來從西方奎。日有三足烏，其光映顧菟。海有三足鼇，神山簸靈濤。吐吞出没無定時，一叱使之來玉墀。大承虛皇，小抉銀漢。黼黻帝裳，追琢廟瓚。森嚴贔屭鎮帝署，百鬼卻走不敢侮。其或敢侮，怒絶其緒。燦若珊瑚枝，昱昱三秀姿。文理密察儼素樸，孚尹旁達藏元機。我昔坐其側，耳冷心彷徨，經旬卧向壁，夜夢天孫手授雲錦交龍章。漆書詰盤傳古昔，中有寶珠杳無跡。散之六合捲如席，視之不見聽以息。元氣氤氳，龍馬興文。兹石點首，詔爾小臣。慶非烟霧，出如絲綸。矢心濡筆靡有斁。萬古作式永無極。清容居士集

原　馬祖堂詩　視草堂深白晝遲，瀛洲仙子到來時。閣鈴不響文書静，相對鼇峯日賦詩。石田集

原　又題史館　畫省真仙居，華星映斗樹。青石倚闌干，松髮汎雲霧。綺疏刻連錢，承塵繪翔鷺。中有河漢文，夜深寶光聚。玉函黄金鑰，太史自侍御。河上一豎儒，伊吾誦章句。偶趨彤庭詔，詞林邇天路。雖樂文雅懿，終慚繹

誤。同上　以上五條

原在宫室門，今移改。

〔臣等謹按〕元時翰林院在今鼓樓以西，非今之院署，已詳前條。今并類編虞集以下各詩，備一代掌故云。

原李東陽學士柏詩序　翰林後堂之後有雙柏焉，學士竹嵒柯先生所植也。先生當天順甲申，奉詔授庶吉士業，東陽辱在十八人之列。後三年爲成化丁亥，先生實掌院事，乃植兹柏。其初僅三尺强耳，及先生以少詹事終制於莆，被召不起而卒。越三十年，柏已踰二丈，鬱然對峙。其風致不減於昔，而幹格有加。弘治癸丑，東陽爲太常少卿兼侍講學士，踵先生故事，乃以此題課諸吉士。於是顧清士廉輩二十二人，人賦一歌，感舊懷賢，各極思致。弋陽汪俊抑之有一日百匝行樹底之句，悵然感之，續爲一章以畢未盡之志。欲彙書成帙，遺先生之子中書舍人宗文，因循荏苒，又六七年。二十二人者亦已物故，復多散處，僅得十有餘篇，勒爲一卷。詩云：我行樹陰日百匝，雨葉風枝自蕭颯。惟有諸生識我情，旁人不解空嘲狎。我見先生種樹年，我身尚短樹及肩。枝蟠江山地可縮，手斡造化天無權。瓊臺翠閣何森爽，院柳庭花敢争長？芘蔭長留六月陰，盤迴直與孤雲上。材堪五鳳難爲用，根到九泉終不枉。零落青袍幾故人，琮琤玉佩空遺響。當時院長文安公，柯亭劉井相西東。百年遺愛豈獨此？此樹欲比人中龍。樹猶如此我何似，已媿斑白非兒童。名收榱桷有先後，壽比金石無終窮。下堂再拜想顔色，仰面正拂長髯風。懷麓堂集

增學士李東陽、程敏政教庶吉士，至院閲會簿，悉註病假而去，乃賦一絶云：回廊寂寂鎖齋居，白日都消病歷餘。竊食大官無寸補，瀛洲亭上勘醫書。春明夢餘録

原徐應聘瀛洲亭新池得雨詩　秘閣清霄近，蘭泉曲沼開。宿烟生暮雨，新水長秋苔。地向蓬萊近，波分太液來。憑軒多爽氣，疑在白雲隈。八科館課

原沈自邠原心亭詩　天地空茫茫，吾生亦須臾。何爲牽世網，遽令白日徂？高齋掩岑寂，相對惟槁梧。松風颯寒聲，庭草亦已枯。萬籟皆歸藏，迥然見真吾。人心方寸間，用之盈八區。身因閒居適，境與秋水俱。端坐無所營，宴息聊爲娱。　沈修撰集

原無名氏原心亭詩　鬱鬱松樹枝，肅肅冬日陰。孤亭宏且敞，乃在鳳池潯。鳳池超人寰，萬籟無一音。暫息塵中轍，因鮮俗慮侵。端坐邈宇宙，掩帙忘古今。頓令羣動祛，見此方寸心。金門足大隱，豈必謝纓簪！八科館課

原黄仲昭翰林院南新闢三圃詩　玉堂有隙地，清曠當南隅。方春度微雨，草色成荒蕪。今年闢三圃，於以種嘉蔬。開雲作畦壠，引水疏溝渠。縱横數十品，生意盈階除。朝來零露瀼，緑葉清陰敷。菜根有真味，頗勝粱肉腴。嚼之苟不厭，百事俱可圖。偉哉信名言，千載當師模。未軒集

原李東陽採桑玉堂陰詩 采桑玉堂陰，分蠶長安郭。一勞累百枚，再分連數箔。寧知富貴地，此物能沃若。采桑玉堂陰，陰濃樹婆娑。一采不滿筐，竟日能幾何？乃知富貴地，不及窮山阿。懷麓堂集

〔朱彝尊原按〕今院中先師廟庭古桑尚存，當卽西涯所賦也。

增錢龍錫初入翰林院述志詩 皇風被奕葉，師濟協重熙。妙選金閨彦，登兹白玉墀。慚予蹇劣士，何幸沐恩私？就將彌日月，模範承師資。雕蟲既云拙，温飽非所思。獨此葵藿心，耿耿誓不移。念昔皇祖日，講藝恒孜孜。天顔瞻咫尺，密室奉疇咨。衮德信多補，臣忠實在兹。顧問久寂寞，簪笏徒委蛇。四郊漸多故，啓沃劾者誰？所願回宸照，堂廉路不岐。兢餘存稿

原岳正禁窗引燭詩 禁城傫直已昏黄，忽訝鑾輿到玉堂。直欲踉蹌趨几席，其如顛倒著衣裳？當窗蓮炬分紅燄，滿室蘭煤散暖香。已喜恩光耀今古，況將經術侍君王。類博稿

原程敏政玉堂散直圖詩 金殿當頭玉堂署，十二朱廊隱宫樹。衣冠濟濟堂中人，猶似前時起居注。門下斜連金水河，石橋五壘横蛟鼉。叩閽不許外人到，挾册時見諸王過。奎文上應圖書府，插架連籤照今古。同游恐是十洲仙，下界紛紛半塵土。邇來新詔開中堂，儲才聖訓何洋洋！日令三館坐羣彦，應制往往催詩章。從容退食龍樓外，松下傳餐解簪帶。光禄之酒大官羊，終歲天廚有佳賚。宫壺卓午漏未央，旭日半下城西牆。出門跨馬一分手，緩步不知歸路長。篁墩集 以上二條原在城市門，今移改。

增康熙九年，初置起居注館於太和門西廡，五十六年停館，雍正元年復設。日講起居注官滿六人，漢十有二人，滿主事二人，滿筆帖式十有四人，漢軍筆帖式二人。十二年，增漢主事一人。乾隆元年，增滿日講起居注官二人。大清會典

增起居注官均兼日講官，自掌院學士、詹事以下，坊局編、檢以上，皆得以原官充補。同上

增記注册籍書明月日及該直官姓名，每月滿漢文各一册，至次年按月排纂。册中用翰林院印鈐縫，貯以鐵匭，歲十二月題明記注官，會同内閣學士藏之内閣大庫。詞林典故

增明初，甲辰年設起居注，秩正四品，以宋濂、魏觀爲之。吴元年改正五品，後革。十

四年復設，改正七品，以單仲立爲之，久，復革。萬曆初，張位始請復設。江陵相定議以修撰、編、檢史官充日講者日輪一員記注起居，兼録聖諭、詔册等。今日之制，卽本江陵遺意也。蓋明初起居注別爲專官，而萬曆後乃歸之史官爾。然今制自掌院掌詹以下皆得充起居注官，不專史官，此其異也。按唐六典：起居郎二人，從六品上，掌録天子之動作法度，以修記事之史，屬門下省。起居舍人二人，亦從六品上，掌録天子之制誥德音，以修記言之史，屬中書省。此卽古左右史之分職，至明而合爲一官，今仍之耳。池北偶談

【補】永樂二年，始選進士楊相等爲庶吉士，就文淵閣進學。宣德九年，命於翰林院讀書。以後或間科一選，或連科屢選，或數科不選，或合三科同選，或重閱殿試卷取選，或限年三十五以下，或不限年。吏部職掌

【補】教習庶吉士，翰林院行户部給燈油錢，兵部撥皂隸，刑部給紙劄，工部撥房屋，順天府給筆墨，光禄寺給酒飯。明會典

【原】京官俱不用繖，惟考試官入場、狀元歸第乃得用之。明良記

【原】國初庶吉士或在中書省，或在文華堂，後改置翰林。蓉塘詩話

【原】故事自十月朔日始賜庶吉士酒，至四月晦止，歲以爲常。未軒集 以上五條原在城市門，今移改。

原永樂中，召試庶吉士文藝多在文華殿。宣德八年，上御文華殿，召庶吉士詣文淵閣試，親第其高下，取十三人。蓋因永樂之舊也。翰林記 原在宮室門，今移改。

增教習庶吉士，滿、漢各一人，以掌院學士或内閣學士領其事；大學士、尚書、侍郎之不兼掌院事者亦得掌之。於侍讀、侍講、修撰、編修、檢討内擇學問優長者爲小教習。大清會典

〔臣等謹按〕庶吉士無定員，每科館選後，掌院學士擇其年三十以下者八九員，分習國書，餘俱習詩賦，館中月給廩餼以資膏火，實國家培養人才之渥典也。

增往時教習庶吉士未有專館，就院中閒曠屋宇及大堂廊廡居之，爲肄業之所。雍正十一年，世宗憲皇帝特賜官房一區於正陽門内迤東，當翰林院之西南，面城。門南嚮，堂西嚮，堂側東西屋各一，堂後左右廂，東爲學掌廳，其西吏人居之，後堂側東西屋如外制，東西廂各有樓。詞林典故

〔臣等謹按〕庶常館門牓曰恩賜教習庶常館。乾隆三十三年重加修葺，皇上御書額曰芸館培英。

〔又按〕舊制，門南嚮，堂西嚮，今新葺之門與堂皆南嚮，又省去堂後之左右廂，即以後堂側之東屋爲學掌廳，其東西廂之樓亦省。惟後堂内有樓，仍舊制也。

增後堂之内復有樓，以貯賜書，中後堂爲教習庶吉士大臣講課之所，餘東西從房皆庶吉士居之。詞林典故

〔臣等謹按〕以上各條敍翰林院。

原正統七年十一月，建詹事府於玉河東堤。明英宗實録

原詹事府在皇城東玉河岸上，西向，左右春坊、司經局皆列署府中。春明夢餘録 以上二條原在城市門，今移改。

增詹事府設詹事，滿漢各一；少詹事，滿漢各一；主簿屬焉。堂之左爲春坊，設左右庶子掌坊事，滿漢各一；左右中允、贊善，滿漢各二；堂之右爲司經局，設洗馬掌局事，滿漢各一。大清一統志

增詹事兼翰林院侍讀學士銜，少詹事兼侍講學士，左庶子兼侍讀，右庶子兼侍講，洗馬兼修撰，中允兼編修，贊善兼檢討。大清會典

〔臣等謹按〕舊制，滿漢少詹事各二人，滿漢諭德各二人，中允、贊善各四人，正字各二人。後稍裁滿少詹事一人，滿漢諭德各一人，滿漢中允、贊善各二人，滿正字一人。乾隆十三年，復裁漢少詹事一人，滿漢諭德各一人。三十六年，裁漢正字一人，遂爲定制。

增詹事府署在玉河之東，西向，明代所建，我朝仍其舊制。門内南偏爲土地祠。大堂之

南廳事左右春坊官居之，北廳事司經局官居之，堂之後爲穿堂，又後爲退堂。穿堂之南有廳事，爲府中官僚視事之所，退堂之後爲先師祠，其旁爲齋房。祠前古松二株。詞林典故

〔臣等謹按〕詹事府署門牓，康熙十四年重立，堂内恭懸聖祖御書額曰德業仁義，又先師祠有碑恭鐫聖祖康熙十六年所賜御書存誠二字。

增署内春坊題名、主簿廳題名碑各一。詞林典故

〔臣等謹按〕詹事府署明黄錦石刻一尚存，又近時修葺府署，於主簿廳舊址得扁石曰一枝軒，明王百穀書也。

補詹事府署在玉河之東，西向，臨玉河。門二重，中堂五楹，堂後屋三間，南北夾窗連後堂。其旁孔子廟，廟前松二株，頗奇古。中爲圓殿，迴廊前後共二十八間，左右春坊、司經局前後各有堂三楹。又有科房、宴房、印書房，歲久盡毁矣。詹事府題名碑一，崇禎十二年十一月立，詹事黄錦撰文。左春坊題名碑一，萬曆三十四年二月立，少詹事全天敍撰文。主簿廳題名記一，碑已殘闕，失撰書人姓氏。玉河紲馬記 原在城市門，今移改。

原端門左有直房五間，係坊局官候朝公會及收貯卷箱之所，凡東宫官屬侍班講讀亦於此伺候。國史唯疑 原在宫室門，今移改。

增翰林院記：正統十年始命内閣與六部、都察院、通政司、大理寺堂上官，六科掌印官

會議，遂爲例。如合會儒臣，則本院詹事府左右春坊、司經局、國子監皆與。國朝制，凡大事及章奏會議，内則親王、貝勒、大臣，外則九卿、詹事、科道，而内閣、翰林院不與。詹事府，凡事皆得與，坊局不與。池北偶談

【原】明宣宗詹事府箴　堂堂鴻業，萬世攸傳。儲副之建，大本在焉。咨爾詹事，爾其毗輔。有貳有丞，庶職咸具。虞舜之賢，資於臣鄰。矧時育德，而弗資人。言行政事，有體有要。必謹大猷，必以辰告。譬如陟崇，由下而升。不怠以休，乃躋高明。爾其敬共，以引以翼。毋爲憸佞，毋肆讒慝。示爾箴規，篤念勿忘。克用有成，邦家之光。官箴

【原】又左右春坊箴　國之大本，厥惟儲嗣。天序所屬，人心攸繫。用輔厥德，必於正人。左右春坊，惟其輔臣。儲君之德，曰仁與義。食息言動，惟道之比。堯舜周孔，是究是明。百度以貞，其德乃成。玉資琢磨，乃薦宗廟。豈其賢才，不由輔導。爾端爾行，爾正爾心。非聖不道，其愼其欽。大經大猷，是匡是直。國有元良，惟爾之績。同上

【原】又司經局箴　聖人之道，具載經籍。用理萬邦，用凝庶績。國有儲副，天下之本。惟德之修，惟道之盡。凡厥典册，爾實司之。爾殫爾心，爾正爾思。堯舜之聖，惟曰仁義。擴而充之，萬善斯備。雜家者流，反道自賢。孟軻敬王，不陳于前。爾其鑒兹，祗乃攸服。日就月將，是啓是沃。道積厥躬，而致於中。克纘其隆，時乃之功。曲學阿世，古人所戒。篤愼勿忘，庶幾無悔。同上

【補】黄錦詹事府題名記　詹事名昉於秦，應劭曰：詹，省也，給也，言給事太子之官也。明興，建大本堂儲經籍，召四方名儒，教太子諸王，或於文華殿分直進講，上亦時時賜宴賦詩，然多兼以勳舊。洪武二十二年，始置詹事院，起兵部尚書唐鐸居之。後四年改名府。永樂二年，儲位初定，以吏部尚書蹇義、兵部尚書金忠兼領是職，而印篆亦以是年給，今所循用者是也。於是兩坊經局並擇文學大臣爲之，極一時之選。正統七年，改府署於玉河之東堤，其制亦因時損益。詹事總理一府之事，秩正三品；少詹事協理府事，秩正四品；主簿典文移，秩從七品；録事佐之，秩從九品；舍人職通展謁，品與録事同，皆有常員。而府丞及兩坊大學士、司直、司諫等官不恒設，校書、正字今爲史局中書所兼官。崇禎己卯春，錦承乏綰篆，與井研陳公演、晉江蔣公德璟同登斯堂，歎曰：自永樂迄今二百七十餘年矣。前賢官於是者，姓名或湮滅而不彰，豈非明時一闕典哉！適有纂修會典之役，於是請之秘閣，出典籍參考之，補闕訂譌，差次先後，會陳公有掌院之命，錦亦於是冬量移禮部右侍郎，終始其事者蔣公之力也。嗟夫，天下事何者不成於協恭和衷哉！試履斯堂一爲寓目，姓氏爵里世代皆具，又從而品隲其賢否，不亦昭代今昔得失之林乎！玉河紲馬記

補全天敍左春坊題名碑記　左春坊官制定自洪武十有五年，設左庶子一人，正五品；左論德一人，從五品；左中允二人，正六品；左贊善二人及左司直郎二人，從六品。至十八年，領以大學士一人，正五品。二十九年，增其屬左清紀郎一人，從八品；左司諫二人，從九品。今官不常備，亦無定員。蓋國初之左春坊即今文華殿東廂也，直廬在禁，乃得與殿閣並置大學士。今坊署則與詹事府並建於玉河東隄，始正統七年也。坊署故無題名。萬曆甲辰，予承乏綰篆，爰考掌故書諸公爵里，捐貲樹石，備闕典焉。京師故事，宜永樂定鼎後得書，兹書昉洪武者，志其始庶足徵也。不書十五年以前者，官制未定也。凡本坊職事與詹事翰林互兼者畢書，以右坊攝左、以左坊領局者附書，惟以坊銜貳國子監、掌南院不涖坊者不書。

同上　以上五條原在城市門，今移改。

〔臣等謹按〕以上各條敍詹事府。

欽定日下舊聞考卷六十五

官署

原光禄寺署在皇城東華門内。初爲宣徽院尚食、尚醴二局，繼改光禄寺。其屬四署，曰大官，曰珍羞，曰良醖，曰掌醢，而司牲、司牧二局隸焉。春明夢餘録 原在宫室門，今移改。

〔臣等謹按〕光禄寺署在東安門内橋之右。春明夢餘録謂在東華門内者，蓋東安門俗亦稱外東華門也。

原光禄寺大門内左爲茶葉庫月進房，右爲錢鈔庫月進房。北爲儀門，中爲均節堂。堂左爲典簿廳，堂後有川廊，北爲後堂。川廊旁左爲欽録廳，右爲小軒，後堂北爲庫樓，堂之左爲和衷堂，堂之右有銀庫。良醖署、大官署俱在寺之東偏。鵝池鵝倉在其後，掌醢署、珍羞署俱在寺之西偏，後有天鵝池、鹽庫，庫後空地，象骨瘞焉。明光禄寺志

原光禄寺大烹門在東安門橋右，東上門左。東入門爲如水軒，南向，又東爲瓊麋堂。西入門爲四星堂，東向。北爲下門，入門爲涼樓，左右皆有井亭，東西各有倉房。樓後有

川廊，左鮓房，右坐家房，再北爲皇竈。東夾道有黃帳房倉、無錫米倉、土地祠、尚膳庫、熬凍房、上下雞房、煮笋房，西夾道有内器皿庫、和羹堂、尚膳庫、宰牲蒸作房、香藷房。同上　以上二條原在宮室門，今移改。

增光禄寺在皇城東安門内。設卿，滿漢各一；少卿，滿漢各一；大官、珍羞、良醞、掌醢四署，司庫、典簿附焉。大清一統志

〔臣等謹按〕光禄寺堂額曰敬慎有節。前列訓辭曰：禮始諸飲食，古聖人制節謹度，克勤小物，雖盤盂必有箴銘，可弗敬諸！世宗御筆也。寺署堂五楹，露臺一，左典簿，右鹽庫。大官、良醞署在東，珍羞、掌醢署在西。餘若黃册房、督催所、煠食房俱在北。酒局在西安門。舊制，惟漢少卿二缺，又有漢寺丞一，康熙三十八年裁漢少卿一及寺丞。自乾隆十三年以後，皆特簡大臣總理寺事。

原明宣宗光禄寺箴　周官膳庖，實肇光禄。漢列九卿，唐總四屬。國朝建置，率循勿易。享祀賓燕，咸其所職。先王之禮，豐儉有宜。惟敬惟誠，儀式行之。粢盛必備，犧牲必潔。執事有恪，儼乎對越。羣賢在朝，四裔會同。廩之餼之，必精必豐。朝夕膳羞，必謹恒度。毋儉公費，而縱私饇。毋驕奢侈，毋肆暴殄。毋作愆過，以蹈常典。正己率下，咸敬慎之。用永終譽，光我訓辭。官箴

原槽房俱南向，凡七層，其南爲御酒房、長春房，採四時花釀酒處也。苦酒房，造貞一酒處也。白酒房嵌長春房内，俱内官司之。明光禄寺志

原光禄寺有鐵力木酒榨，相傳籍没沈萬三家物。每榨用米二十石，得汁百甕。又工部有

銅櫃四，一在節慎庫，高可過人，亦傳是沈萬三家物。（耳談）

補 光禄寺酒榨長三丈，形如方匣，朱紅漆，容米六十石。（暖姝由筆）

原 張元易於光禄寺署中種竹甚蕃，黎惟敬秘書題曰紫禁滄洲。（農丈人集 以上五條原在宮室門，今移改。）

〔臣等謹按〕工部銅櫃已無可考。今光禄寺酒局榨六座，雜木爲之，舊所稱鐵力木者無存。至種竹遺蹤亦久湮矣。

原 京師諸祭皆領於祠官，惟壩上馬房別自建祠，以元旦、冬至、聖節遣内侍主祭，光禄寺具品物，不領於祠官。（湧幢小品 原在京畿門，今移改。）

〔臣等謹按〕以上各條敍光禄寺。

原 太僕寺在萬寶坊，主簿廳附焉。（明一統志）

原 太僕寺在皇城西，乃元兵部舊署。（春明夢餘録 原在城市門，今移改。）

增 太僕寺在正陽門内東中心臺。設卿，滿漢各一；少卿，滿漢各一；員外郎、主事各四；主簿廳附焉。（大清一統志）

〔臣等謹按〕太僕寺堂額曰勤字天育。前列訓辭曰：古之太僕，左馭前驅，車馬是供。厥後因沿其制，天育雲屯，資牧字焉。尚克勤修乃職！世宗御筆也。

〔又按〕太僕寺堂三楹，東有當月印房、土地祠、文昌閣，西有主簿廳、茶房。國初無專署，惟分兵部武庫司廨舍六間爲辦事之所，亦無兼管大臣。雍正三年，始建官署。乾隆四十四年特命大臣總理寺事。

原太僕寺每年祭馬神，在通州北四十里安德鄉鄭村壩，春祭在二月二十二日，秋祭在八月二十八日，前期題請遣少卿一員行禮。冏政要覽 原在京畿門，今移改。

〔臣等謹按〕春秋祠馬神，明制屬於太僕，今制改歸上駟院奉行矣。

補永樂十三年二月甲申，北京立馬神祠，時行太僕寺卿楊砥請立馬神祠於蓮花池。上命翰林院考古今儀式。翰林院言：古者春祭馬祖，夏祭先牧，秋祭馬社，冬祭馬步之神；國朝南京止祭司馬之神，每歲春秋用豕一、羊一、帛一。於是命北京馬神祠設馬祖等神及司馬之神五位，每位用羊、豕、帛各一，儀制準南京。

原明宣宗太僕寺箴　軍國所用，馬爲之最。軍國之政，馬政亦大。肆予慎之，有駜如雲。既充内閑，亦渙其羣。疇厥庶民，析之畜牧。司其政令，命汝太僕。政令攸宜，閲省以時。不愆不忘，乃蕃乃滋。蚩蚩之甿，國家之本。甿既阜豐，馬息斯奮。爾篤於民，毋侵毋尅。爾勤於職，必敬乃德。魯僖無邪，衛文塞淵。爾師古人，厥功懋焉。官箴 以上二條原在城市門，今移改。

原王鏊重建馬神廟記　通州地高寒平遠，泉甘草豐，彌望千里。太宗詔作馬神廟在州之北，地曰壩上，鄉曰安德，旁爲御馬苑，凡二十所。弘治九年三月重葺，十年二月告成。銘曰：駪駪國馬，於甸之野。散焉如雲，騈焉如雨。有廟言言，在潞之陽。始惟作之，自我文皇。有崇其阤，其自今始。神始降祥，人惟致喜。昔在衛文，亦有魯僖。心維塞淵，思亦無期。功以才興，亦以惰毁。琢石鑱辭，爰告來禩。王文恪集 原在京畿門，今移改。

原太僕寺石刻畫馬二，一史道碩畫，一趙孟頫畫，皆王世貞官太僕時摹勒。道碩五代時人。玉堂薈記 原在城市門，今移改。

〔臣等謹按〕兵部夾道今仍稱太僕寺衚衕，即舊署址也。石刻已淪没不可考。

〔又按〕以上各條敍太僕寺。

【原】順天府治卽元大都路總治舊署也。先是，遼升爲京，立幽都府，又改爲析津府，至金爲大興府，元初爲大都路，號大興府。官署爲宗正所據，官吏辦事佛寺中。至大中，監路平章政事莫吉奏請以錢四萬二千五百緡買靈椿里周氏地，計十九畝，建爲公署。永樂定鼎於此，遂因其署而爲順天府。（春明夢餘録）

【原】順天府附郭二縣，東曰大興，西曰宛平。府境南爲固安、霸州，北爲昌平，東爲通州、三河、香河、玉田，西爲良鄉、房山，東北爲薊州，東南爲武清，西南爲涿州。固安之東爲東安、永清；霸州之南爲保定、文安、大城；昌平之東爲懷柔、密雲；通州之北爲順義，南爲漷縣，東南爲寶坻；薊州之北爲平谷，東爲豐潤，東北爲遵化。國初設北平布政使司，因以北平名府。永樂中以北平爲行在所，改府曰順天。（長安客話）

【原】順天府東至永平府五百二十里，南至河間府四百十里，西至保定府易州二百十四里，北至延慶州百七十里，東南至天津衞三百三十里，西南至保定府三百三十里，西北至萬全都指揮司三百五十里，東北至古北口二百四十里。（方輿紀要）

【原】易言：湯武革命順乎天而應乎人。文皇龍興於此，因以自命云。（名勝志 以上四條原在城市門，今移改。）

【增】順天府府尹一人，府丞一人，治中一人，通判、經歷、照磨各一。所屬宛平、大興二縣。康熙十五年以昌平、良鄉等十九州縣隷焉。自雍正元年以後，皆奉特簡大臣兼理府

事。大清會典

增順天府在地安門外鼓樓東，卽元大都路總治舊署，明爲順天府，本朝因之。大清一統志

增順天府尹署南嚮，門三重，堂五楹。堂後爲内宅，宅西北爲演耕所。大門内東爲土穀祠，西爲包公祠。土穀祠後折而東北爲府丞署。治中署在堂後内宅門東，通判署在大門内東隅，經歷署在西隅，其西北爲照磨署，北爲司獄署。順天府册

〔臣等謹按〕順天府堂額曰肅清畿甸。前列訓辭曰：畿甸首善之區，必政肅風清，乃可使四方觀化。非剛正廉明者，曷克勝任！世宗御筆也。

原順天府府尹府丞題名記，工部尚書豐城雷禮文也。嘉靖三十九年立。寮佐題名碑記二：一爲禮部左侍郎鉛山費寀撰，嘉靖二十二年立；一爲順天府通判晉江張問仁撰，萬曆十三年立。函山旅話 原在城市門，今移改。

〔臣等謹按〕順天府署有元大都路碑，在堂左，元劉賡書，字畫完好，巋然獨存。餘俱無考。

原天星堂在順天府後内空洞，上覆以格，有郡國方位圖，冬至日懸毛羽，驗氣之盛，則其歲豐。耳談

原順天府治後東北隅有候氣室，冬至日以葭管吹灰候之。申時行有重修候氣室記。燕都

補順天府中有候氣室，在東夾道迤北。立春日，欽天監官於堂下掘地爲坎，深數尺，以竹管八實灰其中，照方位布列坎内，以土覆之。至冬至日啟視，以占八方之豐歉。若管灰全浮出者爲豐，不浮者爲歉。卽漢書葭莩灰實律管之法也。挑燈集異 以上三條原在城市門，今移改。

〔臣等謹按〕天星堂、候氣室遺址無考，其候氣之法近已不行。惟立春前一日，府尹率僚屬迎春，及立春日恭進春山，因擊土牛勸耕，如舊儀。又恭遇每歲聖駕耕耤，尹率其屬襄事，詳見風俗及外城南城門。

補北闈考試官出東長安門，乘輿詣順天府宴，宴罷入闈；比撤棘，仍騎馬歸。闈中略倣會試體，用中書官寫白紙題卷八大竹筒，加小銅鎖，外用黄絹裝裹，具香案拜，府丞鼓樂接出進呈。宦夢録 原在城市門，今移改。

增順天文鄉試，八月初六日，府丞同主考及執事各官聽宣旨後，赴順天府筵宴，入場。揭曉次日，主考及執事各官同中式舉人入朝謝恩，赴府筵燕。武鄉試照文場例行。大清會典

增凡遇殿試傳臚日，府尹、府丞於長安門外爲三及第簪花披紅，赴府燕畢，送狀元歸第。同上

原舊制，三品衙門用銅印，惟順天府用銀印，誠重之也。春明夢餘録

原明宣宗京府箴　奕奕京師，四方所瞻。京尹之職，民庶是誠。周之內史，漢之三輔。不輕畀人，擇賢以付。國家因之，有尹有丞。亦有庶僚，用贊厥成。芒芒區域，輦轂其本。王者施仁，篤近舉遠。爾體於懷，務勤與周。情必上通，澤必下流。冰清玉剛，準平繩直。毋懾豪右，毋縱奸慝。趙張邊延，顯顯前規。毋愧古人，祗我訓辭。官箴

原王直重修順天府記　至元中大都路廨署無定制，至或假民家以庀事。其後乃市諸民，得地二十畝，爲屋以居。我朝有天下，改大都路爲北平府。永樂元年，北京建，又改北平府爲順天府，因故署爲治。正統十四年，府尹寧陽王侯賢諗於衆，改作焉。爲正堂、後堂各五間，中堂三間，左爲經歷司，右爲照磨所。前爲大門，凡三重，各三間，六曹案牘之舍，庫廄庖湢皆完。崇卑廣狹，各中程度，總爲屋五十八間。以正統十四年三月十三日興工，景泰三年七月落成。

王文端集

原雷禮順天府題名記　京師古設內史，漢改置京兆尹，其地居轂下，憑城社者類橫恣抗法。加之五方湊集，因緣爲奸，化難格。故唐宋以來，選尹皆人望，或以親王爲之，小事專決，大事則稟奏受成旨。刑部、御史臺無輒駁異。蓋肅清京師，鎮撫畿甸，必隆重其任，有若此。我文皇龍飛北京，改北平布政司爲順天府。於永樂六年先置尹丞等官，爲都輦重職。延今百有五十三年，典守定於聖謨者，赫然具在。而年久法弛，事變叢生，一切徵派和買之類，出於繩限，部臺往往以勢下諉，而一二養望自全者，凛不敢詰，積爲民蠹。間有挺節廷諍以肅清鎮撫爲己任，則云生事沽名。九原可作，安得起國初名京兆與之論職守也哉！確山受齋劉公總尹務，鈞陽潁谷馬公以丞副之，慨然有動於中，思法前修，表京師，因閱碑刻多訛逸，復蒐輯增次，具其姓名籍貫及歷官大略鐫之於石，請記於余。余惟古之圖容貌，表室廬官氏，使善者知思而慕之，惡者知指而嗤之，凡以示懲勸策事功也。況自昔京兆行事得失，載之史籍，萬世可鏡，又不徒爲一時四方取則而已。唐人諺云，前尹赫赫，具瞻允若，後尹熙熙，具瞻允若。言敷政寬嚴不同，其以治稱一也。又云前尹舉其綱而太簡，次尹綜其目而太密，後尹毀常法而取一時之聲。言寬嚴失宜，均之爲世所譏。今二公坦易相符，政不務苛細而繩檢截然，人方以赫赫熙熙並譽。迺又即其前刻於石者時觀省焉。愧予前尹順天，不足爲後人景法，而附記於此，亦竊與載名之榮云。古和稟

原葉向高順天府題名記　令甲三歲一計吏治，自岳牧以至尉史，鱗集於闕廷，而京兆實攝郡事，綱紀之，意蓋云惟茲郡吏，其式化於王畿，故郡吏之視京兆，不啻望表起鵠。夫內備列卿而外倡九牧，秩尊而於民親，則無如京兆者。二百年來，名公鉅卿，多由茲奮。確山劉公嘗刻其名於石，而司空豐城雷公爲之記。歲久石泐，今尹廣陵錢公、少尹關西劉公礱石續記，而以記屬予。夫司空嘗官京兆，宜能言京兆。予越俎而譚，非其任矣。然予有職於掌故，不能辭，則嘗取司空言讀之，若慨然有慕於國初諸臣之丰裁，而惆切於年來因循叢蠹之非是，其爲京兆規，不啻詳矣。予惟國家之初造，耳目惟新，聲靈震乎遐陬，而功令肅於庶府。京邑翼翼，四方之極，奉職順流，亦可以爲理。故其治易也。其後襲恬承熙，輦轂之下，日膏沐涵濊於太平之休澤，寖以窳惰，而五方殊技，輻輳灌輸，奔命於上國，都市之武，雜而多端，奸日萌生，治稍難焉。又其後則恬熙益深，耗蠹愈甚，九閽之聽既高，而豐蔀之勢易壅，郊

圻之内若隔萬里，勢家寺人，作姦犯科，官府之令不行，京兆之難治，遂爲天下最矣。蓋嘗總郡國之政論之，其在開創，則外難而内易。何者？依日月者愈近而易爲光也。其在承平，則外易而内難。何者？憑城社者愈近而易爲蠹也。方司空時去國初纔百五十年，度事揆勢，已異昔日。馴至於今，又數十年矣。職京兆者，其感慨歎息當抑又甚焉。弊久則窮，窮則復思其始。今日之京兆亦起弊反始之一時已。今天子神聖，加意三輔，赫然有顧治之思。而錢公劉公皆當世名臣，協力同心以理京兆。將見畿甸太和，百度咸修，寧復有如司空之所慨也？余故樂爲之記，以請於二公。若夫建置之由，事權之重，寬嚴忠佞不同，足以鑒往詔來，語具司空記中，在事者業稔聞之矣。蒼霞草

【補】申時行順天府重修候氣室記　國家建日宫以授時作事，占步推測之法甚密，而順天治輦下，其制特詳。每盛德在木，迎春於東郊。先五日，欽天監奏遣其屬二人往候氣，其布琯實灰重室畧如舊法。隨方占之，以氣發斂，知歲稔惡，所司奉行以爲常，然且掌故莫得而詳也。府故有候氣密室，在東北陬，歲久頽圮，乃就空厫中行事，一切取文具，無有言修葺者。京兆新城王公、會稽朱公移書大司空，請更作，奏上，報可。乃以公廩之羡，貿材飭工，即故址爲室若干楹。二公能崇天道，敬民事，興敝補闕，亦足以知其政矣。賜閒堂集

【原】順天府儒學在府治東南教忠坊。洪武初以元太和觀地爲大興縣學，國子監爲府學。永樂中，以府學爲國子監，因以大興學爲府學。宣德三年，府尹保定李庸修之，大學士建安楊榮爲作記。正統十一年，府學寧陽王賢重修，户部侍郎廬陵陳循作記。成化元年，府尹句容張諫、興平閻鐸先後又修葺焉，大學士淳安商輅作記。順天府舊志

【原】順天府學在府東南。洪武初建爲大興縣學，永樂初以爲府學，正統十一年重修。明一統志

【原】順天府學，故報恩寺也。元末有僧游湘潭，募造報恩寺，尚未安像。明師下燕，戒士卒毋得入孔聖廟。僧倉皇借宣聖木主置殿中，後不敢去，遂以爲學。其地元之柴市也，文文山授命焉。東有祠，西有館曰教忠，再西有坊曰育賢。春明夢餘録

【原】永樂元年五月，禮部言：舊制應天府設學，不設上元、江寧二縣學。今既設北京國子

監，以順天府學爲之，革大興、宛平二縣學，而以大興縣學爲順天府學，其順天府及二縣生徒通經能文者令充北京國子監生，其餘皆充順天府學生。從之。明成祖實録 以上十條原在城市門，今移改。

〔臣等謹按〕順天府儒學署在府學衚衕育賢坊内，本朝因之。西爲學宫，東爲文山祠，祀宋臣文天祥，詳見城市門。又東爲文昌祠。學署之旁列名宦、鄉賢、忠孝各祠。儀門内大堂三楹，顔曰明倫，堂之震巽間爲奎星閣，其後爲敬一亭，有明時石刻四箴註，已漫漶不全。亭後爲崇聖祠，又後爲尊經閣。教授署在閣之西，訓導署在祠西。

補無錫茹文中居京師之高坡衚衕，百有十歲。英皇復辟之年，召見便殿，予冠服帶履，宴順天府，又命公卿造其居賀之。真珠船 原在城市門，今移改。

增凡鄉飲酒禮，歲以正月望、十月朔舉行，豫擇賓介，具疏以聞。至期集僚屬師儒，延賓介於府學，禮部堂官監禮，樂部和聲署設樂，府學諸生侍執事，歌詩飲酒，揖讓獻酬，均如儀。大清會典

補陳循重修順天府學記：學在今府治東南教忠坊，初元太和觀也。洪武元年，以觀爲大興縣學。永樂元年，陞北平府爲順天府，則大興縣儒學例不得設矣，遂以爲府學。九年，同知甄儀建明倫堂東西齋舍。十二年府尹張貫建大成殿，又建學舍於明倫堂後。歲久頹毁。寧陽王賢來爲府尹，顧其舊址多爲軍民所侵，乃謀於府丞番陽王弼、治中長沙易斌、通判寧海楊轅、推官安陸彭理，相與請復其地。既得請，遂撤故新之，爲大成殿，翼以兩廡，前爲戟門，以祠先師先賢。因舊爲廟以祠宋丞相信國文公。爲六齋於明倫堂東西，附以棲生之舍。會饌有堂，有廚有庫，而蔽之重門焉。明年春，教授梁𨱔輩相與礱石，請予文爲記。芳洲集

補商輅重修順天府學記：順天府學，永樂初改建，至是七十年，雖數加葺治，率因陋就簡，未有能侈前規者。成化改元，府尹張君諫相舊齋廡逼近堂廟，闢東西地廣之。堂之北創後堂五間，左右房各九間。廟之外，戟門、櫺星門

皆撤而新之。學之門，樹育賢坊二，東西對峙，示壯觀也。張君去，繼爲尹者閻君鐸，凡前工未畢者既皆足之。復念士乏棲止，勞於出入，擇前後隙地建號房五十餘間，學後拓爲射圃。崇墉廣廈，煥然一新，尹之功大矣。商文毅集

原京衛武學始於正統六年，除教授一員，訓導六員，教習勳衛子弟，以兵部司官提調之。春明夢餘錄

原京衛武學，其堂名明倫，六齋名居仁、由義、崇禮、弘智、惇信、勸忠。明英宗實錄

原吳寬武學設廟像記畧 京師有武學，所以教諸衛武臣之子孫將世其官者。其始見於正統癸亥，制尚弗稱。後朝廷以城東舊地賜故太平侯張公，辭焉。有詔改爲學，而以國子監丞閻禹錫掌學事。成化己丑，禹錫奏請建廟，特改明倫堂爲大成殿，而以後堂爲堂。英國張公入謁，歎曰：學必有廟，廟必有聖賢像，繫此獨用木主，於廟制亦弗備。聞故陸侍郎家有孔子并四配像，盍往請之。於是侍郎之子華喜而言曰：先人爲此，豈欲私於其家者哉！遂以乙巳二月之吉，輿置殿中奉安之，祭告如禮。匏翁家藏集 以上五條原在城市門，今移改。

〔臣等謹按〕京衛武學，雍正十年始改爲順天府武學，今裁。

增金臺書院在京師崇文門內。大清一統志

〔臣等謹按〕金臺書院本義學，康熙四十一年，聖祖御書廣育羣才額以賜。乾隆十五年，改爲書院，順天府府丞臣梅瑴成有記。

原大興縣，金名也，本秦薊縣地，縣治在北城教忠坊。名勝志

原大興，秦薊縣，漢爲廣陽國，東漢爲郡，兼立幽州，仍爲薊縣。晉屬燕國，元魏亦爲幽州，立燕郡，隋爲涿郡，唐爲幽州治所。開元二十三年，陞爲望縣。建中二年，析西

界置幽都縣。五代亦爲薊縣。石晉割地予遼，遼爲幽都府。開泰元年，更縣爲析津，金得之割以遺宋。宣和七年，復歸金。天德五年，改爲大興縣。元與宛平同爲赤縣。洪武中屬北平府倚郭縣。清類天文分野之書

補大興縣題名記，光禄少卿新安尹校書，隆慶四年立。函山旅語 以上三條原在城市門，今移改。

〔臣等謹按〕大興縣署在安定門迤南教忠坊，南向，自大門、儀門、大堂、二堂至署内，共六層。監獄、土地祠在大門内，有縣丞、典史署。巡檢司三，一在采育，一在禮賢村，一在黄村，各有署。

原宛平縣治在積慶坊。明順天府志

原宛平縣，唐曰幽都，析薊縣置者。遼始改今名，縣治在北安門西。名勝志

原宛平，漢爲薊縣，晉屬燕國，慕容儁都於此。隋置遼西郡，治營州。唐武德二年，改爲燕州。天寶元年，改歸德郡。建中二年，爲廣甯縣。後朱滔罷燕州，立燕都縣。五代石晉割地賂遼，遼改幽都府，領幽都縣。統和二十二年，改爲宛平。金得之割以遺宋，尋復爲金所有，仍爲宛平。元爲赤縣，屬大都路。洪武中屬北平府倚郭縣。清類天文分野之書

補宛平縣題名記，翰林院檢討郭盤撰，嘉靖二十八年立。函山旅話 以上四條原在城市門，今移改。

〔臣等謹按〕宛平縣署在地安門外迤西積慶坊，南向。自大門、儀門、大堂、二堂至

署內，共六層。監獄在大門內西，縣丞署在大門內，典史署在儀門東。巡檢司四，一蘆溝橋，一齊宗村，一玉平村，一石港，各有署。

原古墨齋在宛平縣署內。唐李北海所書雲麾將軍碑，邑令李蔭購得，甃之署壁，旁構小亭，植柳蒔花，以爲公餘退思之地。燕都遊覽志 原在城市門，今移改。

〔臣等謹按〕雲麾將軍碑，至本朝康熙年間，府丞吴涵移置文文山祠，並有記，詳見城市門。

補朱孟震題宛平李于美明府古墨齋詩 吁嗟乎！雲麾將軍毅且武，一劍開元靜鼙鼓。身後勳名一丈碑，北海筆鋒雄萬古。逸勢飛騰熊虎愁，寒光歷亂蛟龍舞。真蹟流傳數百年，何事幽州委榛莽！班斒那遣土花侵？摧頽猶解支甍宇。護持神物春復秋，往往精靈泣風雨。青鞵布韈過者誰？披尋邵孺真良苦。仙李雲仍得宛平，耽書嗜古識其精。萬牛輦致不遺力，珠斗恍惚回光明。樹之高齋顔古墨，奔走好事聲喧轟。由來至寶不終秘，天意若待人工并。青氈爾況還故物，白璧誰復窺連城？君不見劉柱史，片石蒲城亦如此。蒲城亦有斷刻，蜀中丞劉遠夫復完之。鐵葉銀鈎照大河，徹天古色今猶紫。顯晦升沈各有時，異人先後兩爭奇。好將物態觀人理，聽我長歌古墨詩。郁木生吟稿

〔臣等謹按〕以上各條敘順天府。

原鴻臚寺在闕東工部之南，西向。宣德元年四月建。春明夢餘録 原在城市門，今移改。

增鴻臚寺在工部南，西向。設卿，滿漢各一；少卿，滿漢各一；鳴贊、序班、主簿附焉。大清一統志

〔臣等謹按〕鴻臚寺堂額曰肅贊朝儀。前列訓辭曰：序九賓，贊九儀，俾大小班行靡不整肅，所以尊朝廷而作萬國之觀瞻。世宗御筆也。

〔又按〕鴻臚寺原設漢少卿二，漢左右寺丞各一。順治十五年，裁漢少卿一，漢寺丞一。雍正四年，仍隸禮部統轄，嗣經奏准，寺與太常寺皆以禮部滿尚書兼管。

原國初朝儀，專叙品級，不分散要。世宗自甲午以後，三十餘年不視常朝，舊典無人記憶。穆考登極，始復常朝。鴻臚搜求故實，多所散失。不知於世廟初年合否。班行東西分立，勳臣在西上東面，不與百官齒。左班面西侍立，一品、二品爲第一行，三品次之爲第二，四品、五品京堂次之爲第三，宫坊五品、六品次之爲第四，翰林六品、七品次之爲第五，兩房中書次之爲第六，此爲一段。其下則六科爲第一，吏部第二，中書舍人第三，此爲一段。其下則御史第一，五部次之，自此以下，品級官次紊不可紀矣。右班面東侍立，則錦衣在前，五軍都督府次之，其後七十二衛指揮等官。叩頭禮畢，則左班内閣、右班錦衣俱由玉陛升立金臺左右，六科升立甬道左右東西向，御史立於甬道左右北向。其北面行禮班次，則公、侯、駙馬、伯列三班於前，去文武階次稍遠。其下則文武兩班同上御道左右分立，一品、二品爲第一，三品第二，四品、五品京堂至翰林史官、庶吉士第三，科道、中書第四，其下則六部郎官，亦頗紊亂。其同班序立，翰林七品在小九卿六品之上，宫坊六品在小九卿五品之上，宫坊五品在大九卿五品之上，講讀學士在大九卿四品之上，惟讓僉都、少詹，光學士在僉都之上。至於六部郎官往時一吏、二禮，其下則户、兵等部，故有主事立於郎官之上者。其後户部主事賀邦泰以禮部在其上，嘗上疏争之。有詔，六部郎中並列，員外次之，主事又次之。久之，又稍紊矣。穀城山房筆麈

補 國初序朝，執政大臣謂之擎天班，玉堂清署謂之焕璧班，言官法司謂之劍鍔班，外戚謂之椒蘭班，親王謂之瓊枝班，功臣將帥謂之豹首班，其餘朝臣謂之隨班。解醒語 以上二條原在宫室門，今移改。

〔臣等謹按〕朝儀班位，國朝定制一準爵秩崇卑爲序。其職在鴻臚者，王公班於丹陛上，一、二品官列於丹陛，三品以下各就班次，東西面重行北上序立。外國使臣則隨右班。乾隆二年定制，以吏、户、禮、翰、詹等官爲左班，兵、刑、工、都察院、大理寺等官爲右班。十七年，始以庶子、侍讀、侍講、祭酒、司經局洗馬向列三班者，改列四班，中允、贊善、修撰、編修、庶吉士向列四班者，改列五班焉。

原 明宣宗鴻臚寺箴 祇祇萬邦，咸統於一。朝覲會同，其儀有秩。咨爾鴻臚，卿貳暨屬。時惟爾官，必莊以肅。必考於度，必協於中。無簡無煩，周旋雍容。惟動以周，惟一靡慝。敬慎爾儀，庶光爾職。官箴 原在城市門，今移改。

〔臣等謹按〕以上各條敍鴻臚寺。

欽定日下舊聞考卷六十六

官署

原承安四年二月，詔建太學於京城之南，總爲屋七十五區。西序置古今文籍、秘省新所賜書，東序置三代鼎彝、俎豆、敦盤、尊罍及春秋釋奠合用祭器。大金國志

原大定二十八年四月，命建女直太學。金史世宗紀

原京都未有孔子廟，而國學寓他署。丞相興元忠憲王鄂勒哲嘼然曰：首善之地，風化攸出，不可怠。乃奏營廟學。元名臣事畧

原至元六年七月，立國子學。二十四年閏二月，設國子監。元史世祖紀

原燕京始平，宣撫王檝請以金樞密院爲宣聖廟。二十有四年，既遷都北城，立國子學於國城之東，乃以南城國子學爲大都路學。元史本傳

原時都城廟學既燬於兵，檝取舊樞密院地復創立之。春秋率諸生行釋菜禮，仍取舊岐陽石鼓列廡下。同上

原王巨川於灰燼之餘草創宣聖廟，以己丑二月八日丁酉率諸士大夫行釋奠禮。諸儒相賀曰：可謂吾道有光矣。湛然居士集

原至元二十四年，既立國學，以故孔子廟爲京學，而提舉學事者仍以國子祭酒繫銜。元史百官志

原國子監在城東北，即元之舊學。洪武改爲北平郡學，永樂仍爲國子學，又改爲國子監。正堂七間，曰彝倫堂，元之崇文閣也。中一間，列聖幸學，俱設座於此，上懸勅諭五通。東一間，祭酒公座，面南，司業座面西。堂前爲露臺，臺南中爲甬路，前至太學門長四十三丈，聖駕臨幸由之。東西爲墀，諸生列班於此。後堂三間，東講堂三間，西講堂三間，藥房三間。折而東爲繩愆廳三間，鼓房一間，率性堂、誠心堂、崇志堂各十一間，博士廳三間，鐘房一間，修道堂、正義堂、廣業堂悉如率性堂。六堂乃諸生肄業之所。東折而南爲廊房九間，門一間，西亦如之。太學門三間。門東勅諭碑一通，洪武十五年申明學制一通，洪武三年定學規碑一通，洪武初年欽定，永樂三年申明學規碑一通，洪武十六年并三十年欽定廟學圖一通，廟學規制地界四至丈尺盡勒焉。正統十二年十一月初四日立。外東井亭一，又東爲持敬門，以入廟。自中少北爲儲門以通啟聖祠、土地祠及典簿、典籍、掌饌廳、倉庫之路。祭酒東廂亦由此入。西井亭一，又西爲退省

號門。自西少北爲廣居門，以爲司業入廂諸生入號之路。墀内雜植槐柏共二十株。前爲集賢門，三間。門前爲通衢，東西牌坊各一，題曰國子監。監衢東西牌坊各一，題曰成賢街。彝倫堂後齋明所九間。格致誠正號，每號計三十七間。嘉靖七年作敬一亭，御製聖諭共碑七座。前爲大門，題曰敬一之門。祭酒廂房在亭東，司業廂房在亭西。會饌堂一所在監東北，土地祠五間在饌堂門之右，典籍廳五間在饌堂門之左，典簿廳三間，掌饌廳五間。退省號及廣居門之西爲天、地、人、智、仁、勇、文、行、忠、信、規、矩、準、繩、紀、綱、法、度，凡一十八號，并退省房三連，混堂、淨房各一所。春明夢餘録

原 宣德四年八月，修北京國子監大成殿前兩廡。明宣宗實録

原 宣德四年四月，北京國子監請以國之東金吾等三衛草場二所爲諸生構房舍，其地給本監種蔬以會饌。從之。同上

原 國子監在京城東北隅，景泰中御史程瓛請於東長安街之南改創基址，不允。國史唯疑 以上十二條原在城市門，今移改。

增 國子監兼管監事大臣，特簡，無定員。祭酒，滿漢各一；司業，滿、漢、蒙古各一，掌成均之法以教國子及俊選之士。監丞掌學規，以督教課，糾勤惰，均廩餼。博士掌闈

明經説以助啓迪。典簿掌簿書以稽文移之出入。均滿漢各一。典籍，漢一人，掌經史以備諸生誦習。率性堂漢助教一，學正一；修道堂漢助教一，學正一；誠心堂漢助教一，學正一；正義堂漢助教一，學正一；崇志堂漢助教一，學録一；廣業堂漢助教一，學録一；掌教直省俊選之士。八旗官學助教，滿洲十有六，蒙古八，掌分教八旗子弟。算法館助教，漢一人，掌分教算學生。俄羅斯學助教，滿漢各一，掌分教俄羅斯子弟，於官學及六堂助教内委員兼司之。筆帖式，滿四人，蒙古、漢軍各二，掌文移繙譯。大清會典

增國子監在安定門内，文廟西。堂曰彝倫堂，堂左右爲繩愆、博士二廳，率性、修道、誠心、正義、崇志、廣業六堂。門曰集賢門，街曰成賢街。大清一統志

〔臣等謹按〕彝倫堂東廊爲繩愆廳，爲鼓房，有率性、誠心、崇志三堂。西廊爲博士廳，爲鐘房，有修道、正義、廣業三堂。彝倫堂額及壁間聖經石刻皆聖祖御書。又堂額曰文行忠信。前列訓辭曰：學者文行並重，尤以忠信爲本。故孔子垂爲四教，成均造士之法無踰於此。世宗御筆也。彝倫堂後爲敬一亭，恭勒康熙四十一年聖祖訓飭士子碑，並御書四碑，一曰功存河洛，一曰嵩高峻極，一曰靈瀆安瀾，一曰昌明仁義。外有明嘉靖間敬一箴碑及宋儒范氏心箴、程子視聽言動箴各一。最後爲御書樓，内尊藏聖祖御製文集、世宗御製文集板及御纂諸經，並十三經、二十二史各

板本，皆貯焉。又有蘭亭記、樂毅論，明王同祖及本朝謝履忠丁香花詩石刻。彝倫堂後穿堂内，祭酒、司業題名碑四。後堂恭懸上諭一通，又老彭觀井石刻一。東有崇實、振雅二軒記石刻，康熙五十七年祭酒李周望撰。穿堂内古文孝經石刻二。東北隅爲文公祠。南學在國子監南方家衚衕，雍正九年建，爲諸生肄業之所。

〔又按〕國子監署有明洪武學制、五朝上諭、正統新建太學及廟學全圖四碑，今皆摧蝕不可讀。

增 八旗官學在八旗分地，雍正五年，以就學者衆，即各旗官房容百人誦讀者建爲官學，隸國子監。大清一統志

〔臣等謹按〕八旗官學，鑲黃旗在安定門大街圓恩寺衚衕，正黃旗在西四牌樓北祖家街，正白旗在朝陽門内南小街新鮮衚衕，鑲白旗在東單牌樓觀音寺衚衕象鼻坑，正紅旗在阜成門内南巡捕廳衚衕西口，鑲紅旗在宣武門内頭髮衚衕，正藍旗在東四牌樓南新開路，鑲藍旗在西單牌樓乾石橋東斜街，俱於乾隆三十四年重修。

增 順治九年，世祖章皇帝臨雍，幸彝倫堂講書，賜賚有加，四氏子孫隨班觀禮者俱送監讀書，廣監生鄉試額十五名。康熙八年，聖祖仁皇帝臨雍，亦準順治九年例。雍正二年，世宗憲皇帝詣學，御彝倫堂講書，廣監生鄉試額十八名，郡縣學量增入學名數。琉

球國自康熙二十七年遣子弟入監讀書後，至是復遣就學，而俄羅斯亦遣子弟入監讀書，另設助教以訓課之。後以四方拔貢入監者多，於國子監南構房舍數百間，謂之南學，歲發帑銀六千兩給諸生膏火。乾隆三年正月，皇上親詣辟雍，釋奠於先師孔子，御彝倫堂講書，賜賚有加，廣監生鄉試額十八名，特賜諭旨，訓勉多士。五年，御製碑文賜南學。大清一統志

增乾隆四十八年，皇上始命於國子監營建辟雍，門外設栅欄屏牆，左右坊座各一，内爲集賢門。門内左右井亭各一。又北爲太學門，門内左鼓亭，右鐘亭，亭北當甬道中建黄色琉璃坊。又北，御碑亭左右各一。又北爲圜河，中叠石爲方基，其上建辟雍殿七楹，周阿重簷，户牖洞達，翼以崇廊，四出陛，六級。河四面皆建橋座，白石闌。其廡列於殿之兩旁者，左則率性堂、誠心堂、崇志堂，右則修道堂、正義堂、廣業堂。圜河之北即彝倫堂，堂左右及堂後皆仍舊制。國子監册

〔臣等謹按〕國子監自乾隆四十八年皇上肇建辟雍，至四十九年冬工竣，五十年二月上丁，釋奠先師，遂親臨辟雍，宣講大學爲人君止於仁，爲人臣止於敬，爲人子止於孝，爲人父止於慈，與國人交止於信，易乾象天行健君子以自强不息，仰惟御論閎深，發前聖所未發。於時圜橋敬聽者，王、貝勒、貝子、公，滿、漢、蒙古大臣

官員，以逮衍聖公、四氏賢裔並來京之進士、舉人、生員、監生及朝鮮使臣等，翹企聳躍，頫首悦心，共欽遭逢之盛。茲敬紀大文之昭揭成均者，門外左右坊座額曰國子監，第一門立額曰集賢門，第二門立額曰太學。琉璃坊座御書南面額曰圜橋教澤，北面額曰學海節觀。御碑亭二，恭勒御製國學新建辟雍圜水工成碑記，右清文，左漢文。碑陰恭勒御製三老五更説，左清文，右漢文。御製題張廷玉三老五更議。辟雍殿前簷御書立額曰辟雍，内額曰雅涵於樂。聯曰：金元明宅於茲，天邑萬年今大備；虞夏殷闕有間，周京四學古堪循。寶座金屏恭録御製上丁釋奠臨新建辟雍講學得近體四首。辟雍殿兩旁六堂皆有立額，其北卽彝倫堂，新奉御書額曰福疇攸敍，其舊制已見本卷前。

增順治九年，皇帝勅諭國子監祭酒司業等官李奭棠、古爾嘉渾等：聖人之道，如日中天，上資之以圖治，下學之以事君。爾等當嚴督諸生，盡心訓誨。諸生當敬奉師教，身體力行。教有成效，時惟師長之功。學有實用，方盡弟子之職。如訓導不嚴，怠肆失學，師生俱難免咎戾，尚其勉之！故諭。

增康熙八年，皇帝勅諭國子監祭酒司業等官貫禄、宋治宜等：朕惟聖人之道，高明廣大，昭垂萬世，所以興道致治，敦倫善俗，莫能外也。朕纘承丕業，文治誕敷，敬仰先聖至德，令行辟雍釋奠之典，將以鼓舞人才，宣布教化。爾監臣當嚴督諸生，潛心肆業，諸生亦宜身體力行，朝夕勤勵。若學業成立，可裨實用，則教育有功。其或董率不嚴，荒乃職業，爾師生難辭厥咎，尚其勉之毋忽！故諭。

增雍正二年，皇帝勅諭國子監祭酒司業等官塞楞額、王傳等：朕惟聖人之道，昭揭日月，彌綸天地，萬世帝王，下逮公卿士庶，罔不仰遵成憲，率由教言。我國家尊崇至聖，遠邁前代。朕纘承大統，古訓是學，維日孜孜。茲雍正二年三月朔日，親詣辟雍，祗謁先師孔子，行釋奠禮，思以鼓勵羣英，丕隆文治。爾監臣宜嚴督諸生，善爲導誘，爾諸生亦當殫心肄業，實踐躬行。秉端方以立身，敦忠孝以興誼。勿鶩奔競，勿事浮華。文必貴乎明經，學務期乎濟世。俾品成誼進，以副朕教育至意。此爾多士之庥，亦惟爾監臣董率之功也。慎勿怠荒職業，以貽爾羞，諸師生其共勉之！故諭。

〔臣等謹按〕國子監署内列聖訓諭，凡通行黌序者，例皆敬謹立石。茲卷既以官署標名，惟紀其關於本署者，恭載垂訓成均各條，餘詳國子監志。

增乾隆三年，皇帝勅諭管國子監事尚書孫嘉淦、祭酒國璉、李鳳翥等：仰惟我朝列聖以聖人之道治天下，用開太平鴻業。聖祖、世宗重道隆師，超越百代。作人造士，化洽寰區。朕嗣守丕基，勤求至道。思所以廣勵學官，祗紹前烈。越乾隆三年三月二日，親詣辟雍，釋奠於先師孔子，升堂進講，嘉與諸生闡明聖教之本原，帝治之盛軌。夫端教術，育賢才，厥惟師儒之功。正身心，修德業，以爲國家之用。諸生其可弗勉哉！詩曰：古之人無斁，譽髦斯士。放勳曰：使自得之，又從而振德之。我祖宗教澤涵濡，薰陶長養，百年於兹，正學昭明，揭若日月。爾監臣欽承至訓，振作而鼓舞之，罔有怠斁。諸生率乃攸行，敦本務實，希賢希聖，夙夜罔愆，俾國家文治光裕於億萬年，懋哉懋哉！特諭。

增乾隆四十八年奉上諭：稽古國學之制，天子曰辟雍，所以行禮樂，宣德化，昭文明而流教澤，典至鉅也。此次釋奠禮成，念國學爲人文薈萃之地，規制宜隆。而辟雍之立，自元明以來典尚闕如。自應增建以臻美備。著派禮部尚書德保、工部尚書兼國子監事劉墉、侍郎德成敬謹前往閲視，度地鳩工，諏吉興建。落成之日，朕將舉行臨雍典禮，以昭久道化成之盛。欽此。

增乾隆四十九年奉上諭：稽古明倫設教，典重學宫，國學爲首善之區，橋門觀聽，規制尤宜隆備。前命尚書劉墉、德保、金簡、侍郎德成，鳩工庀材，興建辟雍。現在已屆落成，朕於明年仲春釋奠禮成，即臨雍講學。所有應行典禮，着該衙門詳議具奏。欽此。

增先師廟在安定門内太學左，南嚮。街門西爲持敬門，西嚮。大成門崇基石闌，前後三出陛。門左右列戟二十有四，石鼓十，右石鼓音訓碣一。左右各一門，門内東西列舍北嚮。大成殿崇基石闌，三出陛。兩廡東西嚮，殿東西列舍南嚮。西廡南燎鑪一，西北瘞坎一，甬道左右御碑亭。大成門外東爲神廚，宰牲亭、井亭各一，西爲神庫、致齋所、更衣亭。每科進士題名碑分列左右。凡正殿、正門、碑亭，皆覆黄色琉璃。後爲崇聖祠。大清會典

〔臣等謹按〕文廟門殿，乾隆二年奉上諭易蓋黄瓦。三十二年，欽定大門額曰先師廟，二門額曰大成門，殿額曰大成殿，並御書題牓。又殿内恭懸康熙二十四年聖祖御書額曰萬世師表，雍正三年世宗御書額曰生民未有，乾隆三年皇上御書額曰與天地參，聯曰：氣備四時，與天地鬼神日月合其德；教垂萬世，繼堯舜禹湯文武作之師。三十四年御書聯曰：齊家治國平天下，信斯言也，布在方策；率性修道致中和，得其門者，譬之宫牆。甬路東西分列碑亭，恭勒康熙二十五年聖祖御製至聖先師孔子贊，二十八年御製顔曾思孟四贊，雍正六年世宗御製仲丁詣祭文廟詩，乾隆四年皇上御製臨雍紀事碑，五年御製仲秋釋奠詩，九年御製仲春釋奠詩，十八年御製仲秋釋奠詩，二十一年御製仲春釋奠詩，二十四年御製太學古槐詩，三十三年御製重修文廟碑，三十四年御製仲春釋奠詩，恭載卷内。若迺鴻謨駿烈，揚示成均，以

昭在泮告功之盛者，則有康熙四十三年聖祖御製平定朔漠告成碑，雍正三年世宗御製平定青海告成碑，乾隆十四年皇上御製平定金川告成碑，二十一年御製平定準噶爾告成碑，並御製伊犁勒銘，二十四年御製平定回部告成碑，四十一年御製平定兩金川告成碑，全文具載國子監志。茲卷惟敬紀其事及歲月云。

〔又按〕乾隆四十八年御製仲春釋奠詩，五十年御製仲春釋奠詩，今謹並勒大成殿前。

增順治十四年諭工部：文廟崇祀先師孔子，所關典禮甚重。今已年久傾圮，若不速爲整理，後漸頹壞，葺治愈難。朕發内帑銀三萬兩，特加修葺，爾部卽傳諭行。

增雍正九年諭禮部：孔子道冠古今，爲萬世師表，薄海内外，無不俎豆尊崇。國學乃四方表率，其制尤重。聖祖仁皇帝臨雍釋奠，典禮優隆，朕纘承大統，景仰先型，羹牆如見。念國學爲造士之地，聖教所被，莫先於此。恐歷歲既久，有應加修葺之處。爾部會同工部詳加閲視。凡文廟殿宇廊廡及講堂學舍，務須整理周備，俾廟貌聿新，以申景慕。朕將親詣焉。

增乾隆二年諭禮部：至聖先師孔子，天縱神聖，師表萬世，尊崇之典，至我朝而極盛。皇考世宗憲皇帝尊師重道，禮敬尤隆。闕里文廟，特命易蓋黄瓦，鴻儀炳焕，超越前模。朕祇紹先猷，切思國子監爲首善觀瞻之地，辟雍規制尤宜崇飾。大成門大成殿著用黃瓦，崇聖祠著用緑瓦，以昭展敬至意。國子監志

增乾隆三十三年諭内閣：修葺文廟，現屆落成，太學規模，式昭輪奐。惟門題殿牓尚應詳考彝章，用申景仰。向來正殿稱先師廟，二門曰廟門，而大門未有書額，蓋沿明代舊文，未加釐正。夫廟門之號，於禮經所稱祖廟既涉嫌疑，而先師廟額揭諸殿楹，名實尤多未稱。應於大門增先師廟額，其正殿改爲大成殿，二門改爲大成門，庶符會典定制。朕親書牓字，涓吉恭懸，以彰崇道尊師之至意。上同

增又奉上諭：國學崇祀先師，規制法程，美備是飭。我列祖右文重道，尊禮有加。朕於臨御初，卽詔易黃瓦，儀惟其隆。邇以殿廡歲久弗葺，特發帑金二十餘萬，鳩庀鼎新。勅大臣董厥成，輪奐視舊增益。工就告蕆，而門殿諸額向沿明張璁陋議，非所以肅觀瞻明折中也。既依會典定名，躬爲牓書，並宣諭釐正大指；兹復親製碑記，具修建原委，且於幾暇手書付鋟，表示鄭重。將以明年仲春詣學釋奠落成之，彰盛典焉。遐稽闕里廟堂，有後漢時犧象諸尊，以爲美觀，爰擇内府所藏周範銅鼎、尊、卣、罍、壺、簠、簋、觚、爵、洗各一，頒置太學，陳之大成殿中，用備禮器。夫孔子志在從周，楹間列周朝法物，於義惟允。所司其敬凜將事，典守勿替，以克副朕意。欽此。上同

〔臣等謹按〕乾隆三十三年，欽頒陳設廟庭禮器，犧尊一，雷紋壺一，子爵一，内言卣一，康侯鼎一，盟簋一，雷紋觚一，召仲簠一，素洗一，犧首罍一，皆周時法物。

補京師設國子學，教授諸生。於隨朝百官集賽及蒙古漢兒官員選擇子孫弟姪俊秀者入國子學。元典章

原至正十五年六月，中書參知政事實勒門言：舊立蒙古國子監寺教四集賽并各愛滿官員子弟，今宜諭之依先例入學，俾嚴爲訓誨。從之。二十年十月朔，甘露降於國子監大成殿前柏木。元史順帝紀　按：實勒門，滿洲語鷂子也，舊作實理門。愛滿，滿洲語部落也，舊作愛馬。今俱譯改。

原中統元年，許衡爲國子祭酒，未幾謝病歸。至元八年，以集賢大學士兼國子祭酒。帝親爲擇蒙古弟子俾教之。衡聞命喜曰：此吾事也。元史本傳

原至元八年，先生授集賢大學士國子祭酒，有旨教蒙古生四人，後又奉旨教七人。又四方及部下願受業者俱得與其列，即南城之舊樞密院設學。先生奏召舊弟子散居四方者王梓、韓思永、蘇郁、耶律有尚、孫安、高凝、姚燧及其弟燉、劉季偉、吕端善、劉安中、白棟，皆驛致館下爲伴讀。國學事跡

原先生之教人也，恩同父子，義若君臣。因其所明，開其所蔽，而納諸善。時其動息而

張弛之，慎其萌蘖而防範之。其日漸月漬不自知其變也。日新月盛不自知其化也。其言談舉止望而知其爲先生弟子，卒皆爲世用也。考歲署

原延祐元年四月，立回回國子監。元史仁宗紀

原延祐七年四月，罷回回國子監。元史英宗紀

原皇慶元年二月朔，徙大都路學所置周宣王石鼓於國子監。二年六月，建崇文閣於國子監。元史仁宗紀

補崇文閣，元藏書之所也，今東講堂有碑存。明太學志

原國子監，候日影到堂後梨樹散學。金臺集

補至大四年八月，芝生國學大成殿。延祐二年三月，芝生大成殿。五年七月，芝生大成殿。元史五行志

原先是，太學因元之舊。吏部主事李賢上言：國家建都北京以來，佛寺時復修建，太學日就廢弛。舉措舛錯，何以示法天下？請以佛寺之費修舉太學。從之。正統九年正月，太學成，上臨視祇謁先聖，行釋奠禮，退御彝倫堂，命祭酒李時勉進講。明典彙

補太學堂有七，彝倫所以會講，率性、修道、誠心、正義、崇志、廣業，則諸生肄業所也。西隱集

補廟學建於正統癸亥，至弘治十四年，尚書曾鑑請修堂宇垣牆并會饌堂，十六年工竣。欞星門前舊有小巷，橫溝積穢。乃買劉福、姚浩等地，東西闊七丈五尺，深入四丈，高築屏牆，上覆以青琉璃瓦，兩旁築小紅牆，前爲闌干以擁護之。明太學志

原兩京孔子廟易琉璃瓦，自萬曆庚子始，從司業傅新德請也。國史唯疑

補內外學舍之制：內號在廣居門右，門一座曰退省，號舍四連，共四十九間。其南溷室與廁。自退省門漸北折而西，爲天、地、人、知、仁、勇、文、行、忠、信、規、矩、準、繩、紀、綱、法、度共十八號，每號計二十一間。度字號北有保安堂五間，以處監生之有病者。彝倫堂後有格、致、誠、正四號，計九十八間。嘉靖七年，改建敬一亭。外東號在廟左，共三十四間，大東號在東城之北，居賢坊賽百萬倉西門。街門二，一曰登俊，號舍東西二連，共四十間，一曰集英，號舍二十七間。新南號在北城二條衚衕東口，門一座，東西房二連，共三十四間，南北四間。小北號在居賢坊衚衕，門一座，南北房二連，共八十間。交趾號在監之南，門一座，南北房二連，共二十八間。西號在成賢街之西北，去監五十步，舊雲閒寺址也，小房十間，又房二層，計九間，本監官屬遞居之。北小房四間，南一間，近西小房十餘間。明太學志

補監規：國子生由廣業堂肄業以漸升至率性堂，然後積分，量與出身。同上

補監丞稱太學司直，所居曰繩愆廳，亦曰東廳。博士別有廳，稱爲西廳。同上

補視學規制：國子監先期灑掃内殿，設御座於彝倫堂中。駕至，則學官率諸生叩迎；升座，則率諸生叩拜；受經，則諸生環聽堦下；還朝宴賞，則率諸生叩謝。敬事草

原弘治改元，駕臨太學。有聖駕臨雍録一卷，具載勅旨、奏章、禮儀、文移、講議官職等事。百川書志

補隆慶元年，駕幸國學。朝鮮陪臣李榮賢等六員各具本等衣冠，赴彝倫堂外，立文臣班次之次。明太學志

原崇禎十四年，重修太學成。八月，車駕臨雍。祭酒南居仁坐講皋陶謨，司業羅大任講易咸卦，命文武官三品以上俱坐聽，賜茶。講畢，上入敬一亭，觀世宗所立程子四箴碑，遂傳禮部將廟學諸碑俱摹搨進覽。又石鼓文殘闕，亦令察補進呈。三朝野史

補崇禎十四年八月十八日，車駕臨雍。釋奠禮成，上步至東西兩廡，徧閲諸先儒神位，諭禮部國子監諸臣曰：宋之周、邵、二程、張、朱六子有功聖學，今概稱先儒，禮殊未稱，爾部其會同翰詹官議所以尊崇之。明年二月，議定進稱先賢，改題六子木主，位列七十子之下，漢唐諸儒之上，告於先師。得旨允行。鴻一亭筆記

補崇禎己卯，上鋭意復古，倣周試士射宮之制，命於賓興後，羣聚較射於國學之觀德堂，

射者皆戎服。壬午亦然。四思堂文集

【補】洪武中，國子生出使，視行人，如覈天下土田，稽百司案牘，督吏民修水利，出有賜，還有勞。永樂初，頒詔諭，訪輯高皇遺文，至同十三道御史問刑慮囚，皆舉重務以試之。然雖勞績有成，無不復監卒業者。其後有長差、短差之例。長差若清黄、寫誥之屬，短差若承運庫試字、司禮監謄本、禮部寫民情、中書科謄黄之屬。短差復監，長差則例滿附選待除，不復監矣。明太學志 以上二十五條原在城市門，今移改。

【增】洪武時，國子生殷敏選入武英殿紀事，授監察御史。蓋其時儲養國學，有出使歷事之任，又有大本堂讀書、武英殿紀事等清要之職，故賢才多出其中。春明夢餘録

【原】正統十一年，太師英國公暨侯伯二十餘人早朝畢，奏曰：臣等皆武夫，不諳經典，願賜一日假，詣國子監聽講。上命以三月三日往。祭酒李先生時勉命諸生立講五經各一章，講罷，設酒饌，飲甚懽。先生命諸生歌鹿鳴之詩。賓主雍雍，抵暮而散，亦太平盛事也。寓圃雜記

【原】國初，高麗遣金濤等四人來入太學。洪武四年，濤登進士歸國。其後各國及土官亦皆遣子入監，監前別造房百間居之，名王子書房。有奏歸省者，命禮部厚賜以榮其歸。今太學前有交趾號房，蓋成祖設北監以來所以處交趾官生者。長安客話

原都城東北隅坊曰崇教，街曰成賢，國子監在焉。國初本北平府學，永樂二年改國子監，左廟右學，規制大備。彝倫堂之松，元許衡手植也。帝京景物畧

補虞文靖謂許文正歿後，國子監始立官府，刻印章。蓋文正爲祭酒時尚在舊學，所謂王宣撫宅也。今國學彝倫堂前樹傳是文正手植，殆未必然。查浦輯聞

原北京國子監版書有喪禮一千二百八十二片，類林詩集六十二片，西林詩集三十片，青雲賦五十片，字苑撮要一百二十七片，韻畧四十五片，珍珠囊八十二片，玉浮屠十七片，孟四元賦一百十三片。天下書目 以上五條原在城市門，今移改。

〔臣等謹按〕此所載明代書版藏之國學者，今皆散佚無存矣。

原昔人好取華麗字以名類事之書，如編珠、合璧、彫金、玉英、玉屑、金鑰、寶匱、寶海、寶車、龍筋、鳳髓、麟角、天機錦、五色線、萬花谷、青囊、錦帶、玉連環、紫香囊、珊瑚木、金鑾香蘂、碧玉芳林之屬，未能悉數。聞國學鏤版向有玉浮屠，不知何書，當亦屬類家也。又有孟四元賦。孟名宗獻，字友之，自號虛静居士，金時魁於鄉、於府、於省、於御前，故號四元。其律賦爲學者法，然金史不入文苑之列，惟見於劉京叔歸潛志耳。淥水亭雜識

原唐太宗聞蘭亭真蹟在僧辨才處，特遣御史蕭翼賺得。武德四年收入秦府。貞觀十年，始命湯普徹、馮承素、諸葛貞、歐陽詢、褚遂良臨之，而歐、褚留傳最著。後之所謂定武本，歐所臨也；所謂唐絹本，褚所臨也。定武本當時刻石禁中，每紙已直萬錢。迨後石晉之亂，遼人輦之而北，路棄殺虎林。慶曆中，李學究得之，其子負官緡無償，時宋景文守定武，乃以帑金代償，納石於庫。熙寧間，薛師正出牧，刊一別本以應求者，此

郡真贋已有二刻矣。其子紹彭又摹之他石，潛易古刻，又剔損古刻湍流帶左右五字爲識。大觀中，詔向其子嗣昌取龕宣和殿後。靖康之亂，金人取石鼓及蘭亭敍重氈輦至燕。石鼓在國學，而蘭亭不知所在矣。今存國學者，疑是定州薛師正翻刻本，或薛紹彭所刻本，雖非古刻，然元人不能也。此石一云明初出天師庵土中，一云元順帝北還重氈裹載棄之於路，徐中山取置國學，未詳孰是。春明夢餘録

補桑澤卿蘭亭考載何子楚跋定武本云：大觀間，詔取石龕置宣和殿，丙午與岐陽石鼓俱載以北。今國學本安知非與石鼓俱載而北者？炙硯録　以上二條原在城市門，今移改。

〔臣等謹按〕國學蘭亭敍石刻相傳爲定武本者，今已無可考。

原唐僧洛陽亞棲草書得張顛筆意，草書千文在國子監。格古要論補

原趙文敏公臨王右軍樂毅論、黄庭經、蘭亭定武本、顔魯公争座位帖、張平叔金丹四百字五碑，俱在北京國子監。考槃餘事　以上二條原在城市門，今移改。

〔臣等謹按〕今所存惟蘭亭敍、樂毅論二臨本，至黄庭經、争座位、金丹四百字諸刻已佚。

欽定日下舊聞考卷六十七

官署

補大成門内石鼓各五，西有石鼓文音訓碑一通。外持敬門東有元加封聖號詔書碑，大德十一年七月建。西有元加封先聖父母妻并四配制詞碑一通，至順二年九月建。對廊樹歷科進士題名碑。明太學志

原永樂二年三月，命工部建進士題名碑於國子監，命侍讀學士王達撰記。題名碑有記始此。憲章録

原永樂十三年，令立石北京國子監。登科考

原進士題名碑原在國子監大成門下，正統間移於太學門外。明典彙

原景泰二年五月，左春坊左諭德管國子監司業事趙琬奏：進士題名立石大成門下，俾諸生出入皆得瞻仰，誠激勸後學之意。正統間，移於太學門外，風雨飄淋，易於損壞。乞勅工部造屋覆蓋，以圖經久。從之。明英宗實録

原天順七年八月，久雨壞國子監碑亭，仆進士題名碑五通。上命有司修碑亭，并豎其碑。同上

原明永樂十三年，始會試天下舉人於北京，登科考謂是年卽令立石國子監，然今無有。有之，自宣德五年始。六館日抄　以上七條原在城市門，今移改。

〔臣等謹按〕元代題名三碑，本朝國子監祭酒吴苑於啓聖祠土中得之。至明代七十有六碑，始永樂十六年李騏榜，訖崇禎十六年楊廷鑑榜。謂始於宣德五年林震榜者，誤也。其缺者惟萬曆八年、崇禎十年兩碑耳。

原永樂十三年乙未陳循榜，十六年戊戌李騏榜，十九年辛丑曾鶴齡榜，二十二年甲辰邢寬榜，宣德二年丁未馬愉榜，碑無。宣德五年庚戌林震榜，太子少保禮部尚書兼武英殿大學士金幼孜撰文，禮部精膳司郎中陳景茂篆書。宣德八年癸丑曹鼐榜，禮部尚書兼翰林學士楊溥撰文，禮部郎中黃養正書。正統元年丙辰周旋榜，碑無。正統四年己未施槃榜，翰林院學士錢習禮撰文，太常寺少卿兼翰林院侍書程南雲書。正統七年壬戌劉儼榜，碑無。正統十年乙丑商輅榜，翰林院學士經筵官曹鼐撰文，中書舍人程學書。正統十三年戊辰彭時榜，兵部右侍郎兼翰林院侍讀學士苗衷撰文，中書舍人黃采書。景泰二年辛未柯潛榜，少保兼太子太傅户部尚書文淵閣大學士陳循撰文，太常寺少卿王謙書。景泰五年甲戌孫賢榜，少保兼太子太傅户部尚書文淵閣大學士陳循撰文，吏部考功司郎中董璵書。天順元年丁丑黎淳榜，吏部尚書兼翰林院學士知制誥李賢撰文，順天府丞余謙書。天順四年庚辰王一夔榜，吏部尚書兼翰林院學士李賢撰文，禮部儀制司員外郎凌耀宗書。天順七年癸未彭教榜少保吏部尚書兼華蓋殿大學士李賢撰文，禮部祠祭司員外郎謝宇書。成化二年丙戌羅倫榜，太子少保禮部尚書兼文淵閣大學士陳文撰文，禮部郎中陳綱書。成化五年己丑張昇榜，太子少保吏部尚書兼文淵閣大學士彭時撰文，太常寺少卿林章書。成化八年壬辰吴寬榜，碑仆。成化十一年乙未謝遷榜，太子少保户部尚書兼翰林院學士萬安撰文，太常寺少卿謝宇書。成化十四年戊戌曾彦榜，太子少保户部尚書兼文淵閣大學士劉珝撰文，禮部儀制司主事兼司經局正字凌暉書。成化十七年辛丑王華榜，碑仆。成化三十年甲辰李旻榜，碑仆。成化二十三年丁未費宏榜，少傅兼太子太傅吏部尚書謹身殿大學士涂溥撰文，太僕寺少卿姜立綱書。弘治三年庚戌錢福榜，少保兼太子太保户部尚書武英殿大學士邱濬撰文，大理寺右寺副劉棨書。弘治六年癸丑毛澄榜，太子太保禮部尚書武英殿大學士劉健撰文，大理寺左寺副兼司經局正字周文通書。弘治九年

丙辰朱希周榜，太子太保户部尚書兼謹身殿大學士李東陽撰文，尚寶司卿兼司經局正字劉棨書。弘治十二年已未倫文敍榜，少師兼太子太師吏部尚書華蓋殿大學士劉健撰文，太常寺少卿周文通書。弘治十五年壬戌康海榜，碑仆。弘治十八年乙丑顧鼎臣榜，碑仆。正德三年戊辰吕柟榜，少師兼太子太師吏部尚書華蓋殿大學士焦芳撰文，太常寺少卿周文通書。正德六年辛未楊慎榜，碑仆。正德九年甲戌唐皐榜，少師兼太子太師吏部尚書華蓋殿大學士楊廷和撰文，太常寺卿劉棨書。正德十二年丁丑舒芬榜，少保兼太子太保禮部尚書武英殿大學士賈詠撰文，太常寺少卿兼經筵侍書劉棨書。正德十六年辛巳楊維聰榜，少師兼太子太師吏部尚書華蓋殿大學士楊廷和撰文，太常寺卿劉棨書。嘉靖二年癸未姚淶榜，少師兼太子太師吏部尚書華蓋殿大學士費宏撰文，太常寺卿劉棨書。嘉靖五年丙戌龔用卿榜，碑仆。嘉靖八年己丑羅洪先榜，太子太保吏部尚書兼武英殿大學士李時撰文，順天府丞周令書。嘉靖十一年壬辰林大欽榜，少師兼太子太師吏部尚書華蓋殿大學士夏言撰文，太僕寺卿張文憲書。嘉靖十四年乙未韓應龍榜，吏部右侍郎兼東閣大學士李本撰文，通政司使張文憲書。嘉靖十七年戊戌茅瓚榜，少傅兼太子太師吏部尚書謹身殿大學士嚴嵩撰文，禮部左侍郎兼司經局正字張電書。嘉靖二十年辛丑沈坤榜，太子太保禮部尚書兼翰林院學士徐階撰文，工部右侍郎談相書。嘉靖二十三年甲辰秦鳴雷榜，禮部尚書兼翰林院學士孫承恩撰文，大理寺右寺副闞 書。嘉靖二十六年丁未李春芳榜，太子太保禮部尚書顧可學撰文，大理寺左寺正吴昂書。嘉靖二十九年庚戌唐汝楫榜，吏部尚書李默撰文，大理寺右評事吴應鳳書。嘉靖三十二年癸丑陳謹榜，少保兼太子太傅禮部尚書徐階撰文，山東布政司參議王槐書。嘉靖三十五年丙辰諸大綬榜，碑文剥落。嘉靖三十八年己未丁士美榜，太子賓客吏部左侍郎兼翰林院學士郭朴撰文，中書舍人管翰林院典籍事顧從禮書。嘉靖四十一年壬戌申時行榜，少保兼太子太保户部尚書武英殿大學士知制誥袁煒撰文，大理寺右寺正叢恕書。嘉靖四十四年己丑范應期榜，太子太保吏部尚書兼武英殿大學士知制誥嚴訥撰文，大理寺左評事兼翰林院侍書李中書。隆慶二年戊辰羅萬化榜，太子太師吏部尚書建極殿大學士李春芳撰文，尚寶司少卿兼翰林院侍書吴自成書。隆慶五年辛未張元忭榜，少師兼太子太師吏部尚書中極殿大學士申時行撰文，太僕寺少卿兼司經局正字徐繼申書。萬曆二年甲戌孫繼皐榜，大學士王錫爵撰文，光禄寺少卿兼司經局正字成楫書。萬曆五年丁丑沈懋學榜，少傅兼太子太傅禮部尚書建極殿大學士許國撰文，太僕寺少卿兼司經局正字馬繼文書。萬曆八年庚辰張懋修榜，大學士葉向高撰文，通政司知事唐尚忠書。萬曆十一年癸未朱國祚榜，太子太保禮部尚書兼武英殿大學士王錫爵撰文，大理寺右寺副趙應宿書。萬曆十四年丙戌唐文獻榜，記無。萬曆十七年己丑焦竑榜，記無。萬曆二十年壬辰翁正春榜，太子太保户部尚書兼文淵閣大學士張位撰文，通政司經歷章如鋌書。萬曆二十三年乙未朱之蕃榜，太子少保禮部尚書兼文淵閣大學士陳于陛撰文，通政司經歷湯應龍書。萬曆二十六年戊戌趙秉忠榜，記無。萬曆二十九年辛丑張以誠榜，記無。萬曆三十二年甲辰楊守勤榜，記無。萬曆三十五年丁未黄士俊榜，記無。萬曆三十八年庚戌韓敬榜，記無。萬曆四十一年癸丑周延儒榜，少師兼太子太師吏部尚書中極殿大學士葉向高撰文，通政司知事周承禹書。萬曆四十四年丙辰錢士升榜，記無。萬曆四十七年己未莊際昌榜，記無。天啓二年壬戌文震孟榜，記無。五年乙丑余煌榜，記無。崇禎元年戊辰劉若宰榜，記無。崇禎四年辛未陳于泰榜，記無。崇禎七年甲戌劉理順榜，記無。崇禎十年丁丑劉同升榜，記無。崇禎十三年庚辰魏藻德榜，記無。崇禎十六年癸未楊廷鑑榜，碑未立。六館日抄　原在城市門，今移改。

〔朱彝尊原按〕進士題名，其初，釋褐後卽撰記立石，後乃有遲之一二十年始立石者。至萬曆丙戌、己丑則有題名而無記，戊戌以後則惟癸丑一榜有記而已。士大夫論資格日嚴，而忽視題名如此，良可歎也。

補國子監碑亭，惟西南隅崇禎庚辰進士題名碑下尚可容兩碑，因又立庚辰科特用題名碑，僅容癸未科進士題名碑立於其次，更無餘地可以立碑，而明之進士題名止此，亦異矣。薊邱雜抄

原崇禎庚辰，上有厭薄進士之意，故將下第舉人與廷試貢士史惇等一百六十三人吳康侯等一百人盡留特用。於是惇等上疏請援進士例謁文廟行釋菜禮，並立石題名。閣臣張四知以爲不可，上命如所請。大學士周延儒奉勅撰文，太僕寺少卿兼翰林院侍書朱國詔奉勅書并篆額，工部營繕司郎中王灝監刻石立於國學中。雜記　以上二條原在城市門，今移改。

〔臣等謹按〕國朝題名碑惟順治壬辰、乙未繙譯科另爲碑刻，餘則滿漢同一碑。肇自順治三年丙戌傅以漸榜，四年丁亥呂宫榜，六年己丑劉子壯榜，九年壬辰鄒忠倚榜，又麻勒吉榜，十二年乙未史大成榜，又圖爾宸榜，十五年戊戌孫承恩榜，十六年己亥徐元文榜，十八年辛丑馬世俊榜，康熙三年甲辰嚴我斯榜，六年丁未繆彤榜，九

年庚戌蔡啓傳榜，十二年癸丑韓菼榜，十五年丙辰彭定求榜，十八年己未歸允肅榜，二十一年壬戌蔡升元榜，二十四年乙丑陸肯堂榜，二十七年戊辰沈廷文榜，三十年辛未戴有祺榜，三十三年甲戌胡任輿榜，三十六年丁丑李蟠榜，三十九年庚辰汪繹榜，四十二年癸未王式丹榜，四十五年丙戌王雲錦榜，四十八年己丑趙熊詔榜，五十一年壬辰王世琛榜，五十二年癸巳王敬銘榜，五十四年乙未徐陶璋榜，五十七年戊戌汪應銓榜，六十年辛丑鄧鍾岳榜，雍正元年癸卯于振榜，二年甲辰陳悳華榜，五年丁未彭啓豐榜，八年庚戌周澍榜，十一年癸丑陳倓榜，乾隆元年丙辰金德瑛榜，二年丁巳于敏中榜，四年己未莊有恭榜，七年壬戌金甡榜，十年乙丑錢維城榜，十三年戊辰梁國治榜，十六年辛未吴鴻榜，十七年壬申秦大士榜，十九年甲戌莊培因榜，二十二年丁丑蔡以臺榜，二十五年庚辰畢沅榜，二十六年辛巳王杰榜，二十八年癸未秦大成榜，三十一年丙戌張書勳榜，三十四年己丑陳初哲榜，三十六年辛卯黄軒榜，三十七年壬辰金榜榜，四十年乙未吴錫齡榜，四十三年戊戌戴衢亨榜，四十五年庚子汪如洋榜，四十六年辛丑錢棨榜，四十九年甲辰茹棻榜，皆立石載甲第里貫云。

增 聖祖御製祭酒箴　予敷文德，式禮辟雍。允惟祭酒，多士攸宗。在昔有虞，命夔教胄。洎於成周，升彼孝秀。撫今區夏，遵路陳常。海域遺子，頗齒膠庠。爾長乃司，表率匪易。木繩斯直，玉琢斯器。烝烝髻髦，爾儀是型。濟濟橋門，爾訓是聆。惟廉持躬，惟慎率屬。佻達其懲，戒董其勗。皇矣謨典，如鏗金鏞。闡揚罔盡，則傚奚從？毋矜而華，導之誠正。毋詭而趨，範之孔孟。王化丕盛，視乎成均。苟隳厥職，曷明人倫？儒行克臧，汝績乃效。黽勉詔娍，助宣聲教。

增聖祖御製至聖先師孔子贊并序　蓋自三才建而天地不居其功，一中傳而聖人代宣其蘊。有行道之聖，得位以綏猷；有明道之聖，立言以垂憲。此正學所以常明，人心所以不泯也。粵稽往緒，仰溯前徽。堯舜禹湯文武達而在上，兼君師之寄，行道之聖人也。孔子不得位，窮而在下，秉删述之權，明道之聖人也。行道者勳業炳於一朝，明道者教思周於百世。堯舜文武之後，不有孔子，則學術紛淆，仁義湮塞，斯道之失傳也久矣。後之人而欲探二帝三王之心法以爲治國平天下之凖，其奚所取衷焉？然則孔子之爲萬古一人也審矣。朕巡省東國，謁祀闕里，景企滋深，敬摛筆而爲之贊曰：清濁有氣，剛柔有質。聖人參之，人極以立。行著習察，舍道莫由。惟皇建極，惟后綏猷。作君作師，垂統萬古。曰惟堯舜，禹湯文武。五百餘歲，至聖挺生。聲金振玉，集厥大成。序書删詩，定禮正樂。既窮象繫，亦嚴筆削。上紹往緒，下示來型。道不終晦，秩然大經。百家紛紜，殊途異趣。日月無踰，羹牆可晤。孔子之道，惟中與庸。此心此理，千聖所同。孔子之德，仁義中正。秉彝之好，根本天性。庶幾夙夜，勗哉令圖。溯源洙泗，景躅唐虞。載歷庭除，式觀禮器。濡毫仰贊，心焉遐企。百世而上，以聖爲歸。百世而下，以聖爲師。非師夫子，惟師於道。統天御世，惟道爲寶。泰山巖巖，東海泱泱。牆高萬仞，夫子之堂。孰窺其藩，孰窺其徑？道不遠人，克念作聖。

增聖祖御製四子贊　復聖顏子　聖道早聞，天資獨粹。約禮博文，不遷不貳。一善服膺，萬德來萃。能化而齊，其樂一致。禮樂四代，治法兼備。用行舍藏，王佐之器。

宗聖曾子　洙泗之傳，魯以得之。一貫曰唯，聖學在茲。明德新民，止善爲期。格致誠正，均平以推。至德要道，百行所基。纂承統緒，修明訓辭。

述聖子思子　於穆天命，道之大原。静養動察，庸德庸言。以育萬物，以贊乾坤。九經三重，大法是存。篤恭慎獨，成德之門。卷之藏密，擴之無垠。

亞聖孟子　哲人既萎，楊墨昌熾。子輿闢之，曰仁與義。性善獨闡，知言養氣。道稱堯舜，學屏功利。煌煌七篇，並垂六藝。孔學攸傳，禹功作配。

〔臣等謹按〕孔門四賢並有皇上御製贊，但黌宫内未經奉諭立石，今準國子監志之例，惟載自臨雍紀事碑始。

增世宗御製詣太學詩　禮樂牖民資大化，國家造士在斯文。臨雍觀禮崇儒切，視學論經養俊殷。濟濟橋門龍旆繞，雍雍璧水鳳毛紛。千官咸慶文明盛，還佇同風率土忻。

增世宗御製仲丁詣祭文廟詩　扶植綱常百代陳，天將夫子覺斯民。帝王師法成隆治，兆庶遵由臻至淳。道統長垂今與古，文明共仰聖而神。功能溯自生民後，地闢天開第一人。

增世宗御製詣太學詩　辟雍親莅止，典禮重參稽。管籥仍魚雅，威儀自整齊。禮門資至化，義路牖羣黎。永翊文明治，休徵共受禔。善俗禮爲本，仁民域可躋。崇儒申術教，造士列東西。共式習如性，咸成璋與珪。興賢勤寤寐，振德日提撕。

增皇上御製臨雍紀事碑　天生烝民，若有恒性。人道立焉，亶生聰明神聖，作之君，作之師，以厚其生，以正其德，綱常之所以不墜，倫類之所以相維相保於天地間者，斯焉是賴。古聖王繼天立極，君師之道兼隆，夐乎尚矣。繼是以來，雖代有君，而克盡其爲君之道者蓋寡。若夫同天地，亘古今，繼往聖，開來世，特立爲師之道於宇宙間者，則惟我先師孔子一人。敬維孔子，集羣聖之大成，祖述憲章，垂教萬世，使後之帝王建極綏猷，得有所遵循，以求治法道法之大全。由之則治，悖之則亂。大哉孔子，功參乎覆載，明並乎日月，生民以來未有盛焉者也。我列祖撫御寰宇，敍彝倫，明禮樂，誠民阜俗，一惟孔子所傳之大經大法，是矩是式。微言奥義，悉推闡而表章之。統緒相承，心源符契，欽敬追崇之盛典，超越往代，具在彝章。予小子懋學書闈，景行志切。逮寅承丕緒，祗奉先猷，夙夜兢兢，繹思聖道，越乾隆三年季春上日，躬釋奠於先師。前期飭官庀材，崇飾廟貌，特命大成殿大成門覆以黄瓦，崇聖祠覆以緑瓦，稱朕慕道崇師至意。記曰：禮時爲大，宜次之，稱次之。先王之制禮也，順於鬼神，合於人心，惟其稱而已。太學者，帝王尊師之地，盡禮備物，以明尊也。稱其德而不爲過，宜莫大焉。抑非以眩耳目之觀也。欽崇至道，敷政教以淑羣黎，法祖隆師，罔敢或斁。俾薄海内外無一夫不與被聖人之澤，斯朕志也夫！乾隆四年己未，用允廷臣之請，勒文紀事，以垂示於奕世。系以詩曰：於昭道統，淵源三五。至聖挺生，立極萬古。贊修删定，爲帝王師。天地悠久，斯文在兹。惟我祖宗，惇崇典禮。爰謁林廟，爰封祖禰。予膺鴻緒，彝憲是承。釋奠視學，大昕鼓徵。萬仞宫牆，圜橋首善。笙鏞斯陳，俎豆斯薦。耽耽翼翼，鳥革翬飛。制符宸居，金碧流輝。丕焕宏模，神明所宅。玉振金聲，永揚教澤。式睞兆庶，式育才賢。光宣文治，億萬斯年。

增御製重修文廟碑記 舉江淮河濟以贊海，吾知其不知海。舉嵩岱恒華以贊地，吾知其不知地。然則舉道德仁義以贊孔子者，其亦類於是乎！夫江淮河濟豈不爲海所納，而不足以形海之大。然海固不拒江淮河濟以爲水也。嵩岱恒華豈不爲地所載，而不足以究地之厚。然地固不讓嵩岱恒華以爲土也。道德仁義豈不爲孔子所垂，而不足以盡孔子之量。然孔子固不外道德仁義以爲教也。教之義始見於虞書而未有定所。夏校殷序周庠，學則三代共之。是國學所昉乎！夫三代既有學，亦必有教，而吾以爲孔子立道德仁義之教者何？蓋三代以前之教，非孔子不明，三代以後之教非孔子不立。亦猶江淮河濟，非海不納，嵩岱恒華，非地不載，道德仁義，非孔子不垂也。國學始於元太祖，置宣聖廟於燕京，由元及明，代有損益修葺，至本朝而崇奉規模爲大備。列聖右文，臨雍必事輪奂。乾隆戊午，朕詣學展儀，先詔易蓋黄瓦，聿昭茂典。然丹雘雖致飾壯觀，而上棟下宇，風雨燥濕，歷年既久，浸皴是虞。爰以歲丁亥發帑二十餘萬，特簡重臣司其事。越己丑仲春告蕆工，朕親釋奠以落成焉。先是，言臣有以宜乘此時修復辟雍圜水之制爲請者，禮官以爲三代之制弗相沿襲，實政不必泥古。朕以其言良是，遂從之。門殿諸額一準會典，皆親書各懸於其所。舉大工者必泐碑以誌，故敍其事書之。若夫述孔子之言仍以頌孔子，是猶繪日月星辰以象天，朕有所不能。

增御製國學新建辟雍圜水工成碑記　名者實之賓，實者名之主。爲學之方，應務其實以蘄循其名，不可炫其名以致亡其實。興學之源，綦要於國學。國學者天子之學也。天子之學曰辟雍，諸侯之學曰泮水。北京之國學，自元歷明以至本朝，蓋五百餘年矣。有國學而無辟雍，名實或不相稱焉。雖有建議請復，以乏水而格，部議至今未復。癸卯春始有復建之論，甲辰冬乃觀新工之竣，將於乙巳仲春行釋奠禮，遂臨雍以落成焉。夫北京爲天下都會，教化所先也。大典缺如，非所以崇儒重道，古與稽而今與居也。雖乏水，然有不改之井，汲以綆而用之無窮，亦在人爲之而已。於是石之鱗次，見圜斯池；水之鏡澄，見明斯漪；殿之據中，見隆其榱；橋之通行，見接其基。上庠下庠，雖難考二典之制，而東序西序，總不出三代之規。則是工之舉也，又予知過論所謂於不可已者仍酌行之之意。而物給價，工給值，原非勞民動衆之爲。若夫三老五更之説，予以爲括於養老化俗之儀。而非天子臨雍所必應並行而不遺者。蓋弗見於詩書，乃特出杜氏通典之私耳。且予向有三老五更之説，已明闢其謬，兹不復綴乎辭。雖然，予更有所懼，於是舉者，夫是舉豈非復古興學之懿，有何懼而予懼之者，恐後之人執予復古之説，於一切衣冠典禮皆欲效漢人之制，則予爲得罪祖宗之人，匪教伊虐，甚慮不宜也。予之子孫臣庶，體予此心，於可復古者復之，其不可復者斷不可泥古而復之。夫徒慕復古之虚名，而致有忘祖宗之實，失非下愚而何？予不爲也。予敬以是告子孫，以保我皇清萬年之基也。

〔臣等謹按〕國子監署内曾經立石者，尚有乾隆五年頒賜南學碑文，因係詞臣奉勅撰擬，未經載入御製文集，遵旨不列卷内。

增御製三老五更説　三老五更之説，不見於詩書，其見於禮記者，蓋出乎漢儒，非孔子之言。惟左傳三老凍餒之文爲最古。然傳謂公聚朽蠹而三老反不見養遇，非與五更相提並論也。注三老五更者多矣，或謂上中下壽，或謂工商農而不及五更，出左傳孔疏。或謂明天地人與五行之事，出白虎通。或謂取象三辰五星，出後漢書禮儀志。或謂知三德五事者，出鄭康成禮記注。名以臆度，不堪僂指矣。至蔡邕獨斷乃有父事兄事之説，而白虎通之謬，直以爲老更各一人，且曰父一而已，不宜有三，吁，可怪哉！天子養老即所以教孝於天下，何至以父事之！且即其説父一而已，則天子已自有父，今復事一人，是非二父乎？腐儒執虚文而謬大義，真不值一噱耳。邕復解更爲叟，謂豕亥之譌。夫叟與老同，既有老又何藉叟爲哉？予以爲三者天地人之數，養老自以三舉其數耳。若夫五更則更事之説爲近，而五倫五常莫不具於此。人數不必其備，行之以敬誠愷悌，則中和位育將在是矣。後儒一切穿鑿之論，何足數哉？

增御製題張廷玉三老五更議　戊戌年爲三老五更説，亦既闢其踳駁而勒之新建辟雍之碑矣。今秋駐避暑山莊，檢續書之四庫全書内文潁集中有三老五更議之篇，而掛漏其名。

因命檢文津閣之書，乃知爲張廷玉所撰，憬然憶之，事在乾隆戊午，爲廿七月既閲諸禮畢舉之時。於視學之前，曾向軍機大臣等談及三老五更而咨其可行與否。彼時鄂爾泰依違其間，張廷玉則斷以爲不可。於是奏此議而遂寢其説。蓋鄂爾泰固好虚譽而近於驕者，張廷玉則善自謹而近於懦者。且二人彼時皆可望登此席者也。以今觀之，則廷玉之議爲當。設爾時勉强行之，必有如廷玉所謂資後人之議者矣。若朕戊戌年之所爲三老五更説，戊戌去戊午歷四十年，其事早已忘之。蓋戊午朕方廿八歲，而戊戌則六十有八，此亦足驗四十年間學問識見之效，而年少時未免有好名泥古之意。至今則灑然矣。兹觀廷玉之議與朕之説不約而同，樹之前旌焉，因命並勒辟雍碑，以識己學之淺深及不掩人之善也。夫廷玉既有此卓識，何不見及朕之必不動於浮言，遵皇考遺旨令彼配享太廟，而臨休致歸里時乃有求入廟之請，此所謂老衰而戒之在得乎！朕又以廷玉之戒爲戒，且爲廷玉惜之。

〔臣等謹按〕禮運云：三公在朝，三老在學。夫崇尚三老，至比之於三公，至矣。然尚書之稱三公，猶云官不必備惟其人，矧三老原不過虚加之美稱，非必不可闕而務求其人以實之也。傳記謂食三老五更於太學，大抵通言周制，誠使周召之臣備充兹選，猶當逡巡退讓，况其他哉？故禮惟極其隆則人愈不克副。如必泥於古而强行焉，反失聖人愼重之精意。明世宗浮慕前代典章，特命國子監祭酒創視學養老儀注，其後竟不克行。可見尚虛文者終難徵諸實事也。伏讀皇上御製三老五更説及題張廷玉三老五更議，大義昭垂，盡闢昔儒拘墟之説。羣言衷聖，洵足程模樹則，永傳法守於古今矣。

增御製爲人君止於仁爲人臣止於敬爲人子止於孝爲人父止於慈與國人交止於信論 此雖言文王之止於至善，而實訓萬古五倫之要道也。夫文王固身歷爲君臣父子與人交而各盡其善者矣。試思人孰不在五倫之中，而各有當止於其善之道乎？是故爲君者匪惟博施濟衆以爲仁，卽癉惡弼教之義亦必當本於仁而出之，所謂止也。人臣之敬詎其夙夜匪懈恪恭承旨之謂，卽繩愆糾謬、陳善閉邪亦必當本於敬而出之，所謂止也。生事死葬，祭之以禮，人子之止於孝，蓋終身之事，非謂無父母卽無子之止於善也。若夫父之日嚴似殊乎母之慈，而不知父之嚴正所以行其慈也。至於兄友弟恭夫唱婦隨，皆與人交之義，而朋友之信固該其中矣。予固云此雖言文王之止於至善，而實訓萬世五倫之要道也。

增御製天行健君子以自彊不息論 天一日一周，是行健也。然天之運行終古不息，不惟不息，蓋並不息亦無意於其間。斯乃健也。應與中庸至誠無息之語並觀之。所謂誠者天之道也。若夫法天之君子乃誠之者人之道，然亦不外自彊不息而已。蓋天之不息無爲而爲，人之不息則在自彊。自彊者，必本於克己復禮，人十己千，成己成物，胥在乎是。聖人之言，非特爲爲君者言。蓋人人皆有法天之責，此責不在於外而在於心。人各盡其心之誠，所謂天君泰然，百體從令，而爲人君者益當法天行健，夕惕朝乾，孜孜亹亹，不遑暇逸，以是爲亟耳。

增乾隆五年御製庚申仲秋丁祭詩　法祖恢文德，崇儒禮素王。晨光開輦輅，露氣浥旗常。寅祀心恒凜，丁辰日正陽。皇皇陳禮樂，肅肅對宮牆。言念百王後，身登夫子堂。君師誠有愧，仰止志方長。

增乾隆九年御製二月上丁釋奠先師孔子詩　靈春惟仲月，吉日值丁辰。禮樂遵先進，詩書淑兆民。宮牆增慕永，俎豆薦馨新。敢謂百王後，能傳一脈真。承筐將素幣，獻爵列儒臣。試問得門者，誰爲不愧人？

增乾隆十八年御製仲秋釋奠先師孔子詩　高居詎恃九重尊，丁祭親承率駿奔。山海從來欽出類，宮牆何有得其門？樂音六奏非鐘鼓，禮器千年復簋罇。經席昨臨今釋奠，躬行未逮敢他論？

增乾隆二十一年御製仲春釋奠先師孔子詩　經筵昨甫過，釋奠此親臨。寧僅崇文典？惟殷望道心。衣冠集魚雅，殿幕仰深沉。道法參天地，神依貫古今。千年綿後裔，六佾協元音。聖藻光楣梠，君師責並欽。

增乾隆三十四年御製仲春上丁釋奠孔子并落成國學卽事詩　國學維新逮落成，躬承丁祭致寅精。經綸萬古歸陶冶，道德千秋示典程。祇覺行難增以愧，未能言贊出乎誠。兩朝題額奎章焕，心法由來治法并。子曰三年必有成，虞傳惟一與惟精。益滋宵旰寸心恧，敢翊治安百世程。周鼎載陳古如式，春芹敬薦潔爲誠。試看陪禮來東魯，教澤絣幪奕葉并。

增乾隆四十八年御製癸卯仲春丁祭先師禮成述事　月令徒聞釋上丁，用丁義未著明經。象心承丙前賢注，内聖外王後世型。疏十四年增怵惕，當春仲月敢稽停。擬仍明歲奠闢里，重道猶應勵艾齡。

增乾隆五十年御製乙巳仲春釋奠先師孔子禮成有述　考古今春舉辟雍，虔因釋奠致寅恭。於焉敬對神如在，遑不深思道所從。實願樸棫作舟楫，詎徒觀聽聳羔縫？武公耄耋猶勤學，予少於伊志敢慵？

增又御製釋奠後臨新建辟雍講學得近體四首　國學由來教化先，北京建五百餘年。空傳中統廟修矣，按元史稱太祖平燕京，以金樞密院爲宣聖廟，又世祖紀，中統三年修宣聖廟，此皆言彼時南城國子學，蓋元太祖初定燕京時所建也。至選舉志稱至元二十四年遷都北城，立國子學於國城之東。又世祖紀，二十四年閏二月設國子監，乃今城東國子監之權輿也。是以己丑年曾製重修文廟碑記云，國學始於元太祖置宣聖廟於燕京，乃指燕京初設國子學之始而言，兹城東之文廟國子監，則世祖至元二十四年遷都北城所立，而非中統所修矣。向來紀載重沓，每自相抵牾，因爲訂正明晰，附識於此。獨惜辟雍典闕然。酌古準今圖以創，穿池引井璧成圓。崇儒重道心雖亹，懼亦在茲記語宣。古制天子之學曰辟雍，諸侯之學曰泮宮，北京國學自元歷明以至本朝五百餘年，有國學而無辟雍，名實不稱。雖有建議請復，以乏水而格部議。昨癸卯春始命酌古準今，穿池引井，新建圜水，復親製碑文，以復古而不可泥古，諄切誥誡，詳見辟雍碑記文。放勳巍蕩未言學，教胄命夔始有虞。夏序殷宗因遞述，文豐武鎬豈相殊。橋圜莫作徒觀者，廷獻應爲有用儒。却憶永平稱億萬，後漢紀稱明帝永平二年，上始率羣臣恭養三老五更於辟雍，饗射禮畢，帝正坐自講，諸儒執經問難於前，冠帶縉紳之人圜橋門而觀聽者蓋億萬計云云。所記未免失實。臨雍盛典觀聽雖多，然縉紳冠帶何至億萬人之多？且圜橋之間豈能容？而人多擁擠亦必觀聽有所不及。史傳之誣，往往類是。雖云善善略鄰誣。三五昔經著說詳，謂他杜撰失荒唐。三老五更之說不見詩書，惟禮記出漢儒，非孔子之言。左傳始有三老凍餒之文，註者既紛紛不一，而蔡邕獨斷遂有父事兄事之說，白虎通直以爲老更各一人，且曰父一而已，不宜有三。其謬更甚。杜佑通典亦宗其說，真成杜撰矣。向嘗著說闢之，詳見三老五更說，今命刻於辟雍碑陰。祇宜養老示恩渥，難並臨雍贊禮煌。韓愈不甘弟子列，蔡新或備伯兄行。韓愈答呂毉山人書，謂世無孔子不當在弟子之列，其見甚高，語亦正。若今之羣臣孰可當老更之席者？獨大學士蔡新長於予四歲，或可居兄事之列。然恐其局趣弗敢當，舉王導對晉元帝之語耳。慮其驚懼謝無當，去聲。王導稱曾喻太陽。晉書王導傳：帝登尊號，百官陪列，命導升御牀。導固辭曰：若太陽下同萬物，蒼生何能仰照？帝乃止。祭毋欲數上丁逢，釋奠禮成臨辟雍。舉事率因待時節，北京國子監自元迄今五百餘年，而辟雍圜水之制未備。癸卯春始命興建，甲辰冬工竣。此誠舉大事者亦必有時節之待也。化民寧渠去聲。在儀容？五倫知止須勤勗，是日講章題，大學爲人君止於仁，爲人臣止於敬，爲人子止於孝，爲人父止於慈，與國人交止於信，易經天行健君子以自彊不息。一己自彊切戒慵。文質彬彬衆和樂，重熙茂對志滋恭。

增乾隆二十四年御製國學古槐詩　國學古槐一株，元臣許衡所植，閲歲既久，枯而復榮。當辛未一枝再茁之初，適慈寧六旬萬壽之歲。槐市諸生，傳爲瑞事。大學士蔣溥繪黌宫嘉蔭樹，遺蹟緬前賢。初植至元歲，重榮辛未年。奇同曲阜檜，靈紀易林乾。徵瑞作人化，符祥介壽筵。喬柯應芹藻，翠葉潤觚編。右相非誇繪，由來事可傳。

圖以紀，曾題六韻卷中。監臣覲保等請勒石講堂，垂示久遠，書以賜之。

〔臣等謹按〕國學古槐御製詩是爲首見之篇，今恭録卷内。

欽定日下舊聞考卷六十八

官署

〔臣等謹按〕石鼓考，朱彝尊原書分上中下，系之卷末。考石鼓自元明以來久列國子監中，自應依類敍次，今謹移歸國子監各條之後。

原 𨕖車既工𨕖馬既同

章云，𨕖，石本作𢓊，薛氏音我，工，郭氏云籀文攻字，眉山蘇氏石鼓詩亦作攻。潘云，按詩車攻傳，攻堅緻也，同齊也，物馬齊其力。

𨕖車既好𨕖馬既𩣡

章云，好，石本作攷，𩣡，鄭音瑤，今作鴇。郭云，恐是籀文騊字，騊，北野良馬名。潘云，𩣡從馬缶聲，疑與阜音義同，詩車攻，田車既好，四牡孔阜，說者謂阜盛大也。

君子員=邋=員斿=

章云，負，石本作鼎，說文負音云，益也，邋，鄭通作獵字，負又云員，君子指從獵諸臣，員員衆多而有禮儀也。獵獵旌旗搖動貌，斿旌上贅旒，詩悠悠旆旌。潘云，斿旌之末垂者。

〔臣等謹按〕君子員員，邋邋員斿。斿字石鼓無重文，潘迪音訓亦同，朱彝尊原書作有重文。

麀鹿速速君子之求章云，麀，牝鹿，速速，疾行貌，田狩之所求。潘云，速速或曰鹿之足迹。

□□角弓弓茲以時章云，酋，石本作[illegible]。郭云，恐當作卣，卣弓即庚弓也。薛作首，鄭作酋，周禮，庚弓利射侯與弋，弓，薛作及，[illegible]古以字，下同。潘云，酋今按古文作卣，寺諸家皆作時，然下文別有時字，或音侍。

〔臣等謹按〕角弓石鼓作[illegible]，朱彝尊原書所引諸家俱作[illegible]，又時字石鼓作[illegible]，無日旁，朱彝尊原書作[illegible]。

吾敺其特其來趩趩章云，[illegible]薛鄭皆作孫字。施云，以碑本考之，字雖磨滅髣髴是時字。趩丑亦反，說文行聲也，一曰不行貌。潘云，趩有重文。

□□炱炱即遨即時麀鹿趚趚施云，[illegible]薛鄭本皆有此字，碑磨滅不可辨矣。鄭云，[illegible]今作[illegible]，未詳音義，石本有重文，遨今作敖，與禁禦之禦同。章云，遨，薛作我，趍，薛作趍，鄭作趍，直離反，並無重文。潘云，[illegible]音憲、[illegible]作炱，皆有重文，其義未詳。或曰趍走意，炱衆多也，遨與遨小異，疑非我字，或音禦，趚子亦反有重文。

〔臣等謹按〕麀鹿趚趚石鼓作[illegible]，朱彝尊原書作[illegible]。

其來大次吾敺其樸其□遺遺射其猏蜀潘云，遺徒鹿反，續也，猏或作豣，或音豚，蜀恐犢字蓋蜀有獨音。施云，王氏集諸家釋音末四字皆不著，宿得於北方及葉氏本下三字甚明，岐城石刻亦載。

〔臣等謹按〕射其猏蜀石鼓作[illegible]，朱彝尊原書作[illegible]。右第一鼓，薛氏楊氏次居八，鄭氏次居三，施氏次居一。獵碣考異潘云，今按古文苑，其序姑從施氏，然舊說第五鼓言漁獸而歸，第六鼓言治道，似乎失先後次序，若左右相易，始於西北，以第六爲第一，第五爲第十，則先後之序得矣。然亦未可必也。可讀者十有六句，餘未詳，凡六十四字，此鼓舊本鹵上有孫字，遺上有來字，今漫滅。

文十一行，行六字，成文作重文者十闕一。周秦刻石釋音

（朱彝尊原按）薛氏本卽遬卽時下又有遬字，恐屬衍文。古文苑本麀鹿趚趚下脱其來大卽遬五字，潘氏音訓有之。今古文其來大三字尚顯。遬字亦存，又敺其樸下古文苑有來射其來卤既遬七字，施氏本敺其樸來射句置其來卤下，而無既字，今考此鼓凡十一行重文不計，行每六字，則薛氏章氏施氏本字數皆溢，未足據矣。樸雖從木，疑古與僕通，然未敢臆定也。

（臣等謹按）石鼓文初不見稱，唐宋以來始盛傳於世，韋應物、韓愈、歐陽修、梅堯臣、蘇軾、蘇轍諸人皆有詩。然韓愈詩曰，公從何處得紙本？毫髮盡備無差訛。則是時全本已爲難得。至蘇軾云，强尋偏傍推點畫，時得一二遺八九。是宋時本殘缺更甚，況後此者乎？明楊慎謂從李東陽處得唐人拓本一字無闕，並爲音釋。考東陽詩曰，家藏舊本出梨棗，拾殘補闕能幾何？則雖有傳本，其非原本可知。楊慎逞才謾語誇誕而不衷於理，殊無足信。朱彝尊辨之甚詳。卷中并引鄭樵、薛尚功、施宿、潘迪諸家考證，固爲賅博。但字畫傳寫亦不無舛訛之處。今石鼓及潘迪音訓並列國子監中，雖鼓文較前益多殘缺，然其存者確有可據。玆採國子監志所摹現存鼓

文，從潘迪音訓摹釋，考其存闕，謹録於後，以傳信方來云。

增 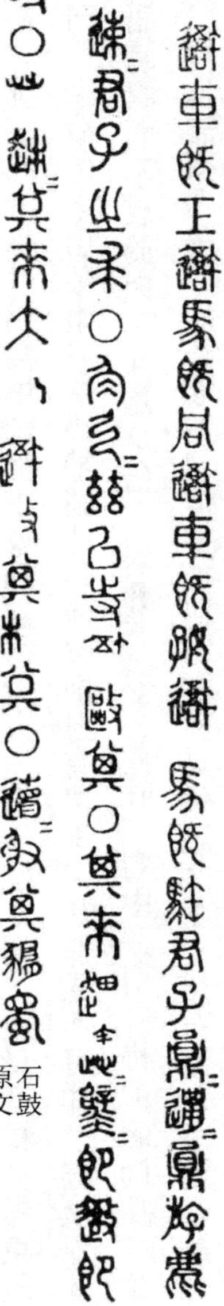
石鼓原文

（臣等謹按）右第一鼓凡十一行，行六字，重文不計，字之全者四十九，不全者十二，闕者五，較潘迪音訓多闕三字。

原 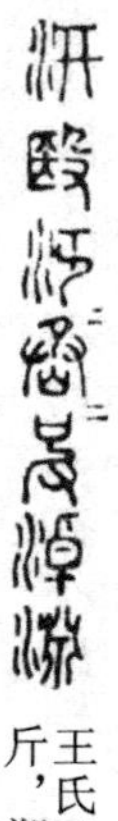
王氏云，汧音牽，水名，出扶風汧縣西北入渭，殹即也字，見詛楚文及秦斤，鄭樵因此指爲秦物。潘云，按醫繄皆從殹已見古書，非始於秦也。郭氏曰，讀如繄，語助，沔籀作泛，有重文，鄭氏云，沔讀作綿，蓋用平聲叶韻，鄭氏云，否字見秦權，郭氏云，讀如烝，進也，詩南有嘉魚，烝然罩罩，王肅云，烝衆也，[illegible]石本作[illegible]，王氏云，籀文皮字借作被音，文曰烝被淖淵，與尚書導菏澤被孟豬之被同義，郭音彼，淖淵水之深處也。

（朱彝尊原按）潘氏音訓沔有重文，驗鼓文無之，疑否字屬上句。

（臣等謹按）沔字石鼓有重文，朱彝尊按云無重文，否字石鼓無重文，朱彝尊原書有重文。

潘云〓鰋鯉皆魚名，鰋鄭氏音鰋，鮎也，處鄭氏讀作居，蓋取叶韻。章云，籀文魚字從寸，今省作魚。

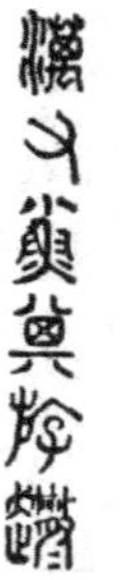

鄭云，澫即曼從萬，通作曼。章云，漫漫水之瀰茫處也。潘云，澫疑有重文，又通作有，籀文省，下同，見詛楚文。鯊今作鯊，魚名，所加反，趨薛氏作散，即磝字，有重文，或音汕，叶平聲相于反。

〔臣等謹按〕澫字石鼓有重文，朱彝尊原書無重文。

章云，帛以白從水，古文泊字，今省，水之淺處也，步各反，下同。鄭云，皪音洛，集韻白色也，薛作皪字，説文皪盧各反，魚名。潘云，盜鄭氏亦作菹，讀與俎同，施氏云，按説文側余反醢也，氐典禮反。章云，皪即皪字，音歷，的皪白貌，言泊中之魚皪皪然潔白也。潘云，帛卽白字，言白魚皪皪然潔白，登之於俎甚鮮也。

章云，黃泊水濁而淺處，鄭氏云，鰋即鯾字，卑連反，或音鰏，魚名，薛作鰅，鱄，鄭氏云，今作鮒，音附，郭云並呼反，今從鱄，鮊，鄭氏作鮊，音白。潘云，鮊舊音白，今按叶韻音綿。

章云，胡郭氏作𦧇，乞及反，博雅羹謂之𦧇，鄭作豆字。潘云，施氏作豆。章云，臠郭氏云籀文臠字，鄭云臠謨官反，施網也。潘云，臠或作䜌，𩁹丑若反，相如大人賦休𩁹奔走，或音使。

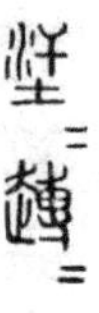

章云，汗郭氏謂籀文洋字。鄭云，音汗瀚趍，鄭氏音博，或云即遄字。

章云，佳通作維，可通何，橐説文符霄反。鄭云，與標同，舊本音貫，眉山蘇氏石鼓詩作何以貫之。潘云，橐從缶槖從省聲也，包裹承藉之義，非謂穿之也，蘇氏詩作何以貫之恐誤。

右第二鼓薛氏楊氏次居五，鄭氏次居一。獵碣考異　施云，十鼓中唯此完好無一字磨滅，成文可讀，然字多假借，世既逾遠，不能盡知，故義亦有不通處，更俟博雅君子辨而釋之，庶可補雅頌之亡逸矣。潘云，成文者十有七句，凡六十字。

文九行，行七字，末行五字成文，作重文者六，無闕字。周秦刻石釋音

增 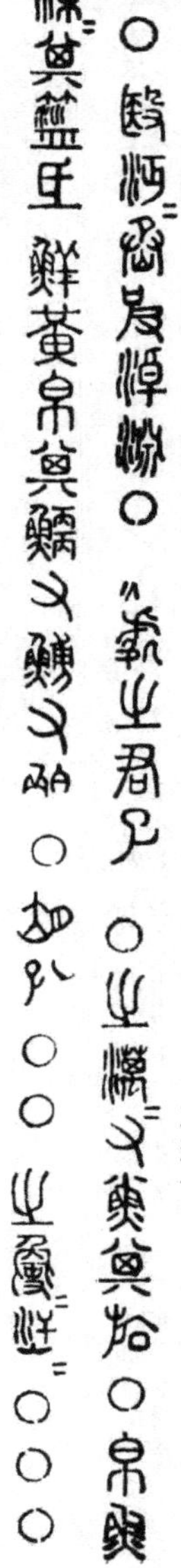

石鼓原文

〔臣等謹按〕右第二鼓，凡九行，行七字，末行五字，重文不計，字之全者三十七，不全者七，闕者十七，較潘迪音訓多闕十六字。

原 

章云，按詩傳，輶車田獵驅送之車，取其輕捷也，鋚郭云大么反，鞗首銅也，廣韻音條紖頭銅飾。潘云，勒下馬字非全文，但偏旁從馬闕，左邊當有重文，或作馯，馯簡選也。章云，詩騧驪是騵，注騵兩騑也，車駕四馬，在內兩馬謂之服，在外兩馬謂之騑。郭云，旛妨圓反旌旗總名，旛旛取其輕舉貌，騝居言反，爾雅騝騵馬黃脊，或云紀偃反，壯健貌，隮升也。潘云，邍古原字。

〔臣等謹按〕田車既安，既字石鼓文作，字畫雖不全，其爲孔字無疑，朱彝尊原書作既。又石鼓第九字闕第十字作係師字，朱彝尊原書作遫蓋從潘訓遫衆字也。

施云，鄭本戎字作我，下有陣上二字，今考碑本戎世二字上下相承，不容有陣止二字於其間，世阬阬字。章云，

薛作陕，施疑爲跌字。潘云，陕疑作陸。章云，宫車輦車也，周禮輦車用于宫中，秀與繡同，繡弓戎弓也，穀梁傳弓繡質質，靶也戎弓繡其質示武中有文，言田狩之時宫車寫而不用，戎弓時施于射，方言發税舍車也，舍音寫，史記秦每破諸侯舍放其宫，室讀如卸。

麋豕孔庶麀鹿雉兔 章云言所獲多品

其邍又紳其□𢊁□大□出各亞□□昦□執而勿射多庶𤠫 章云 鄭作紳，潘云未詳，𢊁鄭云今作奔，或作走。施云，亞汗簡作亞，古孝經作惡，蓋古字通用。章云，昦薛作畁，鄭疑即思字，碧落碑思作㥁。郭云，恐是昦字古老反，大白澤也，白澤獸名，𤠫說文郎繫反，動也，郭云走也，鄭氏云與轢同，或云郎谷反，逌薛氏作迺，鄭氏作逌，按漢書地理志，酆水逌同，五行志彝倫逌敍，即古攸字。

君子逌樂

〔臣等謹按〕石鼓昦字，朱彝尊原書作昦。

右第三鼓，薛氏楊氏施氏次居三，鄭氏次居四。獵碣考異潘云，可讀者十有五句，餘不成文，凡六十五字。

文十行，行七字，末行六字成文，作重文者四，闕七。周秦刻石釋音

〔朱彝尊原案〕止陕二字鼓文甚明，下接宫車字，潘愜山讀陕爲陸，近是。鄭漁仲以陕爲陣，又顛倒其文置止字下，章升道則以止字誤世字，施武子又疑陕爲跌，於是字數溢出，與鼓文不合矣。

增 田車孔安鋚○○○介既簡左驂旛右騝𨖼以隮于原𨖼○

石鼓原文

〔臣等謹按〕右第三鼓，凡十行，行七字，末行六字，重文不計，字之全者三十九，不全者二十，闕者十，較潘迪音訓多闕二字。

原郭云，人君乘車四馬鑣八鑾鈴象鸞鳥聲，從鸞從金省。章云，按經史多作鸞，左傳錫鸞和鈴，詩八鸞瑲瑲是也。𣅀施云説文呼骨反，疾也，薛作華字，鄭云，卽擀字。潘云，敇説文策字，或音速，真，鄭云卽填字，亦作鎮。

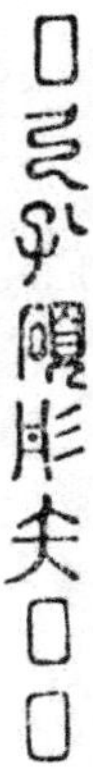章云，彤弓朱弓也，孔氏以彤弓爲周禮之唐弓大弓，碩大也，或曰碩實也，筋角膠木各得其所，則弓體實。潘云，彤弓彤矢天子以錫有功諸侯，詩彤弓弨兮，書文侯之命彤弓一彤矢百，是也。

□潘氏作四古文苑作鶩鶩，鄭云五到反。章云，讀若遇，諸家本並鶩字上闕一字，無重文。

章云，辶諸家本皆作徒字，馭鄭云今作馭，𨟻薛作廓，鄭云亦作鄠，或云卽廓字，諸家本𡩧見詛楚文，今作宣上闕一字。施云，宿本並不見重文，岐城刻本亦無。

〔臣等謹按〕石鼓朱彝尊原書作。

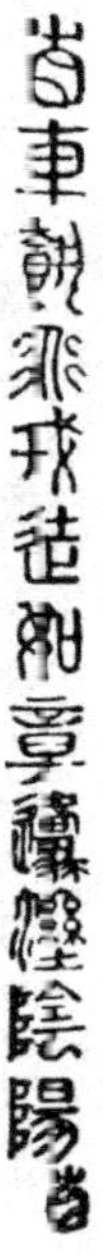鄭云卽𦣻字，詩所謂𦣻車鸞鑣田狩之車也。𨑒云，籀文載字，衎今作道字，溼鄭云今作濕，通作隰，徒

從也，徒從整布如文章然，原高陸也，隰卑濕也，其高低向背皆有陰陽，公劉詩，相彼陰陽度其原隰。

〔臣等謹按〕石鼓  朱彝尊原書作 ，石鼓  朱彝尊原書作 。

 趍鄭云卽趣字，七走反，詩蹶維趣馬。潘云，有重文族。郭云，籀文族古作㫊小異。鄭云，族與李商隱族字相近，疑卽族字借作鏃耳。潘云，有重文。章云，趍今作徐，六馬天子所駕趣趣然調和閑習，射則矢鏃之發舒徐不迫，言皆合禮，有一發五豝之意。

〔臣等謹按〕石鼓  朱彝尊原書作族。

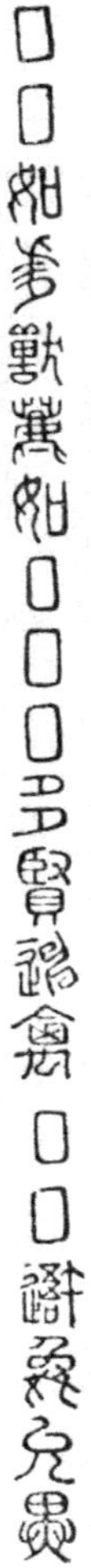 章云，獸猶禽，謂搏取之也，四方有不順王命者，禽芟而獸獮之，如虎搏鹿不勞餘力也，迪鄭氏作徇兔，薛本作鹿。施云，字磨滅不可辨。

〔臣等謹按〕石鼓  朱彝尊原書作 。

右第四鼓，薛氏楊氏施氏次皆四，鄭氏次居五。獵碣考異 章云，言策命諸臣。潘云，言田獵之事。其文可讀者僅七句，凡五十三字。

文十行，行六字，末行五字成文，作重文者九，闕七。周秦刻石釋音

增 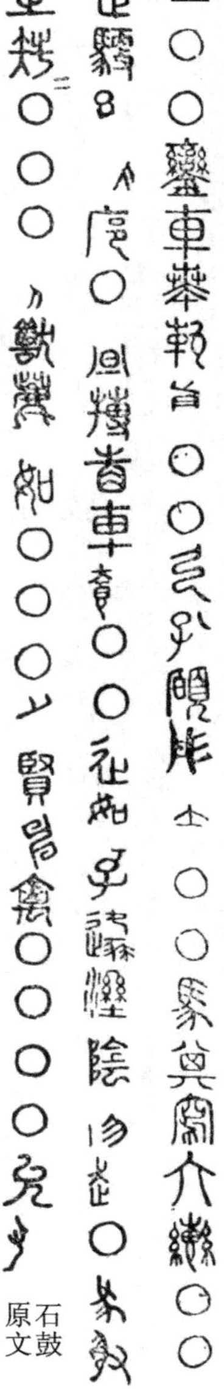 石鼓原文

〔臣等謹按〕右第四鼓，凡十行，行七字，末行六字，重文不計，字之全者二十八，不全者十九，闕者二十二，較潘迪音訓多闕五字。

原  章云，衞詩靈雨既零，毛氏注靈善也，灊今省作流，見説文。

 ，章云説文盈字，濼鄭云今作滋。郭云，濼鄭云今作集，私列反，濕潘云五字今磨滅不可辨，惟濼字僅存其半。

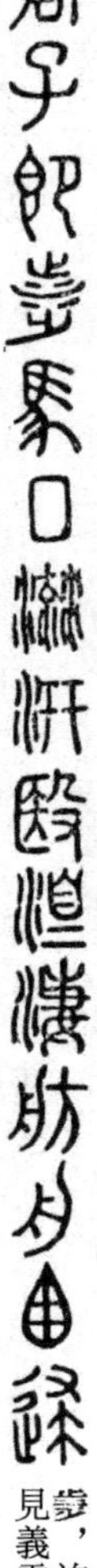 涉，施云卽涉字，見義雲章，章云，汧殹卽前章所謂言君子將乘馬涉水而歸汧水流汎不可流，舫符望反，兩舟並也，由薛作恁字，鄭作西，云見尹彝，或作由迊，鄭云卽歸字，或作遈。潘云，此上二十餘字今剥落不可考。

 廊鄭作廓，籀文鄭作鄟，湯章云音傷，前言乘馬以涉水漲不可，次言並舟而歸路或悠長，今徒馭衆多當維繫其舟遵道而行，水北爲陽，南爲陰，或從水之陽或從水之陰，皆可歸也。潘云，陰或二字今亦闕，陽字僅存其半，予家藏墨本尚有之。

〔臣等謹按〕或陰或陽第二或字石鼓闕，潘訓亦作或，則應與上或字同，朱彝尊原書作或。

 章云，极薛氏作枝，鄭云，卽楫字，按于水一方足上文或陰或陽意也。施云，薛鄭本以字下有户字，碑本磨滅不可辨。

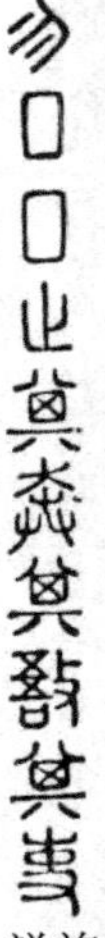 施云，事古文事字，見説文，今僅存下數畫。獵碣考異　章云，言漁狩而歸。潘云，可讀者僅三句，餘皆磨滅不成文，凡二十六字。

右第五鼓，薛氏楊氏次居九，鄭氏次居八。周秦刻石釋音文十一行，行六字成文，作重文者四，闕十三。

增 ○○○○霝雨○○○○○○○○○○○○○○○○○○○○○

○○○○○○○○○○馬○○○以衍或○○[illegible]極深以○

○○○一方○○○○六轡○○○○（石鼓原文）

（臣等謹按）右第五鼓，凡十一行，行六字，末行四字，重文不計，字之全者十一，不全者三，闕者五十，較潘迪音訓多闕十七字。

原 猷乍𨑢乍𢓊遄我𤔲除帥皮阩茻　爲卅里微𢓊=逌罟㮚柞棫

其椶樨萋=鳴亞箬其𠌶爲所斿𩣡盩𨗨二日合　孫（章云，籀文乍與作通，𢓊薛郭作徒字，鄭作遄字，𤔲鄭作治字，施氏謂古文考經治字與此小異，阩音序，郭作阪音反，茻薛音莽，郭氏云恐是茻，茻草之相糾者，居蚪反，鄭作莫，或作草，未審孰是，微薛作徵，逌薛作迺，㮚薛作栗，尚書栗作㮚，與此相類，説文省作𣚜，椶鄭作槩，或作拌，樨説文讀作皓，方老反，薛作格，𤰈𤰈薛作庸或云遘字，箬薛郭俱作若，𠌶薛作華，鄭云況于反，𩣡薛作憂，鄭作夔，盩郭作盩，合薛音合。鄭云，疑卽會字，音饗。施云，世三十也，文曰爲三十里，以三十爲世，書家謂之會意，佛書謂之二合，若字書卅乃蘇合反，非世字也，合上從五字其文尚可辨，非從合也，又薛鄭本下有孫字，今碑本無此字。）

（臣等謹按）石鼓𨑢朱彝尊原書作𨑢，石鼓我朱作我，石鼓皮朱作皮，石鼓阩朱作阩，石鼓微朱作微，石鼓椶朱作椶，石鼓萋朱作萋，石鼓爲朱作爲，石鼓盩，朱作盩，又朱本合孫二字，石鼓上一字闕，下一字作

，再考石鼓字有重文，朱本無。

右第六鼓，薛氏楊氏次居七，鄭氏次居二。獵碣考異 鄭云，言除道也。施云，此鼓乃向傳師皇祐間所搜訪而得之者，每行僅存四字，自四字而上磨滅者傳師磨去刻當時得之之由，故今所存皆斷續不成文，鄭樵乃以猷作原作導遄我治除帥𢓊陊莫爲卅里十六字爲成辭，蓋鄭所見乃遺文之摹刻者，不知其本未嘗相屬也。潘云，每行僅存四字，其上皆闕二三字，蓋五代之亂散落民間，穴中以爲臼，故今所存皆斷續不成文，凡四十一字。

文十一行，行五字，末行二字成文，作重文者二，闕十。周秦刻石釋音

增 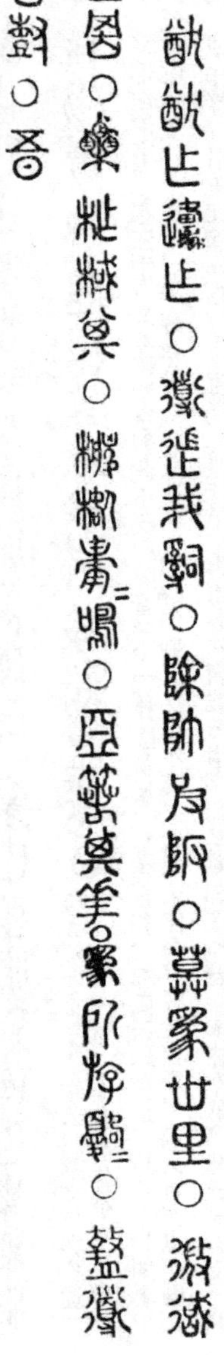

〔臣等謹按〕右第六鼓，凡十一行，行五字，末行二字，重文不計，字之全者四十一，闕者十一，較潘迪音訓多闕三字。

原 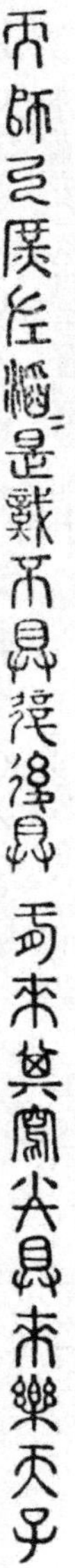

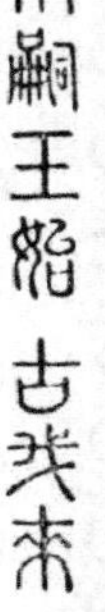章云，而上有闕文。施云，鄭本師下有弓矢孔左驂字，今本磨滅，𢦏說文古熾字相類，奪下薛本有𢐣字闕音，肝鄭作肝，音吁，尖薛作尖，鄭作矢，恐是小大二字，鐘鼎款識多此類。

右第七鼓，薛氏楊氏次居一，鄭氏次居九。獵碣考異 潘云，今剥落僅存十有四字，皆不成文。

文十行，行七字，末行三字成文，作重文者三，闕四十二。周秦刻石釋音

〔朱彝尊原按〕施氏以尖爲小大二字，小大具來卽魯頌無小無大從公于邁之義，鄭作矢固非，薛作尖尤謬。

增 ○○○○○○○○○○○○○○○○○○○○○○○○

○是戟○○○○○具從○○○○○○來○○○○○○○

○○○○○○天子○○○○○○○○○○○ 石鼓原文

〔臣等謹按〕右第七鼓，凡十行，行七字，末行三字，重文不計，字之全者六，不全者二，闕者五十八，較潘迪音訓多闕七字。

原 吾𡗜𩥉〓馬𧂭𥁕𦳓𦬒雉立其一止 章云，𩥉鄭作劑，𧂭鄭作薦，𦳓薛作奔。鄭云，卽若字，古諾字也。𦬒施云，説文與𢿱同，薛作放音，非也，宿二本下未有止字，此本有之。

右第八鼓，薛氏楊氏次居六，鄭氏次居七。獵碣考異 施云，此鼓最磨滅，僅存十三字，不復成文。潘云，予家藏舊本止有𢿱字存，今并剥落矣。

文五行，行五字，作重文者一，闕多不成文。周秦刻石釋音

增 ○○○○○○○○○○○○○○○○○○○○○○○○○

○ 石鼓原文

〔臣等謹按〕右第八鼓，凡五行，行五字，文全闕，潘迪音訓尚存一字。

原

章云，衍上闕一字，喜薛作嘉。施云，說文喜字如此寫，大意言水既疏導，民可樹藝，地可井界，天子之心爲之安寧，喜樹二字未必連屬也。

〔臣等謹按〕石鼓第六字尚存衍字筆畫，考潘迪音訓，首二句遊水既○遊道既平則第六字爲衍字無疑。朱彝尊原書衍字上脱去三字耳。

施云，宿本丙申下二字尚可辨。

章云，申重也，敕戒也，按文駕上闕一字。

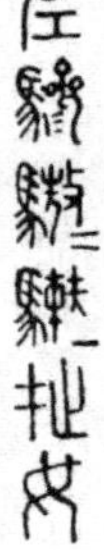

施云，驐五到反，馬怒也，扯説文識字與此相類。章云，[illegible]鄭音遨，扯，郭氏云子一反，摘鄭氏云疑卽撻字。潘云，驐有重文。

郭云，籀文翰從飛，[illegible]，恐是籀文霾字。鄭云，卽沴字，[illegible]今省作周。施云，説文害字。

右第九鼓，薛氏楊氏次居二，鄭氏次居十。獵碣考異　施云，上下皆磨滅不成文。章云，言除道。潘云，可讀者惟七句，凡五十二字。

文十五行，行五字，末行四字成文，作重文者七，闕二十一。周秦刻石釋音

增

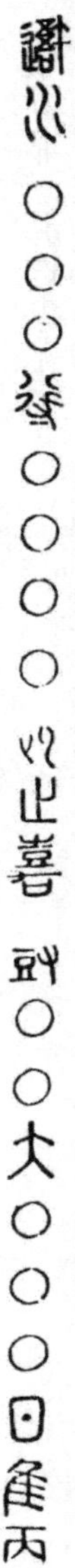

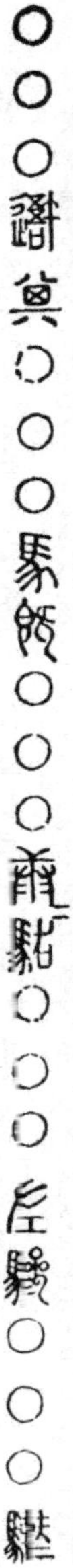

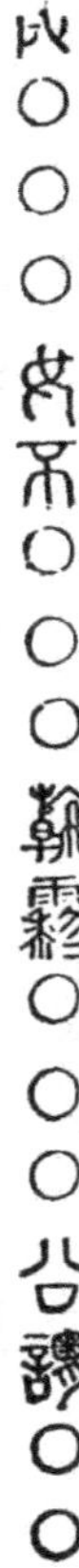

石鼓原文

〔臣等謹按〕右第九鼓，凡十五行，行五字，末行四字，重文不計，字之全者二十七，不全者五，闕者四十二，較潘迪音訓多闕十六字。

原  王云，吴通作虞。鄭云，汧水出于吴山故曰于汧而狩于吴也。施云，其説恐未然，[illegible]亦作隣。潘云，按二説王爲優。

 [illegible]薛作敕，鄭作朝，奄鄭云見盄和鐘通作掩，伏薛作戊，鄭作仗。

 鄭云，[illegible]即嵒字。章云，或作畢字，碑已磨滅。㪚薛作獻，鄭作狩，[illegible]薛作高。章云，按碧落碑高字同此。鄭云，[illegible]作亨，[illegible]薛作執。章云，説文執與藝同。鄭云，亦作社。潘云寧或作厲。

 章云，籀文囿作[illegible]見説文。潘云，或作田字，古文苑本麀鹿下有麌麌二字，[illegible]鄭云即畦字，見郙敦庬敦。潘云，有重文。

右第十鼓，薛氏楊氏次居十，鄭氏次居六。獵碣考異 潘云，今僅存二十三字。

文十行，行八字，末行二字成文，作重文者五，闕三十五。周秦刻石釋音

〔朱彝尊原按〕疑是勿剪勿伐四字，盄和鐘文多二畫，與此微不同，伐

字則薛本所書最顯也。

增○○○○○○○○○○○○○○○○○○○○○[illegible]○

○○○○○○○○○○○○○○[illegible]○○[illegible][illegible]○○○[illegible]○

○○○○○○大○○○○○○○[illegible]○○○○○○[illegible]○○

〔臣等謹按〕右第十鼓，凡十行，行八字，末行二字，重文不計，字之全者二，不全者六，闕者六十六，較潘迪音訓多闕三十二字。

石鼓原文

原石鼓高二尺，廣徑一尺有奇，其數十，其文籀，其詞頌天子之田。元大德十一年，虞集爲大都教授，得之泥中，始移國學大成門内。言鼓者人人殊，謂周宣王之鼓，韓愈、張懷瓘、竇臮也。謂文王之鼓至宣王刻詩，韋應物也。謂秦氏之文，宋鄭樵也。謂宣王而疑之，歐陽修也。謂宣王而信之，趙明誠也。謂成王之鼓，程大昌、董逌也。謂宇文周作者，馬子卿也。鼓文剥漫，宋治平中存字四百六十有五，元至元中存字三百八十有六，據今搨本則甲鼓字六十一，乙鼓字四十七，丙鼓字六十五，丁鼓字四十七，戊鼓字一十二，己鼓字四十一，庚鼓字八，壬鼓字三十八，癸鼓字六，共三百二十五字存，惟

辛鼓字無存者。帝京景物畧

〔臣等謹按〕石鼓文重文不計，共字六百二十，闕者三百六字，不全者七十四字，全者二百有四十字，較帝京景物畧所載計少八十五字。

增周宣王石鼓文在國子監廟門内。京師石刻莫古於宣王獵碣矣，其形如鼓，其數盈十，蓋周宣田獵之事，史籀之迹也。舊在陳倉野中，韓昌黎爲博士時，請於祭酒，欲輿之太學，不從。鄭餘慶遷之鳳翔孔子廟。經五代之亂，遂至散失。宋司馬池知鳳翔，復輂至府學廡，已失其一。皇祐四年，向傳師搜足。大觀二年，歸於汴京。詔以金填其文。初置之辟雍，後移至保和殿。金人破汴，輂至於燕，置王宣撫家，復移大興府學。元皇慶移至文廟戟門内，其文漫滅不可讀。潘迪音訓載四百九十四字，薛尚功帖載四百五十一字，今存三百二十五字。春明夢餘録

增聖祖御製石鼓贊并序　朕釋奠先師於國學，觀石鼓於廟門之兩廡。緬懷周宣迄今二千餘年，而中興之烈，岐陽之蒐，俯仰如昨。魯壁汲冢，缺有間矣。此文此石，獨焕然與日月争光，是三代法物之僅存者也。今列在太學，實斯文之盛。嘗尋繹搨本，推詳其遺義，有會於心焉。乃爲贊曰：猗歟周宣，纘緒文武。一時從臣，方叔召虎。蒐於岐陽，陳列斯弩。鐫功告成，伐石作鼓。以歌以銘，載規載矩。豈備考擊？致煩矇瞽。鼓鼙思

將，義蓋有取。歷二千年，鑠日蝕土。蝌蚪失傳，剥落誰補？車攻馬同，麀鹿麌麌。晨星缺月，完句可數。天門詄蕩，岐山翔舞。軒頡是班，鍾王敢伍？陳在泮宮，設於廊廡。是切是磋，匪擊匪拊。橋門觀禮，如對簋簠。庶幾文治，再見三古。

增 乾隆十四年皇上御製石鼓歌　石鼓之數符天干，千秋法物世已少。況乎辟雍所羅列，多士藉以資探討。韓蘇傑作遥唱和，近者德潛詩亦好。濡筆將吟復屢停，蛇足今添笑絶倒。昌黎建議雖不行，至竟如言見誠蚤。東坡寓意良獨深，新法當時實滋擾。德潛力欲追二公，横盤硬語抒文藻。或文或宣辨已紛，徳徳皃皃終莫考。不獨議禮如聚訟，千古呰黄率兹道。我命金石譜以來，觀之參半不能曉。四馬六轡縱彷彿，雲中如辨飛龍爪。點畫音訓費推尋，刻舟求劍識誠小。憶昨幸魯入宫牆，禮器惟見貽金卯。此鼓上欲埒鼎彝，存羊愛禮洵可表。大觀金填誌鄭重，金人輦至燕京肇。韓意其然豈其然！吾願興賢得真寶。

增 御製石鼓詩　橋門森矗兩蒼松，翠護雕鐫舞鳳龍。漫説晉臣精博物，難稽周帝耀軍容。銅駝已見藏荆棘，石鼓依然鎮辟雍。百里聲聞今試扣，太平留此溯遐蹤。

原 李嗣真書後品贊　蒼頡造書，鬼哭廪廪。史籀堙滅，陳倉籍甚。秦相刻銘，爛若野錦。鍾張羲獻，超世逸品。法書要録

原 張懷瓘籀文贊　體象卓然，殊今異古。落落珠玉，飄飄纓組。倉頡之嗣，小篆之祖。以名稱書，遺蹟石鼓。書斷

原竇臮述書賦　篆則周史籀，當代稱之。遺芳刻石，永播清規。籀之狀也，若生動而神憑，通自然而無涯。遠則虹紳結絡，邇則瓊樹離披。法書要録

原周伯温石鼓賦　予嘗考古石刻，而岐陽石鼓爲第一。每讀韋韓蘇三君子之歌，心蓋奇之。訪諸士大夫，具在京師，欲往一觀而無由也。皇上踐阼之始年，有詔置石鼓太學，遂列於宣聖廟之兩塾，尊之也。明年改元皇慶，予列國子生，撫玩之，獲償所願。夫以三代遺物置庠序中，盛典也。韓詩有云，聖恩若許留太學，諸生講解得切磋。蓋欲而不得，故冀之。於乎！韓公不得見於昔時，而吾輩得見於今日，何幸如之！輒爲賦曰：周有石鼓，今在辟雍。列橋門而甲乙，相輝映於西東。紛質理之泐蝕，偉形制之穹崇。有文秩秩，有詞渢渢。法皇頡之妙畫，續小雅之變風。蔚兮九天之儀鳳，蜿兮六合之神龍。欣獸魚之物庶，嘉車馬之攻同。歷歷兮璃株森竦於元圃，依依兮神雲隱見於蒼穹。嗟追琢之渾厚，或制作於天工。於赫宣王，宏振頽綱。四國既遂，百職既張。睠茲農暇，載飭戎行。踵武前人，蒐於岐陽。史籀才藝，當時俊良。播於聲詩，勒之琳瑯。其形之不一者，因樸質之自然，其數書於十者，表治極而功口口戰國暴秦而韜晦者，抑貞介遠其汙辱；歷兩漢六朝而不泯没者，必神物爲之護防。歲紀茫茫，顯于李唐。韋韓歌之，藹其有芳。迄宋宣和，斯遷於梁。金人襲没，遂歸朔方。維天子之龍飛，煒文運之日昌。誕降德音，輦登上庠。文石重藉，周口口旁。六經彝訓，因時表章。大比曠典，同日舉揚。遐邇縱觀，陳迹復彰。嗟夫！九州之鼎已沉淪而不可得，峋嶁之石又漫滅而不復有。惟斯文爲至寶，實終古之罕偶。惜捃摭之有遺，不見稱於魯叟。何人之蚩蚩，窪一爲臼。口口文存，庸詔永久？後乎此者豈無祖龍之頌功，茂陵之對禪，亦皆埋仆於榛莽？雖萬一之或傳，適足以著其君之無取。然則石鼓之周流於世者，天非徒壽之，蓋以寄古文於不朽也。乃作詩曰：刻石鼓兮周賢王，口之學兮自我皇。紛胄子兮樂未央，日詠歌兮揚揚。維大道兮無疆，齊地久兮天長。維斯鼓兮作配，勿壞兮勿傷。保億齡兮於耿光。近光集

原李丙奎石鼓賦　偉周宣之中興，鐫石鼓而勒成。煩鬼神之守護，復遇元和之太平。遡所來之何從，實韓門之張生。愚嘗玩其辭，考其義。義雖密而辭嚴，與車攻而同意。惟字體之瑰奇，非科斗而非隸。所恨者雨淋日炙之既久，而其中可辨如避之爲我，僅百中之一二。其幸存而未泯，宜退之以之鋪張炫耀於當世。謂删詩無西行之迹，使至寶爲道旁之棄。言有大而實兮，遂有以來歐陽子之議。安知棄之者非三百篇之删餘，又安知爲之者非出於後來之好事。文翰類選

原羅曾石鼓賦　岐山石鼓，或謂周成王時故物，又或以爲宣王。後來北方學者乃有以爲宇文周所作者，蓋未有可考也。觀其文往往與車攻吉日之詩相表裏，故知其爲宣王作無疑。讀昌黎石鼓之歌，誦坡公岐山之詠，遂依託爲之賦。其辭曰：子盍觀乎鳳翔八觀之一乎！岐山蒼蒼，西周故疆。昔人伊誰？內修外攘。予嘗訪遺蹤於岐下，得故物於榛荒。曰莓龍剥落雨墨淋漓者，秦嶧山之碑乎！細筋入骨、玉樹交柯者，漢原廟之彝乎！章殘字缺，讀不能句，快劍斫斷生蛟鼉，非秦人詛楚人之詞乎！蓋楊修不能語其妙，而子雲不能識其奇也。於是摩挲徙倚，沉吟久之，然後喟然嘆曰：我馬既同者，車攻之徂東也。其魚魴鱮者，吉日之宴語也。彼頑然者不可扣之鳴兮，吾知其爲宣王之石鼓

也。方其明堂受朝，岐邑講蒐。萬里無塵，四海一秋。天戈麾日，凝雲不流。勒駿功於石鼓，將永鎮於岐周。異銅仙之可移，空回首于萬牛。嗟惟此石，俯仰千秋。横奇寶於道側，微博雅其誰顧。或龍騰而水躍，或鸞下而鳳翥。雖字體不可知其誰之筆兮，意作誦必當時之吉甫。曾編詩之不見收兮，亦何恨無人乎李杜？於是慨然授筆，磨蒼崖之壁，泚秋空之露。取昌黎慨歎之言，而作石鼓之賦。燕都游覽志

【原】韋應物石鼓歌　周宣王大獵兮岐之陽。刻石表功兮煒煌煌。石如鼓形數止十，風雨缺訛苔蘚澀。今人濡紙脱其文，既擊既掃白黑分。忽開滿卷不可識，驚潛動蟄走云云。飛端委蛇相糾錯，乃是宣王之臣史籀作。一書遺此天地間，精意長存世冥漠。秦家祖龍還刻石，碣石之罘李斯迹。世人好古猶共傳，持來比此殊懸隔。韋蘇州集

【原】韓愈石鼓歌　張生手持石鼓文，勸我試作石鼓歌。少陵無人謫仙死，才薄將奈石鼓何！周綱陵遲四海沸，宣王奮起揮天戈。大開明堂受朝賀，諸侯劍佩鳴相磨。蒐於岐陽騁雄俊，萬里禽獸皆遮羅。鐫功勒成告萬世，鑿石作鼓隳嵯峩。從臣才藝咸第一，簡選撰刻留山阿。雨淋日炙野火燒，鬼物守護煩撝訶。公從何處得紙本，毫髮盡備無差訛。辭嚴義密讀難曉，字體不類隸與蝌。年深豈免有缺畫？快劍斫斷生蛟鼉。鸞翔鳳翥衆仙下，珊瑚碧樹交枝柯。金繩鐵索鎖紐壯，古鼎躍水龍騰梭。陋儒編詩不收入，二雅褊迫無委蛇。孔子西行不到秦，掎摭星宿遺羲娥。嗟予好古生苦晚，對此涕淚雙滂沱。憶昔初蒙博士徵，其年始改稱元和。故人從軍在右輔，爲我量度掘臼科。濯冠沐浴告祭酒，如此至寶存豈多？氊包席裹可立致，十鼓止載數橐駝。薦諸太廟比郜鼎，光價豈止百倍過！聖恩若許留太學，諸生講解得切磋。觀經鴻都尚填咽，坐見舉國來奔波。剜苔剔蘚露節角，安置妥帖平不頗。大廈深檐與蓋覆，經歷久遠期無他。中朝大官老於事，詎肯感激徒媕婀。牧童敲火牛礪角，誰復著手爲摩挲？日銷月鑠就埋没，六年西顧空吟哦。羲之俗書趁姿媚，數紙尚可博白鵝。繼周八代征戰罷，無人收拾理則那？方今太平日無事，柄用儒術崇邱軻。安能以此上論列，願借辯口如懸河。石鼓之歌止於此，於乎吾意其蹉跎！昌黎集

【原】梅堯臣雷逸老倣石鼓文見遺因呈祭酒吴公作　石鼓作自周宣王，宣王發憤蒐岐陽。我車我馬攻既良，射夫其同弓矢張。舫舟又漁縛鱮魴，何以貫之惟柳楊。從官執筆言成章，書在鼓腰鐫刻臧。歷秦漢魏下及唐，無人著眼來形相。村童戲坐老死喪，世復一世如鳥翔。惟閔元和韓侍郎，始得紙本歌且詳。欲以氊裹歸上庠，大官媕阿駝肯將。傳至我朝一鼓亡，九鼓缺剥文失行。近人偶見安碓牀，云鼓作臼剜中央。心喜遺篆猶在旁，以臼易臼庸何傷？以石補空恐春粱，神物會合居一方。雷氏有子胡而長，日模月倣志暮强。聚完辨外經星霜，四百六十飛鳳皇。書成大軸緑錦裝，偏斜曲直筋骨藏。攜之謁我巧趨蹌，我無别識心徬徨。雖與乃父非故鄉，少與乃父同杯觴。老向太學鬢已蒼，樂子好古親縑緗。誰能千載師史倉，勤此冷淡何肝腸？而今祭酒禆聖皇，五經新石立兩廊。我欲效韓非癡狂，載致出關無所障。至寶宜列孔子堂，固勝朽版堆屋牆。然須雷生往度量，登車裹護令相當。誠非急務煩紀綱，太平得有朝廷光。山水大字輦已嘗，於此豈不同粃糠？每偶異獸乘舟航，連日道路費芻糧。又與兹器殊柔剛，感慨作詩聊激昂。願因諫疏投皂囊，夜觀奎壁正吐芒。天有河鼓亦焜煌，持此負鼎干成湯。宛陵集

【原】蘇軾石鼓歌　冬十二月歲辛丑，我初從政見魯叟。舊聞石鼓今見之，文字鬱律蛟蛇走。細觀初以指畫肚，欲讀嗟如箝在口。韓公好古生已遲，我今況又百年後。强尋偏旁推點畫，時得一二遺八九。我車既攻馬亦同，其魚唯鱮貫之柳。古器縱橫猶識鼎，衆星錯落僅名斗。糢糊半已似瘢胝，詰曲猶能辨跟肘。娟娟缺月隱雲霧，濯濯嘉禾秀稂莠。漂流百戰偶然存，獨立千載誰與友？上追軒頡相唯諾，下揖冰斯同鷇鷇。憶昔周宣歌鴻雁，當時史籀變蝌蚪。厭亂人方思聖賢，中興天爲生耆耇。東征徐方闞虓虎，北伐犬戎隨指嗾。象胥雜遝貢狼鹿，方召聯翩賜圭卣。遂因鼓鼙思將帥，豈爲考擊煩矇瞍？何人作頌比崧高，萬古斯文齊岣嶁。勳勞至大不矜伐，文武未遠猶忠厚。欲尋年代無甲乙，豈有文字記誰某？自從周衰更七國，竟使秦人有九有。掃除詩書誦法律，投棄俎豆陳鞭杻。當年何人佐祖龍，上蔡公子牽黃狗。登山刻石頌功烈，後者無繼前無耦。皆云皇帝巡四國，烹滅强暴救黔首。六經既以委灰塵，此鼓亦當隨擊掊。傳聞九鼎淪泗上，欲使萬夫沉水取。暴君縱欲窮人力，神物義不污秦垢。是時石鼓何處避，無乃天工令鬼守？興亡百變物自閒，富貴一朝名不朽。細思物理坐歎息，人生安得如汝壽？東坡居士集

【原】蘇轍石鼓歌　岐山之陽石爲鼓，叩之不鳴懸無虡。以爲無用百無直，以爲有用萬物祖。置身無用有用間，自託周宣誰敢侮？宣王没後墳壠平，秦野蒼茫不知處。周人舊物惟存此，文武遺民盡囚虜。鼎鐘無在鑄戈戟，宮殿已倒生禾黍。厲宣子孫竄四方，昭穆錯亂不存譜。時有過客悲先王，綢繆牖户徹桑土。思宣不見幸鼓存，由鼓求宣近爲愈。彼皆有用世所好，天地能生不能主。君看項籍猛如狼，身死未冷割爲脯。馬童楊喜豈不仁，待汝封侯非怨汝。何況外物固已輕，毛擒翡翠尾執麈。惟有蒼石於此時，獨以無用不見數。形骸偃蹇任苔蘚，文字皴剥困風雨。遭亂既以無用全，有用還爲太平取。古人不見見遺物，如見方召與申甫。文非科斗可窮詰，簡編不載無訓詁。字形漫汗隨石缺，蒼蛇生角龍折股。亦如老人遭暴横，頤下髭秃口齒齬。形雖不具意可知，有云楊柳貫魴鱮。魴鱮豈厭居溪谷，自投網罟入君俎。柳條柔弱長百尺，挽之不斷細如縷。以柳貫魚魚不傷，貫不傷魚魚樂死。登之廟中鬼神格，錫汝豐年多稌黍。宣王用兵征四國，北摧犬戎南服楚。將帥用命士卒驩，死生不顧闞虓虎。問之何術能使然，撫之如子敬如父。弱柳貫魚魚弗違，仁人在上民不怒。請看石鼓非徒然，長笑太山刻秦語。欒城集

【補】張耒瓦器易石鼓文歌　周綱既季宣王作，提劍揮呵天地廓。朝來吉日差我馬，夜覩雲漢憂民瘼。桓桓方召執弓鉞，蕩蕩申韓賜圭爵。北驅玁狁走豺狼，南伐徐夷斬鯨鱷。明堂車馬走争先，清廟笙鏞户載樂。岐陽大獵紀功成，十鼓巖巖萬夫鑿。千年兵火變朝市，後世紙筆傳冥漠。迹荒事遠貴者寡，晴風霜月多摧剥。君誠嗜古更過我，易以瓦器尤奇卓。滿盤蒼玉列我前，制古形奇異琱琢。羲黄已亡巧僞起，采椽土木消純樸。何爲獲此上古器，經歷萬世遭搜掠。寥寥墨翟骨已朽，尚有遺風傳隱約。又疑晏子矯齊俗，陶土團泥從儉薄。或云古者宗廟器，斥棄金玉先誠確。是時此物參鼎俎，蕢桴土鼓誠爲樂。嗚呼二物信奇絶，賴有吾徒與提握。不然烏瓦與荒碑，坐見塵埃就零落。宛邱集

【補】洪适石鼓詩　天作高山太王荒，鸑鷟一鳴周翦商。郟鄏卜年大蒐講，諸侯斂袵尊天王。六月中興繩祖武，薄伐太原恢境土。石崖可鑿詩可鐫，千載神光薄西滸。槖駝輓入大梁都，壁水湛湛河出圖。中間兩鼓備章句，日惟丙申不

糢糊。左驂秀弓射麇豕，有魴有鱮君子漁。光和石經屹相望，詛楚登嶧非吾徒。辛壬癸甲雁分翅，橋門觀者堵牆如。星沉東壁干戈起，首下足上天倒置。景鐘糜碎九鼎飛，王迹皇風吁掃地。誰與扛石徙幽燕，兵車亂載包無氈。敲火礪角小小爾，爲礎爲砧多歷年。宣和殿中圖復古，冠以車攻次十鼓。韓詩歐跋盡兼收，雲章剖判定魚魯。先君辛苦朔方歸，文犀拱璧棄勿攜。一篇什襲自鐍秘，更有司馬鳳翔碑。我生不辰今已老，岐陽三雍身不到。匆匆北使接淅行，在耶亡耶問無報。整齊篆籀飾牙籤，簡撮篇詠勞窮探。致主有心歌小雅，汗顏無術下登三。盤洲集

【原】張養浩石鼓詩　粵自鴻蒙剖元秘，天祚有熊炎帝繼。侯剛覃思神與凝，摹寫三千入書契。蒼姬一變史籀出，鯨攫鰲呿鳳鸞捩。嬴秦自帝不古師，遂使姦斯愚叔世。當時玉筯天下獨，爾後爭奇古文棄。末流諸子相祖述，刓樸遺淳趁姿媚。我嘗慨此愧疏淺，一髮空危萬鈞係。揭來庠宇覩石鼓，玉立儼然三代器。細思伊始將安庸，或謂宣王章獵事。且疑且信邈難詰，日月羣陰欲食既。半爲雷電下取將，僅餘二百七十二。貞堅不墮刼火灰，蒼古猶含太初氣。世間鐘鼎瓦礫如，隻辭千金未爲貴。昌黎作歌恨才薄，坡老來觀惜時異。區區流轉又幾朝，終不能亡見天意。若令好事堪把玩，攘竊定應窮萬計。平生漫有博物名，迫視不能詳一字。沉吟獨立西風前，喬木荒烟日西墜。歸田類藁

【原】揭傒斯石鼓詩　孔廟頹牆下，周宣石鼓眠。苔分敲火迹，雨洗篆蝸涎。野老偷爲臼，居人打賣錢。有形終易盡，流落漫堪憐。秋宜集

【原】宋褧送汪編修出知餘姚州賦得石鼓作　繫昔中興王，振武岐陽蒐。臣工作歌詩，紀績庸闡幽。琢石製爲鼓，深刻將垂休。澤堅不少磷，文字粲以周。古拙出史籀，蟠錯紛蛟虯。氈駝護轉徙，逮閱二千秋。天朝尤寶惜，移置宮牆陬。棲息得所托，珍秘價莫酬。使者瑚璉器，出守趨東甌。敦樸且貴重，華采殆罕儔。旌麾暫補外，廊廟行見收。亦若此鼓然，置之崑崙邱。燕石集

【原】馬臻文廟石鼓詩　獵碣鐫功事惘然，摩挲壞石卧寒烟。昌黎已道文殘缺，又後昌黎五百年。霞外集

【原】吳師道賦得石鼓送達兼善山守紹興作　石刻三代遺，獨數岐陽蒐。剝落卧榛菅，奇寶誰見收？金源亦好事，馳載來薊邱。豈知橋門鎮，天爲興邦留。吾老幸摩挲，考古思西周。使君精篆法，聲華鎮皇州。足追史籀制，惜值車攻休。騑騑五馬來，東向會稽游。會稽豈無碑？頌述徒夸浮。願言宣仁化，樹績垂千秋。吳禮部集

【原】吳萊答陳彥理遺石經寄詩索石鼓文作　橫山先生多古玩，太學石經分我半。魏公世藏資州本，金石録中還散亂。當時愛奇巧收拾，筆畫昭回映雲漢。流轉到我乃不遠，虬甲鳳毛真可惋。自從得此未有報，岐右石鼓天下覩。昔則敲火今斷臼，駱駝載歸石盡爛。倉沮以後卽史籀，先代遺寶列三瓚。中郎變篆生八分，二者不敵何足算？先生嗜書出法帖，青銅堊壁手朊擘。漆書科斗不通俗，蛇蚓蟠結强塗竄。先生博學抱聖經，焚膏繼晷自耽翫。韋編鐵擿只紙

傳，鄒魯精髓合淹貫。國子門開塵没城，蓬萊閣廢草堆岸。春秋徒聞璧可假，道德詎信鵝能換？古今所重在周典，周史面目極斆斆。聖心不死不在石，日月行天旦復旦。吾家故紙本不惜，驪頷有珠吾欲鍛。向來見辱亦云然，焦尾之餘争免爨。先生安坐幸勿躁，歲晚相逢笑拍案。屏除許事不須説，好與吾儒峙楨幹。吳淵穎集

原顧文昭石鼓詩　古文不可見，籀也遺芬芳。古今二千載，字畫猶端莊。缺落雖不完，間亦存數行。如逢冠劍士，濟濟游巖廊。想見當時盛，會朝坐明堂。僎隸皆正人，從知史臣良。況在文武日，口口寧少忘。西旅貢厥獒，召公遠爲防。周宣中興主，羽獵思外攘。口哉詞語間，未及口口荒。趙君博雅士，好古能收藏。起我口口口，題詩增慨慷。鐵網珊瑚

原盧原質詩　羲皇妙心畫，人文始昭宣。後聖更有作，載籍日粲然。成周逮中葉，宣王振其顛。宏綱用勿墜，厥德未爲愆。偉哉岐陽獵，伐石工磨鐫。方前固云邁，揆後信猶賢。嬴秦一何愚，盡滅古簡編。翻刻李斯文，乃欲垂萬年。豈謂不旋踵，掃迹如雲烟。孔壁遂啟莊，口口亦偶全。於今二千載，口口盛流傳。要知文字行，白日麗中天。口口蕩無存，人心復口口。先賢去我遠，魯魚失真詮。安得周佁徒，爲倡麟趾篇。同上

原唐之淳石鼓詩　郡學舊辟雍，中有岐陽鼓。古今所聞十，左右各惟五。離離大星隕，兀兀壞雲補。纍纍營黿滅，落落陳沙聚。質若切元玉，制若覆冷釜。氣若鎔五金，文若斷釵股。孤峯割秋瘦，千蘤耀春嫵。森嚴列戈矛，爾雅貫章甫。簷水溜静懸，海暖浪掀舞。摧輈半折軸，敗舫或遺艣。小龍彭蠡歸，大鵬扶摇舉。斷苔明碎錦，古墨漬潤礎。思昔委秦郊，雷電驚草莽。來牛礪其角，鑿臼加以杵。幸今依黌宫，星日照廊廡。圭璧遜其儀，俎豆與之伍。脱非天意憐，或是神明祐。深簷白晝永，老屋祥鸞翥。晴連畫戟陰，冷濕宫牆雨。諸生獲講解，髦士資訓詁。啟鑰煩竪閹，搨本利商賈。韋詞表姬周，韓語懷李杜。雄章迭鏗鍧，遺恨寄酸楚。紛紜梅蘇作，詰屈吾鄭譜。稱評雖靡定，彷像詎非古。鯫生千載下，匏繫三江滸。神徒馳周南，足不出城府。適從遼碣役，遂出幽燕侣。平生慕奇聞，一日獲佳覩。初臨色逾壯，欲狎氣斯沮。如親至京都，揖讓申與甫。如親與田獵，搏攫兕與虎。如虚藜莧腹，烹太牢肥羜。如洗蜩蟬耳，聆笙磬柷敔。羈愁破昏懵，喜氣浹眉宇。時維躔壽星，歲甲在彊圉。天寒號鵂梟，城荒茂禾黍。宗周本予懷，覽古亦天與。摩挲重圖訓，蹙踖愧庠序。聊陳曹鄶風，式繼韓韋武。萍居藁

原程敏政石鼓詩　岐陽埋没草離離，汴省燕都石屢移。一代文章存鳥跡，百年風雨蝕鼉皮。摩挲尚識宗周器，題跋誰鐫蒙古辭。却愛勝游黄叔度，孔庭懷古立多時。篁墩文集

原李東陽石鼓歌　昔聞石鼓在太學，鼓形穹窿石犖嶨。髫年釋褐隨班行，未識研覃與揚搉。始官翰林歲分獻，晚以代祀觀尤數。我思古人不可見，健筆雄詞兩超卓。宣王謨烈繼成康，況有文章存古朴。是時風俗蓋渾灝，其臣拜誦俱堅確。勒功太廟告中興，講武岐陽猶獵較。于時旋凱奏鐃歌，于時颺言播聲樂。靈祇地不愛圖書，列石天然謝雕琢。垂垂股折屋漏痕，隱隱昏星露芒角。初如淮徐振師旋，壯士當場鳴劍槊。又如申甫端冠紳，擯相聯階舞干籥。原拋年深歲長世運改，誰向鴻荒究縣邈。嬴劉以後無此文，直與混沌分清濁。驟看筆勢尋風骨，細剔苔痕認斑駁。愛惜應勞野擲墮榛菅，冬經雪霜夏冰雹。疑隳大鼎存銘識，似毁明堂露榱桷。當時十鼓一爲臼，猶幸農家事舂戳。

神護訶，搜尋不厭山磽确。暗中摸索亦可知，辯口尚須泣楚璞。聖朝天子方好儒，森列戟門護重幄。聞之興慕見興敬，以手摩挲防擊撲。我生學篆希前蹤，下視俗書羞齪齪。家藏舊本出梨棗，楮墨輕虛不盈握。行年七十始研求，老臂支撐目昏眊。拾殘補闕能幾何，以一涓埃裨海嶽。太原宋生生好奇，鐵筆爲子親刻斵。吁嗟往者不復還，庶免方來盡漫剥。請從祭酒告諸生，從此衣冠日薰濯。懷麓堂集

原何景明石鼓歌　我來太學謁孔廟，下觀戟門石鼓陳。之罘詛楚已埋没，此石照耀垂千春。苔昏蘚澀讀難下，蟲彫鳥剥細不分。古畫詰曲蛟龍隱，石氣慘淡烟霧紛。周王功勳史籀筆，數石細落岐陽濱。中興氣象豈復覩？大篆意格誰曾聞？先秦文字稍近古，兩漢摹搨多失真。六朝以來尚靡麗，鍾王往往稱通神。唐愈宋軾遞歌嘆，長篇險韻何悲辛？大觀之間入汴國，君王好藝崇斯文。高駝巨艦遠載致，金填玉篏傳相珍。靖康乘輿忽播蕩，保和玩物隨烟塵。神驅鬼守散復聚，至寶豈得空沉淪？文皇北來定燕鼎，不置太廟留成均。博士無煩上書請，書生頗得親講詢。虚廊素壁安置穩，大厦長檐覆蓋新。不隨鐘鼎怨磨滅，已與琬琰争嶙峋。平生博覽愛古跡，世上墨本徒紛紜。此雖殘缺歲已久，尚覺隻字輕千緡。璧池日月動華衮，奎閣星斗羅貞珉。嗚呼孔廟在萬世，此石與廟長無湮。大復集

原王家屏太學石鼓歌　我聞周宣狩岐陽，其時中興王業昌。作詩刻字傳永久，辭高二雅文三倉。遺碣纍纍至今在，鬼護神訶更顯晦。自岐徙汴復入燕，幸遭珍重休明代。鴻都石經久已訛，此鼓完好曾不頗。文廟之中戟門畔，幾回剔蘚爲摩挲？固知至寶非容易，合令安頓森嚴地。今皇文治邁成周，講求自是詞臣事。誰人得比韓孟才？斡旋風雲天漢來。惟有岣嶁一片石，千秋萬古共崔嵬。復宿山房集

原朱國祚石鼓歌　橋門左右獵碣十，形如古礎相排連。窪中或與甕臼似，抱質可敵瑤琨堅。傳聞書自太史籀，比與大篆尤瑰妍。其辭典奧儷二雅，彷彿吉日車攻篇。周京遺製衆所信，疑義莫定文成宣。紛綸雖滋翟鄭議，審視終異秦斤權。下逮宇文豈能爾，薺堂所見無乃偏。嗚呼神物不易覩，三代舊跡稀流傳。巫咸告辭熊相詛，裕陵寶惜今棄捐。比干銘折衛州壤，穆王書徙壇山巔。會稽窆石字茫昧，岣嶁秘跡文糾纏。掎摭非乏好奇士，千搜萬索無真詮。詎若十鼓離復合，陳倉入汴還留燕。氊包席裹槖駞背，塵蒙露濯瓜牛涎。置諸太學始皇慶，于今又歷二百年。深簷五丈密蓋護，不受長雨闌風顛。我來摩挲輒終日，證以郭薛施潘箋。凝思斵桐來自蜀，叩之定有聲淵淵。文殘非因硬黄搨，劃缺反憾鉤金填。長廊無人起題壁，回視落景棠梨懸。介石齋集

原郭天中石鼓詩　鼓非石，貫者星。文非鼓，勒者銘。焚外書，刪外經。經雅頌，書典刑。隸秦漢，徑聮庭。篆龍鳥，藍溲青。臼謝杵，春獸停。嵌辭金，波畫零。我拜手，神之聽。帝京景物畧

增沈德潛石鼓歌　九天星精化爲石，墜落平地三千霜。纍纍十鼓重琬琰，迄今太學森寒芒。籀文科斗形彷彿，强尋跟肘推偏傍。車攻馬同建旄旐，東都氣象何焜煌？蛟龍觺觺牙角厲，羣靈荒忽驂鸞凰。字傳三百三十四，其餘磐缺難推詳。始從陳倉歷鳳翔，輦來燕京由靖康。飄零遷徙閲兵火，石刻直欲關興亡。周秦真蹟多漫滅，穆王馬磴傳荒唐。嶧山之碑遭野火，之罘片石付渺茫。中興獵碣獨無恙，成周昭代遥相望。神明鬼物永訶護，天應眷念岐西王。

聖賢法物理不朽，豈以世遠淪滄桑？傳聞禹碑在岣嶁，紅文緑字垂琳瑯。昌黎搜索不相遇，咨嗟涕淚流滂滂。後人尋山得蹤跡，恍惚雲際摩青蒼。安得移載置一處，皐益申甫陪同堂？方今聖主崇道術，辟雍鐘鼓紛趨蹌。圜橋聽講日千計，何止觀者如堵牆？討蒐遺文補殘缺，駗騝趧𧼮煩校量。長楊從獵撰詞賦，敷陳功德追岐陽。自慚貧賤伏草莽，仰望無路排天閶。歸愚詩鈔

欽定日下舊聞考卷六十九

官署

原宣王太史籀著大篆十五篇，與古文或同或異，時人即謂之籀書。北史江式論書表

原周宣王太史籀循科斗之書，采蒼頡古文，綜其遺美，別署新意，號曰籀文。書旨述

原史書者，周宣王太史籀所作之書也，凡五十五篇，可以教童幼。後漢書注

原世咸言筆蹟存者李斯最古，不知史籀之蹟近在關中，虞褚歐陽共稱墨妙。周秦刻石釋音

原自伏羲畫八卦，史籀造文，李斯作篆書，程邈起隸法，王次仲爲八分體，漢章帝始爲章草名，厥後流傳，工能間出。史籀石鼓文，崔子玉篆，吕望張衡碑，李斯嶧山、會稽山碑，蔡邕鴻都三體石經，八分西嶽、光和、殷華、馮敦等數碑，并蔡中郎章草，並爲曠絶。古蹟記

原籀文者，周太史籀之所作也，與古文大篆小異。七略曰：史籀者，周時史官教學童書也。與孔氏壁中古文異體。甄豐定六書，二曰奇字，是也。其蹟有石鼓文傳焉。蓋諷宣王畋獵之所作，今在陳倉，李斯小篆兼采其意。書斷

原石鼓文開闔古文，暢其饜鋭，但折直勁迅，有如鏤鐵，而端委旁逸，又婉潤焉。若取於詩人，則雅頌之作也。亦所謂楷隸曾高，字書淵藪，使放小學者漁獵其中。同上

原史籀，周宣王時史官，著大篆，教學童。岐州雍城南有周宣王獵碣十枚，並作鼓形，上有篆文。今見打本吏部侍郎蘇勗敍記卷首云：世咸言筆蹟存者李斯最古，不知史籀之蹟近在關中，即其文也。述書賦注

原石鼓文在天興縣南三十里許，石形如鼓，其數有十，蓋紀周宣王畋獵之事，其文即史籀之蹟。唐貞觀中，吏部侍郎蘇勗紀其事云：虞、褚、歐陽共稱古妙，雖歲久譌闕，然遺蹟尚有可觀。而歷代紀地理志者不存紀録，尤可嘆惜。

元和郡縣志

【原】石鼓文謂之周宣王獵碣，共有十鼓，其文則史籀大篆也。年代漸遠，字多訛闕。舊存岐山石鼓村，今移置鳳翔府夫子廟。周氏法書苑

【原】自後漢始作墓碑，故今人所見漢碑皆東京文字也。西漢以前，石刻極少，惟石鼓文與吉日癸巳及秦李斯篆耳。東皐雜録

【原】史籀書，存者石鼓，以其籀之所創，故名之曰籀書，以其爲太史氏而得名，又謂之曰史書。宣和書譜

【原】觀石鼓文，愛其古蹟，物象形勢，有遺思焉。及得原父鼎器銘，又知古之篆字或多或省，或移之左右上下，惟其意之所欲，然亦有工拙。秦漢以來歸一體，故古文所見者止此。蔡襄石鼓文跋

【原】石鼓文筆法如圭璋特達，非後人所能贋作。山谷集

【原】岐陽十鼓，周宣王太史籀所書。歲月深遠，剥泐殆盡。前人嘗以其可辨者刻之於石，以甲乙第其次，雖不成文，然典型尚在。鐘鼎款識

【原】按岐陽十鼓乃周宣王内修外攘、明堂受朝、岐邑講蒐、海宇廓清之日，勒駿功於十鼓，以永鎮於岐周者也。其曰我馬既同，車攻之徂東也。其曰佳魚魴鱮，吉日之宴語也。其文高字古，雖龍騰蛟躍，鸞下鳳翥，亦不能擬其萬一。誠楊修不能妙其語，子雲不能識其奇者矣。摩挲徒倚之餘，雖字體不知伊誰之筆，作誦者必當時之吉甫也。嶧山之碑，原廟之彝，孰有過於斯焉！同上

【原】歐陽文忠公謂今世所有，漢桓靈時碑，往往而在，距今未及千載，大書深刻，而磨滅者十有八九。此鼓自宣王時至今實千有九百餘年，鼓文細而刻淺，理豈得存？以此爲可疑。余觀秦以前碑刻，如此鼓及詛楚文、泰山秦篆皆麄石，如今世以爲碓臼者，石性既堅頑難壞，又不堪他用，故能存至今。漢以後碑碣石雖精好，然亦易剥缺，又往往爲人取作柱礎之類。蓋古人用意深遠，事事有理，類如此。況此文字畫奇古，決非周以後所能到。文忠公亦以爲非史籀不能作，此論是也。金石録

【原】古之石刻存於今者惟石鼓也，本露處於野。司馬池待制知鳳翔日，輦置於府學之門廡下，外以木櫺護之，其石質堅頑，類今人爲碓磑者，古篆刓缺，可辨者幾希。倦遊雜録　墨客揮犀、緗素雜記俱同

【原】石鼓，周宣王時物，在孔子廟。東坡先生詩云：憶昔周宣歌鴻雁，當時籀史變蝌蚪。則石鼓之字蓋蝌蚪之變。韓愈有蝌蚪書後記云：李陽冰之子服之授予以其家蝌蚪孝經，漢衛宏官書兩部，合一卷，且曰，古書得其依據蓋可讀。如是，則退之宜識蝌蚪書者。而石鼓歌乃云辭嚴義密讀難曉，字體不類隸與蝌。先生今詩乃能通其六句，則先生爲精於字學矣。歐陽集古跋尾蓋謂韋應物以爲文王之鼓，韓退之好古不妄者爲可信，然未嘗載其文。至子由和先生詩

乃云：形雖不具意可知，有云楊柳貫魴鱮。先生詩注：其文云，維魴維鯉，而子由云魴鱮。豈各以所辨之字言之乎？宣王在位四十六年，史册無載石鼓之事。宣王之詩其見於經所作者，有曰仍叔，有曰尹吉甫，今石鼓上無名氏，故又云欲尋年歲無甲乙，豈有名字記誰某也。趙彥林東坡詩注

原石鼓十，其一無文，其九有文，可見者四百一十七字，可識者二百七十二字。趙夔東坡詩注

原石鼓文舊在岐陽孔子廟，世傳周宣王刻石，史籀書。大觀中自鳳翔遷入辟雍，後入保和殿。諸道石刻録

原周宣王石鼓，歐陽文忠公以爲有可疑者三，惟唐以來韋應物、韓退之嘗盛稱贊。予謂不特二公，老杜固嘗有李潮八分小篆歌云：陳倉石鼓文已訛。況蘇勗載記亦言石鼓文謂之獵碣，共十鼓，其文則史籀大篆。則知石鼓稱爲周宣王所創者，在昔不止二公也。能改齋漫録

原歐陽集古所録，其文可見者四百六十有三，磨滅不可識者過半。今資古所録，其文所見者四百七十有四，磨滅不可識者十二三。蓋予先世所藏本猶在集古之前也。國朝崇寧中，蔡京作辟雍，取十鼓置講堂後，予嘗見之。辟雍廢，徙置禁中，而岐下有摹本，殊失古意，并録之以見三代書蹤非後世摹寫所能及也。資古紹志録

原宣和以後所貯古器，累至萬餘。若岐陽宣王之石鼓，西蜀文翁禮殿之繪像，凡所知名，罔間巨細遠近，悉索入中禁。而宣和又創立保和殿者，左右有稽古、傳古、尚古等閣，咸以貯古玉、印璽、鼎彝、禮器、法書、圖畫等物，自經僭亂，散落無存，言之可爲於邑。鐵圍山叢談

原史籀書，傳世者岐鼓耳。僕弱齡喜篆法，初得岱宗泰刻及朝那石章學之，後得岐鼓壇山字及三代彝器文識又學之，仰其高古，惟是之師，而漢魏碑首印章亦時寓目，下此者未嘗過而問焉。東觀餘論

原韓退之但得墨本而詩之，其曰：張生手持石鼓文，勸我試作石鼓歌。是也。及東坡蘇氏，則親見石鼓矣。其詩曰：冬十二月歲辛丑，我初從政見魯叟。舊聞石鼓今見之，文字鬱律龍蛇走。强尋偏旁推點畫，時得一二遺八九。是也。東坡初仕鳳翔府推官，石鼓在焉，故得而親見之也。予之取古辭而敍辨石鼓也，非獨不曾見石鼓，亦復不見墨本，獨因鄭樵模寫其字之可曉者而隨用其見以爲之辨。南劍州州學以鄭本鋟木，予既得版本，遂隨事而爲之辨。紹興辛亥，有以木本見示者，建康秦丞相家藏本也。點畫模糊皆不可讀，而其犄可曉解者，曰我車既攻，我馬既同。此即東坡所謂衆星錯落僅名斗者也。鄭樵南劍本，其成字而粗可讀者，比東坡又多，特不知鄭本所傳奚自耳。東坡自記其所覽曰：其詞云，我車既攻，我馬既同，其魚維何，維鱮維鯉，何以貫之，維楊及柳，此六句可讀，餘多不可通。此二十四字蓋東坡仕岐而於鼓上見之，其曰何以貫之，維楊及柳，而鄭本乃作標，蓋疑鄭本不真也。又有異者，古

傳鼓有十，中失其一，皇祐間向傳師得之，而十鼓復足。秦丞相家本有傳師自跋，乃云其第十鼓最小，其文亦不相類，尋訪得之，形半壞而書體是，遂易去小鼓，而置其所得之鼓。又不知何世何年，好事者悵其不足而創爲一鼓，以補足之也。雍録

原宣和元年九月，燕蔡京保和新殿。京作記以進，略曰：保和殿三楹，時落成於八月，而高竹叢檜已森陰蓊鬱。中楹置御榻，東西二間列寶玩與古鼎彝玉芝，左挾閣曰妙有，右挾閣曰宣道，有稽古、邃古、尚古、鑑古、作古、訪古、博古、秘古諸閣，稽古閣有宣王石鼓。九朝編年備要

原石鼓文，周宣王之獵碣也，唐自貞觀以來，蘇勗、李嗣真、張懷瓘、竇臮、竇蒙、徐浩咸以爲史籀筆蹟，虞世南、歐陽詢、褚遂良皆有墨妙之稱，杜甫八分小篆歌，敍歷代書亦厠之蒼頡、李斯之間。其後韋應物、韓愈稱述爲尤詳。至本朝歐陽修作集古録，始設三疑，以韋韓之説爲無所考據。後人因其疑而增廣之。南渡之後，有鄭樵者作釋音，且爲之序，乃摘⿱丞山殹二字以爲見於秦斤秦權，而指以爲秦鼓。僞劉詞臣馬定國以宇文周嘗蒐岐陽，而指以爲後周物。嗚呼，二子固不足爲石鼓重輕，然近人稍有惑其説者，故予不得不辨。集古之一疑曰：漢桓靈碑大書深刻，磨滅十八九，自宣王至今爲尤遠，鼓文細而刻淺，理豈得存？予謂碑刻之存亡，係石質之美惡，摹拓之多寡，水火風雨之及與不及，不可以年祀久近論也。且如詛楚文刻於秦惠王時，去宣王爲未遠，而文細刻淺，過於石鼓遠甚。由始出於近歲，戕害所不及，至無一字磨滅者。顔真卿干禄字刻於大曆九年，顯暴於世，工人以爲衣食業，摹拓爲多，至開成四年，纔六十六載，而遽已訛闕。由是言之，年祀久近不足推其存亡，無可疑者。二疑以謂自漢以來，博古之士略而不道。三疑以謂隋世藏書最多，獨無此刻。予謂金石遺文溷於瓦礫，歷代湮没而後世始顯者爲多。三代彝器或得於近歲，其制度精妙，有馬融、鄭元所不知者。又詛楚文筆蹟高妙，世人無復異論，而歷秦漢以來數千百年，湮沉泉壤，近世始出於人間。不可謂不稱於前人、不録於隋氏而指爲近世僞物也。予意此鼓之刻，雖載於傳記，而經歷亂離，散落草莽，至唐之初，文物稍盛，好事者始加採録，乃復顯於世。及觀蘇勗敍記，尤喜予言之爲得也。則夫隋世之不録又無足疑者。況唐之文籍，視今爲甚備，而學者不敢爲臆説，自貞觀以來，諸公之説若出一人，固不特起於韋韓也，而韋應物又以爲文王時鼓，宣王時刻，言之如是之詳，當時無一人非之，傳記必有可考者矣。小篆之作，本於大篆，⿱丞山殹二字見於秦器固無害。況⿱丞山字從山，取山高奉⿱丞山之義，著在説文，字體宜然，非始於秦也。唐初去宇文周爲甚近事，語尚在於長老耳。使文帝鐫功勒成以告萬世，豈細事哉？宜時人共知之。況蘇勗之祖邳公綽用事於周，文物號令悉出其手，豈得其賢子孫乃不知其祖之所作者乎？嗚呼！三代石刻存於世者，壇山吉日癸巳刻與此耳，而吉日癸巳無所考據，獨此鼓昔人稱説如是之詳。觀其字畫奇古，足以追想三代遺風，而學者因可以知篆隸之所自出，好異者又附會異説而詆訾之，亦已甚矣。其鼓有十，因其石之自然，粗具鼓形，字刻於其旁，石質堅頑，類今人爲碓磑者。其初散在陳倉野中，韓吏部爲博士時，請於祭酒，欲以數橐駝輿致太學，不從。鄭餘慶始遷之鳳翔孔子廟。經五代之亂，又復散失。本朝司馬池知鳳翔，復輦至於府學之門廡下，而亡其一。皇祐四年，向

傳師搜訪而足之。大觀中歸於京師，詔以金填其文，以示貴重，且絕摹拓之患。初致之辟雝，後移入保和殿。靖康之末，保和珍異北去，或傳濟河遇大風，重不可致者皆棄之中流，今其存亡特未可知。則拓本留於世者宜與法書並藏，詎可輕議也哉？紹興己卯歲，予得此本於上庠，喜而不寐，手自裝池成帙，因取薛尚功、鄭樵二音參校異同，并考覈字書而是正之，書於帙之後。其不知者，姑兩存之，以俟博洽君子而質焉。復齋碑録

原石鼓、詛楚音皆直寶文閣臨川王順伯所爲書也。公稽古成癖，至忘渴饑。石鼓考辨尤爲精詣。蓋自南渡以還，故家之藏，絕不多見。況摹有精粗，故亦艱得往本，參校同異。宿乘傳海濱，賓朋罕至，時尋翰墨，拂洗吏塵，以先後得於北方及石林葉氏本，訂其筆意，粗得一二。乃略倣古人入行足成是書。如詛楚文，山谷先生、浮休張公皆嘗有釋，王氏尋訪未獲。比歲里居，得石林三文音釋頗備。又傳從互市得朝那碑，陰有畢造記，徙置宋城縣治，是歲蓋紹興八年也。先一歲爲丁巳，金人既廢劉豫，至己未正月，嘗歸我河南陝西地，碑云歲在敦牂，則戊午歲也。其意亦不肯用彼年號，故爲此間歲月，皆并録之。異時中原掃清，猶可按圖問此石之在否也。嗚呼！自周至戰國遺文見於金石者不過三數，祐陵悉萃之保和，寶護甚至，至用金填鼓文以絕摹拓。一旦四海横流，泯焉無復遺蹤，良可哀嘆。此書之刻，使好古者相與讀之，猶足想絕學於千載。穆王吉日癸巳，諸家所記皆言在趙州州廨，石林跋乃以政和五年歸内府矣。其説爲信，因附卷末，庶廣異聞。第石林諸跋，其間亦有譌舛而無別本可證，不容臆決。姑俟知者正之。嘉定六年重五日，吴興施宿書。石鼓音

原岐陽蒐狩實肇中興之美，勒石紀功，詞章渾厚，足以補詩雅之遺佚。古文苑序

原周宣王狩於岐陽，所刻石鼓文十篇，近世薛尚功、鄭樵各爲之音釋，王厚之考正而集録之，施宿又參以諸家之本，訂以石鼓籀文真刻，壽梓於淮東倉司。其辨證訓釋，蓋亦詳備。按此編孫巨源得於僧寺佛書龕中，以爲唐人所録，審爾，則又在薛鄭之前二三百年矣。詳考其文，字畫音訓多與鄭本合，豈鄭爲音釋時嘗得其本參校耶？惟甲乙之次與薛鄭本俱不同，今合諸家之説，并摘經傳語，可爲證者載於下。古文苑注

原周宣王石鼓文，蘇勗謂之獵碣。獵碣二字甚生，蘇氏用此，必有所據。按任昉述異記，崆峒山有堯碑禹碣，亦用碣字。緯略

原歐陽氏有石鼓三疑，終則曰：觀其字畫高妙，非史籀不能作。眉山蘇氏石鼓詩則曰：勛勞至大不矜伐，文武未遠猶忠厚。又曰：自從周衰更七國，竟使秦人有九有。登山刻石頌功烈，後者無繼前無偶。皆云皇帝巡四國，烹滅强暴救黔首。合二公之詞觀之，則石鼓爲宣王時物，不必多辯矣。古文苑注

原石鼓，有説成王時，又有説宣王時，然其辭有似車攻甫田詩辭，恐是宣王時未可知。朱子詩傳遺説

原岐陽石鼓之十章，實雅頌之遺文，殘闕磨滅，或者得之千載之後，而有周之全文尚可考，蓋因蒐狩講武之作也。羣書考索

【補】史籀書與古文時有異同，今稱史籀之蹟者，惟岐陽石鼓文爲真蹟。淮海集

【補】岐陽石鼓之詩，寂寥簡短，至不可考，後世以爲周宣王之作，形之歌詠，極其揄揚。止齋集

【補】宣王嘗狩於岐，石鼓之詩偉矣，夫子乃舍而不録。得非岐之狩爲常，而東都之狩非常乎？嵩山集

【補】周宣王時柱下史史籀始著籀書，今六八之法雖存，十五之篇亡矣。字府

【補】史籀始變古文，著大篆十五篇，秦焚詩書，惟易與此篇得全。唐元度十體書

【補】籀文，其蹟有石鼓文存焉，蓋諷周宣王畋獵而作，今在陳倉，少人攻學。釋夢英十八體書

【補】唐初盛臨摹，始有以楮搨碑碣爲墨本者，東巡之石，偃師之槃，岐陽之鼓，延陵季子之墓，篆石泐而墨傳。鐘鼎篆韻

【補】岐陽有鼓，中興續勒。鐵菴集

【補】唐貞觀中，吏部侍郎蘇勗著論岐陽獵鼓，引歐陽、虞、褚並稱墨妙爲據。三君體法爲世楷式，賞好爲物軒輊，在當時已爾。今其故蹟僅存，隨珠和璧不足喻其珍也。予避地來南方，日料檢行李，流徙之餘，岐鼓諸碑偶無散落，爲之驚喜，書以示子孫。建炎己酉夾鍾五日，洛人李處權巽伯。朱子大全集

【補】史籀著大篆十五篇，與古文或異，然不外六書之指，亦名籀書，與古文兼行。封氏聞見記

【補】岐陽石鼓文前世未傳，至唐始盛稱，韋應物、韓退之皆爲歌詩以詠之。歐陽永叔疑其唐以前不傳，又疑漢魏以後凡碑大書深刻多已磨滅，而此又遠數百年，文細刻淺，豈得尚存？然以余論之，古物埋没不見於世者多矣。陵谷遷變，此鼓或埋於土中，或淪於水濱，或隱蔽於幽僻之地，至唐始見於世，物雖古而風日雨雪所侵未久，摸打者亦未多，故缺譌尚寡，不可知也。庚谿詩話

【補】周宣王蒐於岐陽，刻石爲十鼓，今其存者九而已，字猶略可讀。伐檀集

【補】逸詩之傳幸而記於金石得完者，岐下之石鼓也。嵩山集

原周宣王時史籀變古文蝌蚪爲大篆，今存者祇有石鼓文耳。陵川集

原大都國子監文廟石鼓十枚，其一已無字，其一但存數字，今漸磨滅，其一不知何代人鑿爲臼，而字却稍完。此鼓據傳聞徽宗時自京兆移置汴梁，貴重之，以黄金實其字。金人得汴梁，奇玩悉輦至燕京。移者初不以此鼓爲何物，但見其以金塗字，必貴物也，亦在北徙之列，置之王宣撫家。後爲大興府學。大德之末，集爲大都教授，得此鼓於泥土草萊之中，洗刷扶植，足十枚之數。後助教成均，言於時宰，得兵部差大車十乘載之於今國子學大成門内左右壁下各五枚。爲甎壇以承之，又爲疏欞而扃鐍之，使可觀而不可近。然三十年來，摹搨者多，字畫比嘗時已多漫滅者。然移來時已不能如薛尚功鐘鼎款文所載者多矣。大抵石方刓而高，略似鼓耳，不盡如鼓也。道園學古録

原史籀石鼓文，薛尚功法帖所載字完於真本多，故不更具真本，在燕都舊城文廟，鄭樵音不可信。學古編

原石鼓文，前人音辨多矣，然皆以斷文連屬，曲取意義，其字有不可識者，亦强爲之辭。質諸真刻，或前後相遠十餘字，何其陋耶！余舊藏甲秀堂小譜，圖畫鼓形，隨缺補字，以意想像，則我車既攻，維楊及柳之句不止乎此。因取真刻置几上，列錢爲文以求章句，參以薛氏款識及古文苑等書，隱度成章，因影得表其闕文，不敢以己意填補。依穆天子傳例，補以圍方，其有重文，亦注於右，不可識者闕。音惟鄭樵音訓最爲乖誕，因削去不用。昔淳熙間，楊文昺以詛楚、石鼓、泰山、嶧山碑作周秦刻石釋音，其瑯琊之碑不類秦文，亦與收入，似未盡善。今皆删定，止存泰山、嶧山刻字，併二世詔文正詛楚絆縫遝遂二字，共成一卷。仍以周秦刻石爲題號云，至大戊申十二月魯郡吾衍序。周秦刻石釋音序

原六一公謂石鼓可疑者三，予嘗至燕都孔廟，草莽間手撫遺蹟，躊躅久之。今見此刻文，裝褙甚整，附昌黎、東坡二詩於後。予於是而深敬宗茂之好古也。宗茂多蓄古人墨蹟名畫，而家無銖兩資，處之裕如，吁，是豈可爲俗子道哉！吴文正集

原金人馬定國嘗考石鼓字畫，以爲宇文周時所造，作辯餘萬言。予按元魏景明三年，帝躬承弧矢，射遠及一百五十步，羣臣勒銘射所，此北史宣武本紀所載。今世尚有碑刻，其詞有云，慨岐陽之未訓，又有彼岐陽，由此觀之，石決非宇文周之物也。研北雜志

原右石鼓文十，其辭類風雅，然多磨滅不可辨。世傳周宣王獵碣，初在陳倉野中，唐鄭餘慶始遷之鳳翔，宋大觀中徙開封，靖康末金人取之以歸於燕。聖朝皇慶癸丑，始置大成至聖文宣王廟門之左右。豈物之顯晦自有時耶，鼓之所自，先儒辨證已詳，亘不敢妄議。然其又曰天子永寧，則爲臣下祈祝之辭無疑。又曰公謂天子，則似是畿内諸侯從王於狩，臣述其君語天子之言。吁！鼓之時世雖不可必，但其字畫高古，非秦漢以下所及，而習篆籀者不可不

知也。迪自爲諸生，往來鼓旁，每撫玩弗忍去。距今纔三十餘年，昔之所存者今已磨滅數字，不知後今千百年，所存又何如也！好古者可不爲之愛護哉！間取鄭氏樵、施氏宿、薛氏尚功、王氏厚之等數子之説，考訂其音訓，刻諸石，俾習篆籀者有所稽云。至元己卯五月甲申，奉訓大夫國子司業潘迪書，翰林侍講學士通奉大夫知制誥同修國史兼國子祭酒歐陽元、承事郎典簿尹忠、承直郎博士黄溍、奉議大夫助教祁君璧、從仕郎助教劉聞、承務郎助教趙璉、從仕郎助教康若泰同校。石鼓文音訓

〔臣等謹按〕潘迪石鼓文音訓碑今尚存。

原宣王時石鼓文，字形多如小篆，恐當時與古文蝌蚪書兼行。潛溪集

原岐陽石鼓，三代石刻之僅存於今者也。宋東都時，嘗鑄金填其刻文，移置保和殿，金人入汴梁，剔取其金而棄去之，故自靖康土宇分裂之後，拓本絶不易得。好事者以銀一錠購其十紙，則其見寶於世可知。國朝既取中原，乃輦至京師，置國學廟門下，於是搨本日以廣，而字畫益漫漶不可辨矣。至正□年義烏王禕。王忠文集

原嗚呼！三代之文字存於今者，惟禹治水文、穆王吉日癸巳、史籀石鼓，夫子比干盤銘、延陵墓碣及法帖所載皇頡文二十八字，間見商周鼎彝款識而已。夫蒼夏之文，漫不可考，吉日癸巳、延陵墓碣數字而已。比干盤銘，世復罕用，商周款識，又不多得，法帖所載，翻摹失真。然嚴正婉潤，端姿旁逸，銛利鉤殺，自然而無涯，生動而神馮，機發秀出，惟石鼓文焉耳矣。竇臮所謂遠則虹紳結絡，邇則瓊樹披離，旨哉言也！惜其歲久剥落，至唐始顯，遂至紛紛疑議。歐陽文忠謂其書非史籀不能作，但疑其自宣王至今實千有九百餘年，理豈得存？是不然也。夫石刻之易漫者，以其摹搨者多故也。今石鼓委置草萊泥土之中，兀然不動，至唐始出，以故完美如初。況其石之質頑性堅，若世爲碓磑者哉！此不足疑一也。鄭漁仲謂是秦篆，因其以殹爲也，見於秦斤，以[⿱丞山]爲丞，見於秦權，其詞有曰嗣王，有曰天子，天子可爲帝，亦可爲王，秦自惠文稱王，始皇稱帝，以爲惠文之後始皇之前所作也。予按易書經文無也字，則知古轉用殹。[⿱丞山]字正當從山，取奉[⿱丞山]高意。六月，宣王之詩也，曰王于出征，以佐天子。吉日，宣王田獵之詩也，曰天子之所，曰以燕天子。祈父刺宣王之詩也，曰予王之爪牙。此不足疑二也。温彦威使三京，以爲後周文帝獵於岐陽所作，蓋因史大統十一年西狩岐陽之語而云也，尤爲謬妄。夫自秦漢晉宋隋唐以來，苟能書者如斯、冰、瑗、邕諸人，皆名後世。豈後周時有能書若此而不名乎？況其詩詞嚴古，尤非南北朝時所能到者。且蘇朂、韋、韓諸公去後周未遠，不應謬稱如是。此不足疑三也。故今斷然以爲宣王田狩之詩，而史籀之書也。蓋宣王田狩岐陽之時，從臣贊美刻詞出於一時，若車攻吉日，則田獵東都時所作者，其詞多與石鼓同。如我車既攻，我馬既同，修備之詞一也。麀鹿麌麌，麀鹿趚趚，獸多之詞同也。車攻曰四牡龐龐，四牡奕奕，吉日亦曰四牡孔阜，蓋卽石鼓赶赶六馬，四馬其寫之謂也。他如駕言徂東，駕言行狩，卽我其用道之謂也。曰之子于苗，卽君子之求之謂也。曰選

徒囂囂，徒御不驚，即徒驂孔庶遊从既簡之謂也。曰建旐設旄，悠悠旆旌，即其斿鼎斿之謂也。其曰赤芾金舄，即華敕填填之謂也。曰會同有繹，即來樂天子之謂也。曰決拾既佽，弓矢既調，即□□□秀弓孔碩，彤矢㚖趩之謂也。曰兩驂不倚，不失其馳，即左驂旛旛，右驂騝騝之謂也。曰助我舉柴，即我鹿允異之謂也。曰大庖不盈，即我公謂大害不予及之謂也。曰允矣君子，展也大成，以燕天子，即君子乃樂天子永寧之謂也。曰吉日維戊，吉日庚午，即日維丙申之謂也。曰田車既好，即田車既安，我車既好之謂也。曰從其羣醜，瞻彼中原，其祁孔有，即我以隮于原，我戎止射，其來大有，其來遵趩之謂也。曰儦儦俟俟，即䢦田若反之謂也。曰既張我弓，既挾我矢，即秀弓時射，射之族族之謂也。曰漆沮之從，即于水一方之謂也。曰殪此大兕，即我敺其特之謂也。又況石鼓漫滅者，其詞繁而不殺，不若車攻二詩嚴肅簡潔，足該十篇之意，故偶見删削也。古詩三千餘篇，而夫子定爲三百十一篇，此類是也。若以不見收録而遽以是疑之，則論語所引素以爲絢兮、偏其反而之句皆逸詩也，豈可以是而盡疑論語乎？前人音辨者多，皆有得失，或前後相遠者有之，或多寡不同者有之，歐陽集古所録可見者四百六十有五，胡世將資古所録雖後出，可見者四百七十有四，吾衍氏比資古又加三字。予得宋時搨本，雖不能如集古資古吾氏所載，然比今世所有者極爲精好，因裝潢成軸，每鼓後以釋文譜之，其闕文依吾氏潘迪補以圍方，末書杜甫以下諸賢詩文，時一觀焉，則儼如對古人矣。時洪武乙丑夏五月朔，後學趙古則書。鐵網珊瑚

原石鼓文，隋唐以前未見紀録，自蘇勗而下，名公聞人稱述者始衆。或以爲周宣王時太史籀所書，或以爲秦人之篆，或以爲西魏、後周之制作，評論紛更，莫之適從。雖歐陽文忠公之博古，猶未免以其文細刻淺，歷年深久而不漫滅爲疑焉。余友趙君撝謙，獨能脱略舊聞，辨正浮議，定爲籀文而不惑，其高見遠識可謂度越前人什伯矣。然前人皆以十鼓爲十篇，余則以爲一詩而十章，不知撝謙以爲然否？嗟乎！自周宣王時逮今二千餘年，石鼓之顯晦，每有關於世運之興衰。今自變故以來，其存歿未可知，而氈包輦運，金填檽護，固不可復得。乃得吾撝謙訂正而發揮之，其亦籀文之幸也與！吴但跋。同上

原岐陽石鼓文，周史籀所作，昔人以爲宣王時物，銛利鈎殺，爲大篆之祖。自後别爲十有三，源分派衍，沓見錯出。若李斯、崔駰、蔡邕、李陽冰諸前烈，以篆名家者，率本於此。昌黎韓公、眉山蘇公詠歌深致重焉。舜江趙先生撝謙得古刻完本，裝潢成軸，躬爲音注，參互考訂，用車攻吉日詩比類而同之。至謂周雅偶删削，蓋昔人所未發之旨。所書篆隸，渾厚高古，如見史籀於千載之上。觀人文以化天下者，舍撝謙其誰哉！時洪武二十二年八月初五日，鄉貢進士將仕佐郎廣信府儒學教授四明鄭真識。同上

原石鼓凡十，相傳爲周宣王時史籀小篆，歲久刻淺，字多不可識。非秦漢以來之所能爲也。格古要論

原永樂之初，予與餘姚柴廣敬同被簡入翰林，講學之暇，因論及石鼓文。廣敬爲道其師趙撝謙得善本，審定爲周宣三時詩，史籀所書無疑。永樂十一年，予從太宗皇帝來北京，乃得見十鼓於大學門下，亟摹搨成卷。間一展玩，惜

其訛闕已多。時廣敬去世七八年，欲求趙先生所藏卷一觀，庶稍補其闕文而不可得。今稽勳員外郎柴蘭，廣敬姪也，忽持此卷示予，閱之信爲善本，而趙先生之文援引切當，辨論精覈，真博雅君子哉！廣敬純謹該洽，不媿其師，而蘭亦甚似之，先生之所以教者可知矣。卷留於閣中凡兩日，得從容觀覽，俯仰今昔，爲之慨然。王文端集

原右石鼓文十，元國子司業潘迪考訂音訓刊附於後，在今北京國子監。此刻鄭夾漈定爲秦篆，歐陽公集古録疑此文自宣王共和至宋嘉祐千九百年，且文細刻淺，理不應得存。又疑其自漢以來博古好奇之士皆略而不道。予謂石鼓文決非秦漢以下之人所能爲，謂文細刻淺者，安知當時不深刻？歷世久遠，則磨滅如此。又今文字之存者計裁三之一耳，其中不可辨識者又三之一，則亦久遠之驗也。三代鐘鼎卣彝之屬，前未嘗見稱於世，而後來田夫牧子往往出之荒野埋没之中者，代有之矣，何獨致疑於石鼓哉？東里集

原石鼓文并音訓在今北京國子監先聖廟門内，始予欲求之而未知鼓之所在。永樂七年來北京，乃見之於此，欲摹拓其文，未暇及而歸。後四年，扈從再至，又明年始摹得之。深加愛惜，乃令工人裝潢成卷，并録韋、韓、蘇之詩，歐陽公、王順伯跋尾於後，以藏於家。蓋自宣王至今二千二百六十餘年矣，而猶存此刻，信物之奇古莫有先於此者。然考其文之所存，則其漫滅剥落已十之八九。當歐陽公爲集古録時，尚存四百五十六字，後二百二十八年，當元後至元己卯國子司業潘迪爲音訓時，所存猶三百三十九字，當時已惜其剥落之甚。又後有七十有六年，至今永樂十二年甲午，則僅餘二百七十八字矣。就二百七十八字中，昏缺難辨，字或存半體，證以音訓而後可識者，又九十八字。蓋其歲月益深則磨滅益甚。加以摹拓椎擊之多，其不能無損缺，亦理勢然也。昔王順伯居宋南渡後，不獲見此鼓，而甚貴其文，以爲難得。況至於今又二百餘年，其可寶貴當何如也！故并述其年歲之久近，其文之多寡，使後乎今者得以此參考。素齋集

原石鼓文，韓文公謂爲周宣王時，韓公必有所見也。格古要論補

原右石鼓文宋代搨本，洪武中藏於餘姚儒者趙古則，後歸予家。石鼓昔人論之詳矣。趙氏跋謂温彦威使三秦，以石鼓爲後周文帝獵於岐陽所作，而斷其謬妄。予按姚氏殘語云：彦威使三秦，此得之僞劉詞臣馬定國，然亦非金。元好問編中州詩定國小傳云：仕金翰林學士。考石鼓字畫，定爲宇文周時所造，作文辨之，萬有餘言。元台州劉仁本爲石鼓論，本之定國，而斷其非籀之書。二子謬妄固不俟言。跋復謂蘇勖、韋、韓諸公去後周未遠，不應謬稱如是，而以其言爲可信。予觀應物、退之，其去後周似爲遼闊，勖貞觀時仕吏部侍郎，視後周則誠未遠。又按李嗣真書後品、張懷瓘書斷，亦皆以石鼓爲史籀。嗣真高宗時人，而懷瓘老於開元，則稱石鼓爲籀書者始於蘇氏，繼於李、張，而退之直據之爾。古則字撝謙，宋宗室之後，讀書博古，尤精字學。所著有六書本義、聲音文字通二書，嘗仕廣東瓊山教諭，卒於官。金薤琳瑯

原鄭夾漈謂石鼓至唐始出於岐陽，鄭餘慶取置鳳翔孔廟而亡其一。皇祐四年，向傳師求於民間得之，十鼓遂足。王順伯謂五代之亂，鼓復散失，司馬池復輦至府學，其一已亡，向傳師搜訪足之。二説皆同。予近見傳師跋，謂數內第十鼓較之文亦不類，訪於閭里，果獲一鼓，字雖半缺，驗之書體真得其蹟，遂易而置之，其數方備。乃知第十其先蓋嘗有僞爲者，至傳師而真鼓始復出。此皆王鄭之所未及，豈其未嘗見向跋耶？鄭復謂大觀中鼓置之辟雍，復取入保和殿，經靖康之變，未知其遷徙與否。王則謂大觀中鼓歸京師，詔以金填其文，靖康之末，保和珍異北去，或傳濟河遇風，棄之中流，而存亡未知。後王子充題此，謂金人入汴，剔取其金而棄去之，至元乃輦至京師，置於國學廟門之下。予案胡世將資古録云：崇寧中蔡京作辟雍，取十鼓置講堂，後辟雍廢，徙置禁中。則置之辟雍者蔡氏，而所謂禁中，卽保和殿也。若王、鄭之説，未知其遷徙存亡，蓋當是時北方非中國所有，而二公又皆南人，故云然也。及觀之虞伯生云，金人得汴梁，鼓亦北徙，留王宣撫宅，宅後爲大興府學。伯生助教成均，言於時宰，得置之國學大成門內。則淪入濟河與夫金人棄之之説皆不足信。不知二公何從而得此也？鼓今在北京國子監，卽元之舊地。予官禮部時，嘗命工搨之，字多漫滅，較之宋本，僅十之二三而已。同上

原石鼓文在太學，潘迪有音訓，凡四百九十四字。予得唐人拓本於李文正先生，凡七百二字，蓋全文也。嘗刻之木以傳矣。然都元敬金薤琳瑯、劉梅國廣文選所收仍是殘闕四百九十四字本，蓋亦未見此也。丹鉛録

原石鼓今在太學，其文爲章十，總六百五十七言，可模索者僅三十餘字。鼓旁刻元潘迪氏音訓一碑，二百年前物也。惜夫遺墜字無慮近百，載考唐人古文苑，此文特軋卷首，裒録年歷，遠在音訓之先，然迪所遺墜者，此仍缺如也。薛尚功、鄭樵二家各有音釋，與文苑所載大抵相出入，文無補綴，義鮮發明。三家之外，見其文者或寡矣。好古者以爲深慊。又迪所訓釋君子員員，邋邋員斿二句，牽合紕謬，重堪嗤鄙。原古人書字下句之首承上句之末，文同者，但作二點，更不復書，此易見耳。迪既誤讀君子員員，邋邋員斿，遂復臆釋云員員衆多貌，邋邋旌旗搖動貌，此豈特文法大戾，書例亦大昧矣。君子員員，成何訓詁？邋邋員斿，成何語言？不知妄作，乃所謂郢書燕説也。一隅若此，餘奚取哉？愼昔受業於李文正先生，暇日語愼曰：爾爲石鼓文矣乎？則舉潘、薛、鄭三家者對。先生曰：否，我猶及見東坡之本也。篆籀特全，音釋兼具，諸家斯下矣。然本隻字存，將恐久而遂失之也。當爲繼絕表微，手書上石，又作歌一首，蓋丹書未竟而先生已棄後學矣。去今又將六年，追維耳言未墜，手蹟莫續，天固愛寶，奈斯文何！敢以先生舊本屬善書者録爲一卷，音釋一卷，今文一卷，韋應物、韓退之、蘇子瞻歌三首，唐愚士古詩一首，先生歌一首，附之卷末，藏之齋閣，以無忘先生之教云。楊升庵集

原愼得石鼓文拓本於先師李文正公，竇臮所謂石雖貞而云泐，紙可壽而保傳，胡世將所云岐下有摹，卽此是也。元至元丁未，唐愚士翻刻於太學，作歌紀之，今本存焉。據古文苑所載及王順伯、鄭漁仲二公石鼓音，皆言其文可見者四百七十有四，梅聖俞贈逸老以石鼓文見遺詩云：四百六十飛鳳凰。以玆本所載六百五十七字完好無訛，斯文所在，眞有神物護持耶？得之不啻寶玉大弓矣。歐陽公獨言漢桓靈世碑刻未及千載，磨滅者十之八九，自宣王至今千

有九百餘年，豈得獨存？又疑此文初不見稱於前代，又謂隋氏藏書最多，其所志所録自始皇刻石、婆羅門外國書皆具，而獨無石鼓，遺大録細，不宜如此。嗚呼！歐陽公所見謬矣。隋藝文志所收固博矣，寧無絓萬而漏一乎？試引前代名士之言所及，歐陽公雖復生，亦必心服焉。後周吏部侍郎蘇勗云：世咸言筆蹟存者李斯最古，不知史籀之蹟近在關中，此可證一也。唐章懷太子賢注漢書鄧隲傳，遭元元之災，引岐陽石鼓文凡重言者皆爲二字，此可證二也。高宗時李嗣真書後品云，倉頡造書，鬼哭凛凛，史籀堙滅，陳倉籍甚。此可證三也。開元中張懷瓘書斷云，籀文者，周太史史籀之所作也，其蹟有石鼓文存焉，今在陳倉縣，李斯小篆兼採其意。此可證四也。徐浩古蹟紀云，史籀石鼓、李斯嶧山會稽碑、崔子玉篆蔡邕並爲曠絶。此可證五也。杜工部贈李潮八分小篆歌云，陳倉石鼓久已訛。此可證六也。韋應物石鼓歌云，周宣大獵兮岐之陽，刻石表功兮煒煌煌。喘息逶迤相糺錯，乃是宣王之臣史籀作。此可證七也。至德中竇臮述書賦云，篆則周史，籀秦李斯。漢有蔡邕，後代師之。籀之狀也，若生動而神憑，通自然而無涯。遠則虹紳結絡，邇則瓊樹披離。又云，周秦漢之三賢，今目驗之所先。石雖貞而云泐，紙可壽而保傳。其弟蒙注云：史籀周宣王史官，岐州雍城南有周宣王獵碣十枚，上篆文今見打本。此可證八也。至昌黎之歌一出，則表章稱贊至矣。歐陽公尊信韓公而不從此，其意云何！合八公紀述及韓而九，九徵至而不肖得矣。歐九果不讀書耶！此公蓋師心獨見。至謂十翼非孔子所作，河圖洛書不足信，無所忌憚如此，何有於石鼓乎？東坡之歌，繼韓而作，先後如出一口，豈阿私所好者耶？他若周越法書苑、樂史寰宇記、趙明誠金石録、王深甫故蹟遺文、張師正倦游録、胡世將資古紹志録所云云，不暇縷縷，可覆視也。司馬池待制知鳳翔府日，輦致於府學之門廡，護以一木櫺。鄭樵石鼓音云，鼓亡其一，皇祐四年，鄭餘慶向傳師求於民間得之，十鼓於是乎足。梅聖俞贈雷逸老倣石鼓文見遺因呈吴祭酒長詩略云：我欲效韓非癡狂，至寶宜列孔子堂。其後徽宗大觀中始移置之辟雍，復取入保和殿，元人移之太學，刻潘迪釋文以畢先師之志。遂詳述其説以印正於海内大方家云。同上

原 石鼓文字畫奇古，皆云史籀書，不知何時徙置北太學門廡下，字磨漫過半矣。升庵得唐人拓本於李文正所，凡七百二字，蓋全文合於潘迪音訓間有同異，然無從復考。金石古文

原 石鼓詩先儒辨論至多，蓋風雅之遺，鼓今在北監。予爲國子司業時，慮其日泐也，欲扃鑰之而不果。別有樹碑一，元司業潘迪以今文寫之，仍其舊闕。潘仕大德間。虞文靖公集助教成均時嘗謂十鼓其一已無字，其一惟存數字，潘虞相去不遠，其言如此；今去之又將二百年，石可知矣。詩之存者頗賴諸家文字集録以傳，石顧足恃哉？博洽之儒如王順伯、鄭漁仲搜訪訓釋，靡餘力矣，咸存斷闕焉。歐陽公集古所録才四百六十有五字，胡世將資古所録僅多九字，乃稱先世藏本在集古録之前，孫巨源於佛龕中得唐人所録古文，乃有四百九十七字，視資古又前矣。又前之則韓文公所見紙本，已謂毫髮備盡，復有年深闕畫之嘆。韋應物亦謂風雨闕訛，而杜工部直云陳倉石鼓久已訛。其上下世數如此。近世吾衍子行尤號博雅，自謂以甲秀堂譜圖隨鼓形補闕字列錢爲文以求章句，又參以薛尚功款識諸作，斯已勤矣，亦僅得四百三十餘字。每鼓列行裁分爲十，而章句次第又與諸家不同。子行介士，未嘗入燕，止於畫中見鼓耳。不知近日何緣得此十詩完好乃爾耶！此詩出於修撰楊用修慎，若所從來果有的據，豈非千古之一快哉！如以補綴爲奇，固不若闕疑之爲愈也。金臺紀聞

【原】石鼓文，辭既深典，出入雅頌，而書法淳質，是籀史蹟，其爲宣王田獵之語可據。歐陽公獨以臆見疑之，爲書家諸學士貶擊，殆無地可容。若以夫子之所不應删則非也。詩固有夫子之所未盡見者。此石今猶在太學，而人不知護持，豈亦所謂舍周鼎而寶康瓠者耶！弇州山人稿

【原】石鼓在國子監文廟戟門内左右，世傳周宣王獵碣。大徑尺餘，高可三尺，其形似鼓而頂微圓。名勝志

【原】籀文比古文又殊，石鼓是也。舊本因石刻火焚風剥，多闕而不全，乃驗其真。近時楊用修刻本穿鑿補綴文太完備，是可疑耳。古今印史

【原】周宣王石鼓凡十，久棄陳倉野中，僅存其九。唐時鄭餘慶始徙至鳳翔縣。至宋仁宗皇祐間向傳師得其一，於是石鼓始完。宋徽宗又徙之辟雍，靖康之亂，金人取歸燕，亦置之文廟。元仁宗又移置國子監文廟戟門左右並列，使後學得睹周世第一奇文，卽天球拱璧不啻也。因思宋世崇文好學，得此無足怪。然而璞重難移，非他珍異可篋笥藏者。尼瑪哈輩破城時，日索金銀表緞何以亦及此大骨董？蓋天意使然。他日金宣宗遷汴後，蒙古攻城，一切頑石俱充砲用，卽艮嶽無片礫存者，十鼓雖微，安得自免？乃以在燕得留至聖朝，爲文藝佳話，殆有神物呵護，不可誣也。古人如韓愈、蘇軾、洪邁輩俱有歌詠及考據，但是時文尚少缺字。至正德間，李東陽、楊慎尋繹補訂，始稱全文，燦然大備矣。野獲編　按：尼瑪哈，滿洲語魚也，舊作粘没罕。今改。

【原】史籀取倉頡形意損益古文，或同或異，轉相配合，加之銛利鉤殺爲大篆。以其名顯，故謂之籀書，以其官名，故謂之史書，以別小篆，故謂之大篆，今之石鼓文是也。遊鶴堂墨藪

【原】石鼓文，宋東都時嘗鑄金填其刻文，置保和殿。金人入汴，剔取其金而棄之。靖康分裂之後，拓本絶不可得。至元國子司業潘迪考訂音訓，刊附於後，置北京國學。於是搨本日以廣，而字畫之存者僅三之一耳。且中不可辨識者又三之一，則亦久遠之一驗也。若今之轉摹者，則謬甚矣。同上

【增】小雅辭，史籀篆，或成或宣不可知，然斷爲姬周遺蹟無疑也。孔子删詩，乃據在樂官者，此詩或未入樂官，不必輕置喙。刻文細而淺，正是有意爲巧。書畫跋跋

【原】宣聖廟戟門石鼓十，元皇慶初移於此。辭類風雅，字皆古籀文，非秦漢以下所及，然多磨滅不可辨矣。長安客話

【原】史籀石鼓、皇象國山二刻，晉唐名書皆得此意，所以爲工。二刻時代既遠，猶可想見古人之遺也。學古緒言

【原】石鼓文出入雅頌，書法淳質，出周宣王時史籀筆亡疑。都元敬、楊用修、王元美諸人辨之已詳。予借得一本，雖磨泐特甚，真三代物也。古人有以爲秦物者已非，又有以爲宇文周物者尤可笑。歐陽公最號博雅，乃亦疑之，遂令

後人譏駁無地自容矣。今石猶在太學門内。石墨鐫華

原岐陽石鼓，宋東都時嘗鑄金填其文，移置保和殿。金人入汴，剔取其金而棄去之。故自靖康土宇分裂之後，搨本絶不易得，好事者以銀一錠購其十紙。書畫史

原東坡有手鈎石鼓文，篆籀全，音釋備，遠勝潘迪等所録。紫桃軒雜綴

原按古文苑所載石鼓文，稱孫巨源得於佛書龕中，蓋唐人所録僅四百九十七言耳。章樵爲之考正集釋，又薛尚功、鄭樵、潘迪諸家咸有音訓，然有闕文靡所增益。楊用修自言受學於李文正公，得蘇文忠舊本，蓋七百餘字，易以今文傳之。陝西誌亦載此文，其文悉與楊本同，而字畫訓釋頗異。古詩紀注

原元初，都城廟學燬於兵，王檝取舊樞密院復創立之，春秋率諸生行釋菜禮，仍取岐陽石鼓列廡下。石鼓迄今無恙，檝功也。因樹屋書影

原南京府學明德堂後有天發神讖碑石凡三截，北京國學廟門有獵碣鼓凡十枚，一爲吴皇象書，一爲周史籀書，皆篆學之祖也。鼓本在岐陽之野，一徙而置鳳翔學宫，再徙而置汴保和殿，三徙而至燕王宣撫宅，四徙而置今所。當日保和殿中如詛楚文及文翁禮殿繪像咸在，今存者惟此十鼓。考宇文懋昭大金志：正隆三年，詔平遼宋所得古器，年歲深久，多爲妖變，悉令毁之。而此十鼓獨無恙，且剜爲臼而文不傷，剔其金而字猶在，信有神物呵護者然。兩京求舊録

（朱彝尊原按）石鼓籀文雖與大篆小異，然離鐘鼎款識未遠，其爲三代之物信矣，而諸家或疑之。馬子卿至謂宇文周所刻，誠傖父之言也。十鼓向闕其一，皇祐間始得之，歐陽永叔見之最早，文存四百六十五字爾。薛尚功則云歲月深遠，缺蝕殆盡，今款識所載，乃得之前人刻石者。方之永叔，僅多二字。胡世將資古録云，所見者先世藏本在集古之前，僅益九字。至潘惬山作音訓時，止存三百八十有六字而已。楊用修謂從李賓之所得唐人拓本，多至七百有二字，又言及見東坡之本，人多惑

焉。愚考第三鼓，潘氏音訓有避衆既簡句，古文苑脱避字，有衆字，用修不取，易以六師二字。第四鼓，潘本有四馬其寫，六轡口鶩句，鶩上脱一字，古文苑本鶩作重文，用修亦不取，更以六轡沃若。第五鼓，霝雨上，古文苑有濩濩二字，薛氏施氏本則有天字，用修亦不取，增我來自東四字。夫車攻狩于東，故云駕言徂東，東有甫草，若岐陽在鎬京之西，豈得云我來自東乎？至於第六鼓，因民間窪以爲臼，其上漫漶，以諸鼓驗之，每行多者七字，少者六字，此鼓行僅四字，上皆缺二三字，用修每行增一字，强之成文。又如第七鼓，用修增益徒御嘽嘽，會同有繹，或羣或友，悉率左右，以燕天子，咸與小雅同文。尤可異者，鼓有〓文，郭氏云，恐是臭字，古老反，大白澤也，用修遂以惡獸白澤入正文中，其亦欺人甚矣。考賓之石鼓歌中云：家藏舊本出梨棗，楮墨輕虚不盈握。拾殘補闕能幾何？以一涓埃裨海嶽。夫以歐陽、薛、胡諸家所見止四百餘字，若賓之本有七百餘字，拾殘補闕亦已多矣，賓之不應爲是言也。子瞻之詩曰：韓公好古生已遲，我今況又百年後。强尋偏旁推點畫，時得一二遺八九。糢糊半已似瘢胝，詰曲猶能辨跟肘。子由和之，有云：形骸偃蹇任苔蘚，文字皴剥困風雨。字形漫汗隨石缺，蒼蛇生角龍折股。夫用修之云既得自賓之，傳自子瞻，是子瞻克見其全，子由亦得縱觀，子瞻、子由又不應爲是言也。杜子美詩有曰：陳倉石鼓久已訛。韋蘇州詩有曰：風雨缺譌苔蘚澁。而韓吏部歌曰：公從何處得紙本？毫髮盡備無差訛。又曰：年深豈免有缺畫？則石鼓在唐時已無全文，故吏部見張生之紙本以爲難得也。吴立天詩亦云：岐右石鼓天下觀，駱駝載歸石盡爛。夫以唐宋元人未見其全者，用修獨得見之，此陸文裕亦不敢信。由石鼓而推之，用修他所考證，吾亦不能已於疑，無惑乎陳晦伯有正楊一編矣。

補籀文與古文不相遠，但筆體或本大末殺、首尾勻圓之異爾。六書統

補三代遺文如詛楚之古雅，石鼓之遒逸，壇山之高簡，許叔重並不得見，故説文十九不收。説文長箋

補石鼓文不見録於詩，説者紛紛，要未探其本。竊意古人著作，或笵金，或刻石，或作册，各有所施，笵金刻石者未必復書於册。太師所掌之詩皆書於册而不及金石。孔子特取太師所掌而序之，宜於石刻未見録也。炙硯録

補蘇公石鼓歌乃鳳翔八觀詩之一。公爲鳳翔推官，因覽古遺蹟賦詩，非若昌黎見紙本而作也。故其詩曰：舊聞石鼓今見之。而楊用修謂從李賓之所見東坡之本，篆籀特省，音釋兼具。升庵集中稱六百五十七字完好無譌。丹鉛録又云，得唐人拓本凡七百二字，蓋全文。不覺自相矛盾。夫石鼓宋初已亡其一，止有九枚，皇祐間向傳師始求得之。歐陽永叔云，其文可見者四百六十有五，梅聖俞詩亦云四百六十飛鳳凰。東坡官鳳翔日，又在永叔、聖俞之後，即有手拓本，亦不過四百六十餘字而已，豈得全文具備乎？然則用修特欺人罔世之辭爾。既易以今文傳之，秦人無識，遂以楊本載入陝西志又從而刻石。臨朐馮汝言編古詩紀亦用其文，學者所當駁正也。黑蝶齋小牘

補金源馬定國以石鼓爲宇文周時所刻，是大不然。鼓文高古，毋論曹喜皇象所不及，卽李斯猶當遜之。此豈趙文淵輩所能書乎！西神脞説

補甄豐六書無籀法，而古文中不別孰爲籀體，則大篆未皆出史籀也。檀雪齋集

補石鼓詩辭與三百篇同文者惟我車既攻，我馬既同二句爾。楊用修增益之，於是六轡沃若，我來自東，會同有繹，或羣或友，悉率左右，雷同者不一，又竄入尚書歸格藝祖之文。自來諸家釋石鼓未嘗有是文也。鴻雪録

補石鼓文尚是三代鐘鼎款刻遺意，蓋隨字畫多寡而爲之形體，秦權衡亦然。書則

補石鼓文唐貞觀中始出，太師采詩之遺，非孔子所删也。石鼓文考注

補說文所存籀書二百餘三字，其石鼓僅鼎𤔲𠬝鼓囗卤𦃃雩𠦪𣏾九字。同上

增周宣王石鼓文十，其義與車攻吉日之詩相類，而辭亦間有同者。鼓距今垂二千三百餘年，散而後合，晦而復明，意者神物護持如韓昌黎之所言哉！不然，何歷年之遠若是也？宋薛氏尚功、鄭氏樵、施氏宿、王氏厚之各爲訓釋，不能無議焉者。如以時作時，矢作尖，𩃭作霧，舛譌甚多，不可殫舉。然諸家皆爲模本所誤，石鼓蓋未之見也。元潘氏迪取諸家說重爲考訂，間亦以𨒪作即阪作[illegible]，夫廸親見之，猶混魯魚，矧諸家乎！滋躬詣鼓旁，詳加摩玩，文之漫剥者猶隱然有迹可辨也。乃筆之以歸，沈潛其義，參考諸說，是者取之，誤者正之，其未詳者不敢强爲之說。鼓之所自，諸家考辨已明，不復容喙。乃以王氏辨疑及古今歌詠附載於後，以見是鼓也直爲周宣之物，好異者不煩嘵嘵云。正德戊寅古絳陶滋序。石鼓文正誤

〔臣等謹按〕以上各條皆考證石鼓爲周宣王時作。

欽定日下舊聞考卷七十

官署

〔原〕石鼓文初不見稱於前世，至唐人始盛稱之，而韋應物以爲文王之鼓，至宣王刻詩，韓退之直以爲宣王之鼓。在今鳳翔孔子廟中。鼓有十，先時散棄于野，鄭餘慶置于廟而亡其一。皇祐四年，向傳師求于民間得之，十鼓乃足，其文可見者四百六十五，磨滅不可識者過半，予所集録文之古者，莫先于此。然其可疑者三，今世所有漢桓靈時碑，往往尚在，距今未及千載，大書深刻，而磨滅者十猶八九，此鼓按太史公年表，自宣王共和元年至今嘉祐八年實千有九百一十四年，鼓文細而刻淺，理豈得存？其可疑者一也。其字古而有法，其言與雅頌同文，而詩書所傳之外，三代文章真蹟在者惟此而已。然自漢以來，博古好奇之士皆略而不道，其可疑者二也。隋氏藏書最多，其志所録秦始皇刻石婆羅門外國書皆有，而獨無石鼓，遺近録遠，不宜如此。其可疑者三也。前世傳記所載古遠奇怪之事，類多虛誕而難信，況傳記不載，不知韋韓二君何據而知爲文宣之鼓也。隋唐古今書籍粗備，豈當時猶有所見而今不之見耶？然退之好古不妄者，予姑取以爲信爾，至於字畫亦非史籀不能作也。集古録

〔原〕石鼓文唐張彥遠法書録載處士張懷瓘書斷敘，籀文，周太史史籀作，其蹟有石鼓文存焉。又古蹟記云，史籀石鼓文，不知徐浩何據也。韋左司應物歌云：周宣大獵岐之陽，刻石表功煒煌煌。石如鼓形數止十，風雨缺剥苔蘚澁。飛湍委蛇相糾錯，乃是宣王之臣史籀作。韓退之又從而作歌云：周綱陵遲四海沸，宣王憤起揮天戈。鐫功勒成告萬世，鑿石作鼓隳嵯峩。辭嚴義密讀難曉，如此至寶存豈多？豈亦以浩爲證乎？歐陽公云，言與雅頌同文，古而有法，非史籀不能作，言固同矣。但篆畫行筆當行于所當行，止于所當止，今位置窘澁，促長引短，務欲取稱，如柳帛君庶字是也，意已盡而筆尚行，如以可字是也。十鼓略相類，姑舉一隅，識者當自神悟，以器欵惟字參鼓刻惟何惟鯉之惟，則曉然可見矣。蓋字畫無三代醇古之氣，吾是以云。前輩尚疑繫辭非夫子所作，僕于此書直謂非史籀跡也。籀史

〔原〕韓文公作石鼓歌以爲宣王之時，未必可信。黃氏詩解

原石鼓自韋韓過于稱許，適滋羣疑。翟氏評周官遺蹟，亟稱吉日碑，而疑鼓刻于維字，疑其不類古欵，于以可疑其意不逮筆，于柳帛君庶等字疑其促長引短以取稱，夾漈疑秦篆，在平馬氏疑宇文周所爲。天慵集

原石鼓文始不見稱于前代，自唐韋應物、韓昌黎以爲周宣王時史籀作，後人因之，遂紛然附會，以資博古，殊無證據。余謂宣王中興，田狩選徒，備見于車攻吉日之詩，當時刻石宜不舍此而他取也。昌黎云，孔子西行不到秦，掎摭星宿遺羲娥。豈吉日車攻乃星宿而石鼓文反比羲娥乎？況書取秦誓，詩録駟鐵車鄰等篇，使秦地有石鼓文，孔子何乃删去而遺之乎？設若誠爲宣王故物，距今二千餘年，秦漢碑碣往往磨滅殆盡，豈石鼓露立野處，膚刻細文，而獨不盡泯乎？歐陽文忠公固疑其非宣王時事，而鄭夾漈博考字學，以爲先秦之書，温彦威使三京，又知其爲西魏文帝大統十一年西狩岐陽所作。則非史籀書文明矣。不然，乃好事者蹈襲雅詩，模倣籀文，以欺後世，如張霸僞古文書張天覺作三墳皆此類也。天台熊仁本識。石鼓論

補世稱周宣王蒐于岐陽，命從臣刻石，今謂之石鼓或曰獵碣，其事不經見，吾無取焉。宋文粹孫何碑解

〔臣等謹按〕以上各條皆疑石鼓非宣王時作，其説始於宋歐陽修。

原世傳岐山周篆，昔謂獵碣，以形制考之鼓也。三代之制，文德書於彝鼎，武事刻於鉦鼓，征伐之勳表於兵鉞，其制度可考。後世不知先王之典禮猶有存者，鑿山刻石，自是昭一時功蹟。唐世諸儒以石鼓爲無所據，至謂田獵之碣，其蓋未知古自有制也。歐陽永叔疑此書不見于古，唐乃得于韓愈、韋應物，以其文爲雅頌，亦恨不得在六經推大著説使學者肄業及之。其驚潛動蟄，金繩鐵索，特以其書畫傳爾，顧未暇掎摭其文，列之部類中，後世得考詳。方唐之時，其文隱顯，未盡缺落，徵詞索事，或可得之，而愈、應物徒知校獵受朝，宣暢威靈，懾讋夷夏，故愈謂此爲宣王時，應物以其本出岐周，故爲文王鼓。當時文已不辨，故論各異出也。嘗考於書，田獵雖歲行之，至于天子大蒐，徵會諸侯，施大命令，則非常事也。故四王二公，後世以爲絶典。然則宣王蒐于岐山，不得無所書，或史失之。其在諸侯國，當各有記矣，不應遂使後世無傳，此其可疑也。當漢之時，見號奇字如甄豐輩定作史籀書，竇臮以爲宣王獵碣，而曰我車既攻我馬既同，張懷瓘以此本車攻詩，因考合前説，且曰諷田獵之所作也。愈、應物其書藉之則有據矣，然爲諷爲美其知不得全于文義見也。傳曰：成有岐陽之蒐。杜預謂還歸自奄，乃大蒐于岐陽。然則此當岐周，則成王時矣。方楚合諸侯，求大蒐禮者，不知宣王嘗狩于岐山以合諸侯，況小雅所美，其地本東都，又選車徒，無大號令，則不得爲盛節。古者詩書不嫌同文，其據以此便謂宣王，未可信也。吕氏紀曰：蒼頡造大篆，後世知有科斗書，則謂篆爲籀。漢制八書有大篆，又有籀書，張懷瓘以柱下史始變古文，或同或異，謂之爲篆，而籀文蓋其以名自著宣王世所作也。如此論者，是大篆又與籀異，則不得以定爲史籀所書。叔向曰：昔成王盟諸侯于岐陽，楚爲荆蠻置茅蕝，當時以爲重禮，故後世不得泯没，宣王蒐岐暘甘遂無聞哉！方成康與穆賦頌鐘鼎之銘，皆番吾之跡。然則岐陽惟成王一會諸侯，則此爲番吾可知。書言成湯狩于亳，故後世有亳亭，宣王狩于敖，其在地記則著敖亭。詩

曰：選徒于敖，其事可以考矣。周書記年於蒐狩之大皆書，則合諸侯而盼大命亦一見于成王，此其可信也。昔人嘗怪自漢以往，好奇者不道此書，迺不得秦文，若者猶得人人録藏之。當漢號史書以刻畫奇崛，蓋亦不得盡其文，則其不見道固宜。獨怪愈于唐中世得之，乃謂勒勳以告萬世。又恨聖人于詩不得見之石鼓之譌，自杜甫尚嘆不知，愈何以知其意，謂編詩有遺也？或曰：此成王時詩，則頌聲所存，聖人不應去之。果有豈不知耶？曰：轡之柔矣，作洛皇門，此周公作也。詩書不得盡見，將一時所訓非理亂所繫不足施後世者不得著也？其因後代亡之亦未可知也。曰子信爲成王頌，何前世未有考者？則其説使人盡得信乎？曰：蒐于岐陽，書傳再見，而車攻之獵詩以爲敖，此可謂無所據乎？此余考于古而知之，世亦安得異我説者，知考古而索其事，自當有所得耳，不待此以傳也。廣川書跋

原元和志曰：石鼓文在鳳翔府天興縣南二十里，石形如鼓，其數盈十。蓋紀周宣田獵之事，即史籀之迹也。貞觀中，吏部侍郎蘇勗紀其事云：虞、褚、歐陽共稱古妙，雖歲久訛缺，遺迹尚有可觀。紀地理者不存紀録，尤爲可惜。按志此言則知世人知有岐鼓者自唐而始。蘇勗、歐陽、虞、褚四子實爲之先，隋以前未聞也。故歐文忠雖甚重其筆畫，謂非史籀不能爲，而深疑其奇古如此，自周至隋數千百載何以無人采録耶？開元以後，張懷瓘、韋應物、韓退之直云宣王之鼓也。然詳考其語，實皆臆度以言，無有明著其説得諸何書傳諸何人者，宜乎歐公之不信也。若夫竇臮、張懷瓘所著，則特詳矣。臮之言曰：岐州雍城南有周宣獵碣十枚，並作鼓形，上有篆文，今見打本石尋毁失。懷瓘書斷曰：甄豐定六書，二曰奇字，即史籀體，與古文小異，其迹有石鼓文存焉。蓋諷宣王畋獵之作也。不知二子此語亦皆臆度之言耶，或其嘗有所本也！歐文忠曰：十鼓之文可見者四百六十五字，不可識者過半。即韓歌所謂牧童敲火牛礪角，年深豈免有闕訛者也。就其文之可曉者言之，有曰我車既攻我馬既同者，車攻語也。有曰其魚維何，維魴及鯉，何以標之，維楊及柳，則兼記田漁也。凡此數語之可讀者，又蘇文忠所謂衆星錯落僅名斗者也。夫其語既與車攻詩合，而其所記田漁文與車攻相似者，且其字體又爲大篆，而籀又宣王之史也。合此數者，若皆可以歸諸宣王，則無怪乎説者云然也。然古字可參例者，五子之歌即大禹貽後之訓，伊尹之三風十愆，又皆成湯之本語也。此乃世臣子孫舉揚先訓以明祖述之，自爾則古語偶同車攻，安得便云宣詩也？惟其字正作籀體，似爲可證，而大篆未必創於史籀，古載又有可考也。舍此二説，則無所執據以名宣鼓矣。如予所見，則謂此鼓不爲宣鼓而當爲成王之鼓也。左氏昭四年：椒舉言于楚于曰：成有岐陽之蒐。杜預曰：成王歸自奄，大蒐于岐山之陽。杜預之爲若言也，雖不曰蒐岐之有遺鼓，而謂成蒐之在岐陽者即石鼓所奠之地也。然則鼓記田漁，其殆成王之田之漁也與！宣王固嘗出鎬而東獵矣，其地自屬東都，故曰四牡龐龐，駕言徂東。徂東云者，以方言之則自鎬出洛也。岐在豐西三百餘里，安得更云徂東也？則鼓辭不爲車攻之辭亦已明矣。鼓辭既不爲車攻之辭，則何據而云宣王之鼓也？今去古遠，事之出于傳疑者不敢不存其舊，等之其爲可疑焉。且從一據之明者而主之，猶愈于泛漫臆度也。故予惟椒舉之言既能明記岐蒐爲成王之蒐，則其不能明記此蒐之有鼓，雖爲不備，若較之唐語絶無的據，而專用籀體定爲宣王之物者，其説差有本祖也。古田獵與後世不同，名爲從田，其實閲武，其事則登獸數獲，其意則致衆而耀武，故武王初集大統，因伐獸而陳天命，以鎮撫在位之諸侯，已遂識之于策者，所以揚威傳遠，使來今共見焉爾也。此古人講武識事

之深意也。然則岐陽之記蒐也以鼓，武成之記事也以策，以策以鼓，其物雖異，而託物傳遠則一意也。雍録

【原】古今常言刻石起于秦世，泰山鄒嶧是其事矣。然方秦皇之議刻山也，其羣臣上議已曰：古之帝者猶刻金石，以日爲紀，則刻石之與刻金其所自來皆在秦前矣。若夫伐石爲鼓不可考擊，而遂刻文其上，則三代之前無有。非誠無也，世遠故也。古之刻金者，如湯盤栒鼎則其最著者矣。而盤之與鼎皆鑄金爲之，則遂可盛可烹，皆適於用，見者但玩其辭不駭其異也。今其此鼓則石爲之質，既已不可考擊，而專著其辭，故人莫明其用且驚且疑也。然而武成識政于策之爲物，豈其可爲用器也與？蓋古人託物見意，不主乎物而主乎所勒之辭，故在盤在鼎在策皆無間也。今其伐石爲鼓，則意又可料矣。田漁必用衆，致衆必以鼓，因其鼓之入用而斲石象之，因以記事焉。是其托物爲久，正與鑄金刻石其一意也。故秦臣之言銘刻者，遂兼舉金石也。古來託物記事決不止于盤鼎二物矣，而此二物偶傳于後焉耳。後漢橋元之廟，石鉦石鉞以及石鼓，而蔡邕與爲銘辭，則曰是用鏤石，作茲鉦鉞軍鼓，陳之東階，以勒公文武之勳焉。邕之謂勳者，蓋橋嘗克平鮮卑也。鉦鉞鼓三者皆軍旅間用器，而三器同爲一辭，則古來識事于石豈必專爲鼓形？顧岐陽田漁其用在鼓，而因用以著辭焉耳，而他器自可類推也。漢距三代未遠，古制猶有存者，邕最知古，故能模肖古制，與橋勳爲明，而石鼓源流賴之以存也。詩于典刑老成配對而言，邕其兼之，可尚也矣。同上

【原】世傳大篆起于史籀，是謂宣王之前未有此體，故唐世諸人因其體之爲籀也，而遂指之以爲宣鼓，其亦近似而實可疑也。安知成王之世籀體不已有萌，而史籀亦其承述此體者與？蓋藝文志記史籀兩學曰：史籀十五篇，蒼頡一篇，顏師古之於釋籀則曰史籀用宣王太史作大篆十五篇也，於釋蒼頡篇則曰上七章李斯作，爰歷六章趙高所作也。晉人衞恒曰：斯高皆取史籀大篆，或頗省改，名爲小篆，則小篆固出于大篆矣。至其對鳥跡立論，則遂通指篆籀以爲古文子孫矣。不曰史籀別爲一種也。恒之説曰：宣王時史籀始著大篆，或與古同，或與古異，則知史籀之體名爲大篆者，亦取古文而斟酌用之，非籀自剏也。王莽時甄豐考定六書目不立籀書一體。其一曰古文，則孔氏壁中書也。二曰奇字，卽古文而異者也。三曰篆書，卽秦篆也，秦篆卽小篆也。是甄豐六書元無籀體，而豐也，亦不能卽古文體中別白何者之爲籀體也。則謂籀體剏始于籀者未必確也。又如汲冢遺書字體最古，而自易經以至魏之安釐，字體數四其變，世但見其體爲數體而無能言何體之始于何世也，則世人豈可聞大篆之爲籀體而卽謂鼓字之爲籀書，籀書之爲宣王時物也？此予所以不安于唐人之論而詳此審是也。同上

【原】鼓之數十，先時散棄于鳳翔之野，鄭餘慶取置夫子廟中，尚亡其一。國朝皇祐四年，向傳師求諸民間得之，而後十鼓乃足。當張懷瓘之爲書斷也，其登載能書人姓名，至盧藏用而止。考其時則明皇以後人也。其曰石鼓文卽奇字之存者矣，則此時石鼓尚在也。至竇臮但見墨本而曰石尋毀失，則在鄭餘慶未嘗置廟之前矣。至韓退之則曰十鼓只載數駱駝，則是因餘慶收徙而其石得存也。紹興壬子，福唐鄭昂得洪慶善所遺石鼓墨本，卽用退之石鼓詩韻次和謝之，其自跋曰昂貢隸辟雍時常徘徊鼓下，以舊本校之，字又差訛矣。寇難以來，不知何在。莆田鄭樵著石鼓考，其文多至數百千言，謂鼓入辟雍及保和殿皆與昂同，或得之于昂也。樵之博固可重，而語多不審，予嘗論辨正之，文

多不録。

同上

原岐陽石鼓文有謂周宣王獵碣者，惟董程二氏以左傳成有岐陽之蒐證之，鑿鑿有據。其略云，考之書，天子大蒐，會諸侯，施命令，非常事也，史不得無書。若宣王蒐岐，卽周史失之，列國不得並逸。胡後世無聞焉？則爲成王信矣。其言眞如嶽峙不可復撼。第廣川有其學，有其識，有其辨，而無其筆，故不勝藤葛糾纏，確論反晦耳。鄭樵謂爲秦惠文後及歐陽三疑皆贅説迷謬，不足與辨。韋應物謂爲文王之鼓，宣王刻詩，眞如少君古强之徒曾目覩其事也。何物又有馬子卿者，以爲宇文周時作，一似無目者，益大可笑。樵又謂石鼓者立碑之漸，千載名言。至謂以石爲鼓，繇其土地之所出，則非也。古人制作尚象，不爲虛器，豈止以地之所出苟且不法耶？觀九州貢物，攻工制器，無一不窮極奧渺，以石爲鼓何所取則乎？今石鼓在太學聖廟戟門左右，寶護無人，冬輒篝火爊搨，毁剥日甚。余曾手摩其文，與鼓形了不似，其堅類玉，故能久存。就石形之，自然少加琱琢，旋轉刻文，行字或七或六，少華山前石之堅潤者與此無異，想當時因有佳石卽刻置蒐所而已。第文無不典，字無不雅，民休王遊，自加寶愛。此三代有道之長也。非如後世竭力徵石，造天無極，刻龍繡螭，築藩置守，妄意垂遠，然不一轉盼，旋離野火，能得鬼神呵護至今哉！悲夫！余既裝潢成而題曰周岐陽石古文，斷以成王時物，而不以鼓名，足刊古今之謬。金石史

原石鼓詩周宣王獵碣也，于詩體屬小雅，或以爲周成王時，以左傳成有岐陽之蒐證之，亦一説也。風雅逸篇

補岐陽之蒐乃成王爾，石鼓之歌，千載傑作。洛水集

補左傳云：周成王蒐于岐陽，而韓退之石鼓歌則曰宣王，所謂宣王憤起揮天戈，蒐于岐陽騁雄俊是也。韋應物石鼓歌則曰文王，所謂周文大獵岐之陽，刻石表功煒煌煌是也。唐蘇氏載紀云，石鼓文謂周宣王獵碣，共十鼓，東坡石鼓詩亦云，憶昔周宣歌鴻雁，方召聯翩賜圭卣。不知韋詩云周文，安所據乎？歐陽永叔云，前世所傳古遠奇怪之事，類多虛誕而難信，況傳紀不載，不知韋韓二君何據而有此説也？梅聖俞亦有詩云，傳至我朝一鼓亡，九鼓缺剥文失行。近人偶見安碓牀，云鼓作臼刳中央。心喜遺篆猶在傍，以臼易臼庸何傷？神物會合居一方，此與延平寶劍何異哉？韻語陽秋

補岐陽石鼓文或謂周文王時作，或謂宣王時作，或謂秦惠文後始皇前所作，或謂宇文周所作，獨程氏大昌以左傳昭公四年椒舉稱成有岐陽之蒐，杜預注成王歸自奄，大蒐于岐山之陽，謂鼓當刻于此時，可謂明徵矣。董氏逌又引叔向楚置茅蕝一節，更足發明其爲成王制作，益無足惑矣。皇甫氏帝王世紀：成王營洛邑，復都豐鎬，淮夷徐戎及奄叛，乃大蒐于岐陽，東伐淮夷。按此與左傳注先伐後蒐似相背戾。然以愚論之，武王克商，嘗散牛歸馬，戢干戈，櫜弓矢，示天下不復用，意天下不復叛也。無何禄父盜兵，三監煽亂，殽函以東非復周有。于是出既戢之干戈而復稱之，收既税之牛馬而復駕之，召既散之卒甲而復伍之。就岐陽而講武，卽蒐田以用衆，亦事理之不無者。然則以

文考之，天子嗣王成王也，公周公也，君子則邦甸侯衞及三事六官之屬，其文則史臣之筆。是時史佚作虎書魚書鳥書，非頡禹之後至籀始更其文也。如銅槃銘詛楚文體皆瑰異，非蝌非古，是周時諸文並行，籀特其一種爾。王氏寀摹勒汝帖蒼頡夏禹欵識封比干墓銅槃之後，先次以岐陽石鼓，然後列史籀書，則未嘗以古文爲籀書也。若夫宣王東都之會，雖見于詩，其時玁狁蠻荆騷然不靖，既用兵于鎬東之徐淮，顧治兵于鎬西之吴汧，非所以順人情而播先聲矣。鄭氏樵又以斤權文同目爲秦作，復以秦稱王號附會天子嗣王之文。夫秦雖稱王，未嘗自居帝制，臣下稱君亦未有稱公者，況斤權之文雖刻于始皇之世，亦必先有文而後有斤權，文未必爲斤權而作，故止可曰見不可曰出也。且何以知秦人必用其自製之字無一字沿襲？且小篆始于始皇，則前此亦用舊文矣。至于十鼓其一爲臼，疑鄭餘慶徙置學宮時已然，故昌黎詩云：故人從軍在右輔，爲我量度掘臼科也。及五季都洛，鳳翔學校荒蕪，土人因其已臼，乃復臼之爾。

書學聖蒙

補 十鼓自甲至癸諸家詮次先後不同，恆山潘氏所序蓋依國學位置。近見嘉定孫氏更序董逌本，以潘氏第六鼓爲第一鼓，曰王命除道也，第十鼓爲第二鼓，曰至岐陽而禱禡也，第八鼓爲第三鼓，曰簡車馬也，第一鼓爲第四鼓，六事之人師武臣力也，第三鼓爲第五鼓，曰天子親田柴獲之盛也，第四鼓爲第六鼓，曰田畢數獲也，第二鼓爲第七鼓，曰陳魚也，第七鼓爲第八鼓，曰充君庖也，第五鼓爲第九鼓，曰從流而歸也，第九鼓爲第十鼓，曰班師休士也。其義又與薛、鄭諸公有別。查浦輯聞

原 言獵碣者多指爲宣王之鼓，蓋緣文有我車既攻等語，與小雅相似爾。然古人句法相同，毛詩中多有之，不得執此以定其爲宣王之鼓也。至于成有岐陽之蒐則見于左氏傳，可爲明徵。似三監既平，破斧缺斨之後簡軍實，修武備，于先王肇基之地，其文有曰害不余及，亦猶鴟鴞之詩所云莫敢侮予也。書學聖蒙

補 程大昌雍録極辨石鼓非宣王物，予獨取之，蓋後周之説固謬妄不足論，卽謂出于宣王及秦人者，亦皆未詳本辭故爾。予謂中興詩尚簡潔，秦風辭多險峭，而石鼓閎碩典雅頗近東山七月之遺響，宜爲成王之詩，一也。以爲秦作，似宜在乎襄文之間，蓋襄公始命有田獵之事，而文公嘗東獵至汧渭，又伐戎收地至岐，爾時秦未嘗稱王，安得嗣王天子之名乎？二也。秦固保西陲，地近鳥鼠，若獵于岐陽，是自西徂東，不應言我來自東，三也。秦時才得列爲諸侯，獨以赤馬黄牛各三淫祠西畤寶雞之類，安得有進獻用特歸格藝祖之禮？四也。且以爲宣王詩，則是時猶都鎬，而岐在鎬西，自岐畋罷還鎬，又不當云駕言西歸也，五也。蓋成王伐奄歸而蒐于岐，奄在東方，故曰我來自東，淒淒零雨，又曰駕言西歸，此蓋追述歸時道路之難苦，有勞人恨士之思焉，與東山極相類。或卽是周公所作。當時始絀殷命，淮徐煽亂，方用兵之際，故東伐淮殘奄，歸復蒐岐，以耀兵講武，其云告于太祝，卽周禮太祝之職，所謂軍歸獻社則前祝是也。且周公無逸以嗣王稱成王，立政又云告嗣天子王矣。則所稱來嗣王始尤爲成王無疑。臣林

補春秋左氏傳，椒舉言于楚子曰：成有岐陽之蒐。杜氏注：成王歸自奄，大蒐于岐山之陽。竹書紀年，成王六年大蒐于岐陽。又傳，叔向曰：昔成王盟諸侯于岐陽，楚爲荆蠻置茅蕝，然則石鼓是成王物，傳有明徵，此廣川董氏、沙隨程氏毅然斷以爲成王之鼓也。夫春田曰蒐，今繹其辭，時則霝雨，地則淖淵，涉則舫舟，草則若華，木則楊柳，帛魚鱳鱳，于水一方，維舟以道，或陰或陽，春時景物，宛然在目，其殆蒐于岐陽時作乎！或乃以我車既攻二語同于小雅，因定爲宣王之鼓。然詩三百篇篇不雷同，有叔于田則大叔于田以別之，有杕杜則有杕之杜以別之，使果皆爲宣王時作，則于苗既云我車既攻我馬既同矣，于蒐豈復仍用其辭？詩人不若是之詰窘也。惟因二語與小雅同，即此可辨其非宣王之鼓，蓋鼓是成王，又宣王中興紹其先志，因而用其辭，此所謂復古，所謂展也大成云爾。茹古録

〔朱昆田原按〕嘉定孫氏、錢唐毛氏諸氏其論石鼓均主成王，各有發明，足補董、程之所未及。第毛氏仍據楊氏本以我來自東駕言西歸爲證，不知第五鼓霝雨之上諸家詮次並無我來自東之文，鄭氏石鼓考雖釋有西歸文，其上乃作舫舟非駕言字，此出用修作僞，不足據也。

〔臣等謹按〕以上各條皆謂石鼓爲周成王時作，其説始於宋程大昌。

原石鼓十篇大抵爲魰狩而作，甲言魰，乙丙丁戊己庚辛壬癸言狩，乙癸言除道，皆言爲畋狩而除導，戊言策命諸臣，己言享社，而皆有事于畋狩也，辛言魰狩而歸也，十篇而次成十目者，後人之次也。石鼓不見稱于前代，至唐始出于岐陽，先時散棄于野，鄭餘慶取置于鳳翔之夫子廟中堂而亡其一。皇祐四年，向傳師求于民間而得之，十鼓于是乎足。信知神異之物終自合耳。大觀中，置之辟雍，後復取入保和殿，經靖康之變，未知其遷徙否。世言石鼓者周宣王之所作，蓋本韓退之之歌也。韋應物又謂文王之鼓，至宣王而刻詩，不知二公之言何所據見然。前代皆患其文難讀，樵今所得，除漫滅之外，字字可曉。但其文不備，故有得而成辭者，有不得而成辭者焉。然篆書之始，大概有三，皇頡之後，始用古文，史籀之後，始用大篆，秦人之後，始用小篆。樵自續汗簡考古尚書纂分音之韻作象類之書，其于古今文字粗識變更，觀此十篇，皆是秦篆。秦篆者小篆也，簡近而易曉。其間有可疑者，若以也爲殹，以丞爲𠅏之類，是也。及考之銘器，殹見于秦斤，𠅏見于秦權，正如作越語者豈不知其人生于越，作秦篆者豈不知其人生于秦乎？秦篆本乎籀，籀本于古文，石鼓之書間用古文者，以篆書之所本也。秦人雖刱小篆，實因古文籀書加減之，取成類耳，其不得而加減者，用舊文也。或曰：石鼓固秦文也，知爲何代文乎？曰：秦自惠文稱王，始皇稱帝，今其文有曰嗣王，有曰天子，天子可謂帝，亦可謂王，故知此則惠文之後，始皇之前所作也。或曰：文則爾

也，石鼓何義乎？曰：古人制器猶作字也，必有取象，若尊若彝若爵之類是也。皆是作鳥獸形而自其口注，其受大者則取諸畜獸，其受小者則取諸禽鳥。先儒不達理，于尊彝則妄造不適用之器而畫以鳥獸形，爵雖象而不適用。宣和間得地中之器爲多，故于古而鑄祭器因以賜大臣其制作不類于常祀之器，應知先儒之説多虚文也。近陸氏所作禮象，庶幾于古乎！其于禮圖固有間矣。欵識之用則亦如是，而取諸器物。商人之識多以盤，周人之識多以鼎盤鼎，雖適用之器，然爲銘識之盤鼎不必適于用也，但象其器之形耳。石鼓之作，殆此類也。嗚呼！鼎鬲遠矣，世變風移，石鼓者其立碑之漸歟！然觀今中原人所得地中之物多是盤鼎鐘鬲，南粤人所得地中之物多是銅鼓，其間有有文字者，有無文字者，然皆作鼓形，此由其風俗之所用也。南粤多銅錫，故具鼓以銅，岐周多美石，故其鼓以石，此又由其土地之所出也。或言楚蜀之地中間亦得銅鼓者，南粤與楚蜀北連岐雍，豈其所習尚者多同歟！石鼓考序

原石鼓文考三卷，鄭樵撰，其説以爲石鼓出於秦，其文有與秦斤秦權合者。書録解題

原三代而上，惟勒鼎彝，秦人始大其制而用石鼓。通志略

原草本隸，隸本篆，篆出于籀，石鼓舊畫蔚有奇秀，學者不可不厭觀焉。或問石鼓顯于李唐，韓退之、韋應物以爲周文王宣王時，歐陽永叔、蘇子瞻謂非史籀不能作，而夾漈以爲秦文，信乎？曰以漆文知之。衍極

原石鼓文，韋應物以爲周宣王臣史籀作，韓退之、蘇子瞻皆以爲然，而後或以爲後周宇文時所刻，則疑之卑之甚矣。予按宣王之世去古未遠，所用皆科斗籀文，今觀説文所載籀文與今石鼓文不同，石鼓乃類小篆，可疑一也。觀孔子篆比干墓及吴季札墓，尚是科斗，則宣王時豈有小篆乎？又按南史云，陽人伐古塚得玉鏡竹簡古書，江淹以科斗字推之，知爲宣王時物，則宣王時用科斗書可知矣。鞏豐云，岐本周地，平王東遷，以賜秦襄公矣，自此岐地屬秦。秦人好田獵，是詩之作其在獻公之前，襄公之後乎，地秦地也，字秦字也，其爲秦物可知，此説有理，予竊信之，書以示知者。丹鉛録

〔臣等謹按〕以上各條皆謂石鼓爲秦制，其説自宋鄭樵倡之。

原鄭漁仲謂石鼓有秦權文，亦周時先有此文而秦權用之耳。金馬子卿謂是宇文時造，焦弱侯以蘇綽傳魏文十一年狩岐陽，考武保定元年又狩岐陽，命綽倣大誥，則詩體倣詩可知，然當時何以不刻年月，豈故爲此迂後世耶！通雅

原石鼓自唐以來無定論，茌平馬子卿以字畫考之云是宇文周時所造，作辨萬餘言。出入傳記，引據甚明，學者以比蔡正甫燕王墓辨，子卿姓馬氏，名定國，茌平人，金監察御史，仕至翰林學士，自號薺堂先生。中州集

原岐陽石鼓，唐韋應物、韓退之謂爲宣王之鼓，宋程泰之以爲成王鼓，趙明誠謂決非周以後人所能及，獨歐陽永叔以爲可疑。其謂今世所有漢桓靈時碑往往尚在，距今未千歲，大書深刻，而磨滅者十猶八九，此鼓至今千九百餘年，鼓文細而刻淺，理難獨存。趙明誠謂秦以前碑如此鼓及詛楚文泰山秦篆皆粗石，性堅頑難壞。殊未然也。至金人馬子卿以字畫考之，謂是宇文周所造　作辨萬餘言，出入傳記，引據甚明，其全文今不可見。據北史蘇綽傳云：周文

帝爲相，欲革文章浮華之弊，因魏帝祭廟，羣臣畢至，乃命綽爲大誥奏行之。是後文章皆依其體。而魏文帝十一年十月，嘗西狩岐陽，其子武帝保定元年十一月丁巳，狩于岐陽，五年二月行幸岐州。由此言之，則石鼓文爲宇文周所造無疑。文既倣書，則詩體倣詩亦無疑。觀武帝太和元年正月考路寢命羣臣賦古詩，亦其一證也。況考古博古二圖集古金石二録，凡篆文出三代者皆鐘鼎器物欵識，無刻石者，惟贊皇山吉日癸巳四字以爲周穆王時書，詛楚文以爲春秋時書，世傳比干吴季子墓碑雖皆刻石，前哲已辨其僞。漢書郊祀志，起少昊、顓頊歷三代，直至秦始皇始有立石頌德之文，故隋志所收有始皇刻石，前此未聞，則石刻當斷自始皇爲始。始皇所以刻石者，亦傳國璽有以先之耳。韓韋臆度之語，要不足據。筆乘

原温彦威使三京，得僞劉詞臣馬定國文云，石鼓非周宣王時事，乃後周文帝獵于岐陽所作也。史大統十一年獵于白水，遂西狩岐陽。姚氏殘語

原石鼓凡十，相傳爲周宣王獵碣，而唐韓退之作歌至云陋儒編詩不收入，二雅褊迫無委蛇。今讀其文皆淺近之辭，殊不類車攻吉日之閎深也。金史馬定國傳言石鼓自唐以來無定論，定國以字畫考之，云是宇文周所造，作辨萬餘言，出入傳記，引據甚明。楊用修最稱好古，而亦曰宣王之世去古未遠，所用皆科斗籀文，今觀説文所載籀文與今石鼓文不同，石鼓乃類小篆。予獨以其辭不足儕于二雅而疑之，今在國子監先師廟戟門左右。金石文字記

〔臣等謹按〕以上各條謂石鼓爲西魏宇文周時作，金馬定國始爲此説。

欽定日下舊聞考卷七十一

官署

原欽天監在闕東禮部之後，西嚮。春明夢餘録 原在城市門，今移改。

增欽天監兼管監事大臣，無定員。監正，滿一，西洋一；監副，滿漢各一；左右監副，各西洋一。掌測候推步之法，占天象以授人時。所屬時憲科，春夏中秋冬五官正，五官司書，天文科五官靈臺郎，五官監候，漏刻科五官挈壺正，五官司晨博士，天文生，陰陽生，主簿，筆帖式。大清會典

增欽天監署在闕東禮部之後，明正統七年建，乾隆三十一年奉詔重修。門西向，堂前月臺設晷影一座，堂左石碣一，恭紀雍正三年二月二日庚午日月合壁五星聯珠之瑞，監臣明圖等奉勅恭建。堂後凡三重，其廨宇之數共百有十。欽天監册

〔臣等謹按〕欽天監堂額曰奉時敬授。前列訓辭曰：聖人敬天勤民，奉天時所以重民事也。羲和之職在覲象授時，俾作訛成易，循序不忒，用以釐工而熙績，其敬之！

世宗御筆也。

〔又按〕署內有明嘉靖二十六年碑一，在堂左，文已漫漶。

增凡推步之法，遵聖祖御製曆象考成以推日月交食、七政經緯躔度、合朔弦望節氣交宮、月五星相距，遵皇上欽定儀象考成以測星度，遵皇上欽定萬年書以注御覽及民用時憲書，遵皇上欽定協紀辨方書以選擇年月日時。欽天監冊

〔臣等謹按〕推步之法至本朝益加詳密，世祖順治年間，特命監臣湯若望考定儀法。聖祖神靈天亶，滙象數之淵源，自康熙甲寅歲，始命專用西洋法定時，嗣後遵行弗替。恭繹御製數理精蘊諸書及各種儀器，垂示來茲，蓋億萬斯年咸稟範圍矣。

增觀象臺在城東南隅，時憲書局在宣武門內天主堂東，本朝令西洋人居此，治理時憲書。大清一統志

〔臣等謹按〕觀象臺制度及所陳儀器圭表壺漏諸式，俱詳見內城東城，天主堂詳見內城南城，茲以其職隸監署，謹據會典所載紀其大凡，餘不具録。

增凡時憲書，歲以二月一日進來歲時憲書式，四月一日頒式直省刊刻，十月一日恭進御覽，並頒賜王公百官。大清會典

增凡直更候時歲，委博士二人率陰陽生十人輪直譙樓，日委博士一人輪直神武門，指示

更點。恭遇車駕巡幸，委官隨從直更亦如之。同上

原明宣宗欽天監箴　五帝之世，曆象肇興。建官作式，後世襲承。惟我祖宗，德合堯舜。天道民事，尤篤欽慎。爾職于斯，夙夜惟寅。用率厥屬，咸致其勤。必精推策，必審觀候。庶副欽若，爰及敬授。行奉天道，動協時宜。在予靡愆，實爾之資。惰慢而失，災咎而隱。予則汝罰，勗哉惟謹。官箴

〔臣等謹按〕以上各條敍欽天監。

原太醫院在闕東禮部之後，西向。春明夢餘録

原太醫院在欽天監南，生藥庫附焉，外有惠民藥局亦隸之。明一統志　以上二條原在城市門，今移改。

增太醫院院使一，左右院判各一，掌醫之政令，率其屬以共醫事，掌九科之法以治疾，掌灸製之法以治藥，教習二，簡能者任之。大清會典

增太醫院在闕東禮部之後，門西向。堂内恭懸康熙四十三年聖祖仁皇帝賜院臣黄運詩曰：神聖豈能再，調方最近情。存誠慎藥性，仁術盡平生。大堂外左南廳，右北廳。後爲先醫廟，外門額曰檽星門，内門額曰咸濟門，殿額曰景惠殿，供三皇聖像，恭懸聖祖御書永濟羣生額。左右廡列勾芒、風后至王冰各配位，殿旁爲省牲房。先醫廟外北向者爲藥王廟，有銅人像，蓋即明英宗時所修者也。太醫院册

原太醫署中有三皇小像，世廟從侍醫之請，作景惠殿，令大臣春秋主祀。湧幢小品

原嘉靖二十二年七月，太醫院三皇廟成，名其殿曰景惠，門曰咸濟。明世宗實録

原景惠殿在太醫院之北，前爲景咸門，門東爲神庫，西爲神廚，中奉安伏羲、神農、黄帝，皆南面，以勾芒、祝融、風后、力牧配，以僦貸、季鬼、臾區、俞跗、伯高、少俞、岐伯等東西廡從祀。歲仲春上甲日，太常寺題請禮部堂上官行禮，太醫院堂上官二員分獻，仲秋上甲如之。春明夢餘録

原隆慶四年，遣禮部侍郎王希烈祭三皇於景惠殿，希烈因言三皇既祀於歷代帝王廟，又祀於文華東室，乃又雜之醫師，使共俎豆，不亦瀆且褻乎？且官廨中止宜有祠，不宜有殿。上不欲改先帝之制，報罷。明典彙

原三皇廟内有鍼灸經石刻，元元貞初製，其碑之題篆，則宋仁宗御書，至元間自汴移至此者。燕都游覽志　以上五條原在城市門，今移改。

〔臣等謹按〕鍼灸圖石刻今尚存，乃明時重摹上石者，觀後英宗序畧可證。

原元中統中，尼波羅國人阿爾尼格從帝師入見，帝問何所能。對曰：臣以心爲師，頗知畫塑鑄金之藝。帝命取明堂鍼灸銅像示之曰：此安撫王檝使宋時所進，歲久闕壞，無能修完之者，汝能新之乎？對曰：請試之。至元二年新像成，關鬲脈絡皆備，金工歎其天巧，莫不愧服。元史本傳

原英宗銅人腧穴鍼灸圖序畧　宋天聖中，創作銅人腧穴鍼灸圖經三卷，刻諸石，復范銅肖人，分布腧穴於周身，畫焉竅焉，脈絡條貫，纖悉明備。考經按圖，甚便來學。於今四百餘年，石刻漫滅而不完，銅像昏暗而難辨。朕重民

命之所資，念良製之當繼，乃命礱石范銅，倣前重作，加精緻焉。建諸醫官，式廣教詔，來者尚敬之哉！明英宗實録

原 院署有古銅人，虛中注水，關竅畢達，古色蒼碧，瑩潤射目，相傳從海潮中湧出者。長安客話 原在城市門，今移改。

〔臣等謹按〕銅人像在署内藥王廟神像前，始作於宋天聖時，元至元間修之，明英宗時又修之，長安客話謂從海湧出，殆傳訛爾。

增 洪武六年四月，置御藥奉御一人，直長二人，藥童十人，俱以内官内使充之。設太醫院御醫四人，以太醫院醫士充之。凡收受四方貢獻名藥及儲蓄藥品，奉御一人掌之。凡貢御藥餌，醫官就内局修製。太醫院官診視御脈，御醫參看較同，約會奉御，就内局合藥，將藥貼連名封記，具本開寫本方藥性治證之法，於日月之下，醫官奉御書名以進，置簿歷，中書省印其縫。凡進藥，奏既具，隨即附簿年月下書名，奉御收掌，以憑稽考。烹調御藥，太醫官與奉御監視，每二服合爲一服，使煎熟分爲二器，其一器太醫官先嘗，次奉御；其一器進御。春明夢餘録

補 太醫院醫士分十三科，循元醫學之舊也。十三科者，大方脈，雜醫科，小方脈科，風科，産科，眼科，口齒兼咽喉科，正骨兼金瘡科，瘡腫科，鍼灸科，祝由書禁科。其設立醫學，蓋從太醫院大使王猷、副使王安仁之請。其程試科目，每三年一試，期以八

月，中選者來春二月赴大都省試。其法考較醫經，辨驗藥味，合試經書，則素問、難經、聖濟録、本草、千金翼方也。元惟重其選，故名醫特多。明則試醫士不過論一篇、歌訣一首而已，人多忽焉，不以爲意。此華亭唐文恪公有京師無良醫之歎也。緇素録〔原在城市門，今移改。〕

〔臣等謹按〕以上各條敍太醫院。

增總管内務府大臣，無定員，於滿洲文武大臣或王公内簡用，掌内務府一切事務。奉宸苑、武備院、上駟院並隸焉。所屬廣儲、會計、掌儀、都虞、慎刑、營造、慶豐七司。大清會典

〔臣等謹按〕内務府之職，前代所未有，我朝釐革明代内官監司之弊，特設内府官屬以理之。其職不下數百員，内廣儲司管理六庫郎中二，秩在諸司之上。至掌治堂事、總理府屬及各司院事宜，則有坐辦堂郎中一，或由六庫郎中陞用，或擇院卿及内府護軍統領兼攝之。蓋内府總管下卽以坐辦郎中爲要職也。

增内務府署在西華門内，當右翼門之西，循牆第四門，東向，前後凡五重，其廨舍之數共四十有三間。内務府册

〔臣等謹按〕内務府堂額曰職思綜理。訓辭曰：典司内府，庶務繁要，謹度課功，飭

法制用，必規畫周詳，各盡厥職，俾宮府相爲一體。世宗御筆也。

增世祖勅諭嚴禁中官鐵牌 順治十二年六月二十八日，奉皇帝勅諭：中官之設，雖自古不廢，然任使失宜，遂貽禍亂。近如明朝王振、汪直、曹吉祥、劉瑾、魏忠賢等，專擅威權，干預朝政，開廠緝事，枉殺無辜，出鎮典兵，流毒邊境。甚至謀爲不軌，陷害忠良，煽引黨類，稱功頌德，以致國事日非，覆敗相尋，足爲鑒戒。朕今裁定内官衙門及員數職掌，法制甚明。以後但有犯法干政、竊權納賄、囑託内外衙門、交結滿漢官員、越分擅奏外事、上言官吏賢否者，卽行凌遲處死，定不姑貸。特立鐵牌，世世遵守。欽此。內務府册

〔臣等謹按〕内府鐵牌之製，高四尺五寸，廣一尺九寸，厚一寸，世祖特諭内府各司院通行鑄勒，垂示久遠云。

增内務府凡三院、七司，掌内府財用出入及祭祀、宴饗、膳羞、衣服、賜予、刑罰、工作、教習諸事。內務府册

〔臣等謹按〕内務府衙門，國初置設，凡内府諸事總隸之。順治十一年，分置十三衙門，仍以内府人員管理，曰司禮監、尚方司、御用監、御馬監、内官監、尚衣監、尚膳監、尚寶監、司設監、兵仗局、惜薪司、鐘鼓司、織染司，尚沿明代舊名。十二

年，改尚方司爲尚方院。十三年，改鐘鼓司爲禮儀監，尚寶監爲尚寶司，織染司爲經局。十七年，改内官監爲宣徽院，禮儀監爲禮儀院。十八年，裁十三衙門，仍置内務府，以兵仗局爲武備院。康熙十六年，盡汰舊時名目，改爲七司三院，而以内府大臣統之，遂爲定制云。

增廣儲司舊署在西華門内，白虎殿東配房。雍正八年移於尚衣監北箭子河路西，後屢有遷易。今置於酒醋房之南牆門内，前後三重，廨舍十有七間。所屬銀、皮、瓷、段、衣、茶六庫，爲内府庫藏總滙之所。初名御用監。順治十八年，分銀、皮、段、衣四庫。康熙十六年，改今名。二十八年，分設瓷、茶二庫，皆統隸於司。銀庫，在太和殿弘義閣内，皮庫在太和殿西南角樓房内及保和殿東配房，瓷庫在中右門外迤西之西配房及武英殿前影壁後連房，段庫在太和殿東體仁閣及中右門外西配房，衣庫在弘義閣南之西配房。至恭製御服在咸安宫内，宫門三楹，正殿五楹，東西配殿各三楹。內務府册

增茶庫在右翼門内西配房，並太和門内西偏南向配房，中左門内東偏配房，並管理南薰殿所藏歷代帝后圖像。同上

〔臣等謹按〕歷代帝后圖像向貯茶庫，乾隆十四年奉旨移藏南薰殿，殿内石碣恭刻皇上御製藏圖像記文并詩，詳載宫室門。

增會計司署在西華門外北長街，東向。前後五重，廨舍共四十間。掌內府户口、地畝、徵收莊糧等事，初名内官監，順治十七年，改宣徽院，康熙十六年，改今名。內務府册

增管理三旗納銀莊，舊隸會計司，雍正元年，始設專署於西華門外南長街衕衕路東，廨舍三十有五，專掌畿輔各莊歲納糧銀之屬。上同

增掌儀司署在西華門外南長街織女橋，南向。後有觀象臺，前後廨舍共七十餘間，掌内府之典禮。初名鐘鼓司，順治十三年，改禮儀監，十七年，改禮儀院，康熙十六年，改今名。上同

增都虞司署在西華門外路北，南向，五重，廨舍共四十間。其東爲箭亭，内府大臣挑甲驗看於此。都虞掌陞補武職咨行俸餉及供應畋漁等事，初名尚膳監。順治十八年，改爲採捕衙門，康熙十六年，改今名。上同

增三旗參領處向未專設官署，乾隆十六年，以東安門内騎河樓官房置參領處，三十五年二月，移建於地安門外白米斜街，前後廨舍共六十有三間。上同

增三旗佐領管領向未有檔房，乾隆二十二年奉旨給以地安門内景山後樓房六十六間爲檔册房。上同

增慎刑司署在西華門外長街之北，東向，前後三重，廨舍共五十三間，掌内府之刑罰。

初名尚方司，順治十二年，改爲尚方院，康熙十六年，改今名。同上

增管轄番役處，雍正四年遵旨設立。舊署在東華門外南池子，乾隆三十六年移建西華門外長街之北，西向，廨舍共三十九間。其番役專隸内府，捕緝各案暨逃走太監等，由三旗人選充。同上

增營造司署在西華門外北長街，西向。大堂五楹，二堂後有魯班殿，前後凡四重，廨舍共七十間，掌理工作，兼司薪炭。初名惜薪司，順治十八年，改爲内工部，康熙十六年，改今名。同上

增官房租庫，康熙六十年立，初名官房收租處。在景山西門路西。乾隆十年復移置西華門外北長街路東，西向，并改今名，廨舍共十二間。同上

增監造花爆處在地安門内甬路西，東向，廨舍共四十有五。其北有廟，殿祀上帝、關帝、火德真君，南向者爲天王廟。同上

增慶豐司署在西華門外北長街，東向，廨舍共二十三間，掌牛羊厩暨口外牧羣，所屬有南苑鹿圈村牛圈、槐房村經板庫、南海淀各牛圈、豐臺羊圈。同上

〔臣等謹按〕慶豐司所屬各圈牛羊皆大内所用，其犧牲所喂養牛隻爲祭祀之需，向隸太常寺，乾隆二十六年奉旨簡總管内務府大臣一員值年經理，每歲派内府司員二司

其事，以昭敬慎之至意。詳見太常寺條下。

增稽察内務府御史衙門，雍正四年設，在景山西門路北，房四十有六楹。以都察院滿監察御史二員稽核其事。内務府册

增掌内管領關防署在西華門外路南，廨舍共二十有一楹，所屬凡八。上同

增官三倉在西華門外北圍城，連房百有十八楹。上同

增餑餑房在西安門旋磨臺舊址路北，房四十四楹。上同

增車庫在紫禁城内西箭子河西，連房十一楹，貯車輛幃鞍等物；神武門外迤東連房七十有九楹，收貯車輛。上同

增酒醋房，順治十年設，在神武門内路西，連房二十有三楹，又别房十有四楹。上同

增銅器庫，康熙三十四年設，在中和殿西第二連房凡五楹。上同

增傢伙倉在西華門外北城下，連房二十有五楹。上同

增冰窖四座，在隆宗門外甬路西邊。上同

增恩豐倉貯内監人等所食米石，在東華門外北圍房，内廒十有二，官舍十。上同

〔臣等謹按〕太監食米，舊制隨内府兵役由京倉關支。乾隆二十八年，上以外倉關領，既恐内監人等滋生事端，且就近支放，尤爲便易，故建立是倉，於制防之中寓體恤

之意。仰見聖心周密，無微不至云。

增奉宸苑兼管苑事大臣，特簡，無定員。卿二人，掌苑囿之政，所屬郎中二人，員外郎四人，主事一人，分管苑囿諸事，筆帖式十有六人。南苑郎中一人，員外郎二人，主事一人，暢春園郎中一人。圓明園兼管大臣，特簡，無定員。協理二人，或郎中或員外郎，主事一人。清漪園兼管大臣，特簡，無定員。員外郎一。静宜園員外郎一。苑丞共四十有五，苑副共六十有九，庫掌一，筆帖式三十有九，分置禁苑，各備典守。大清會典

增奉宸苑總理苑囿河道稻田之屬，初隸尚膳處，康熙二十五年設奉宸苑，鑄給印信，署在西華門外西苑門之旁，廨舍十有五楹。內務府册

增南苑，順治年間歸併採捕衙門，康熙二十三年，始命奉宸苑管理。署在北紅門内迤東南向，前後四重，房十有八楹。上同

增稻田廠，康熙五十三年始建，倉署在玉泉山之東青龍橋，前後四重，房六十有四楹。上同

〔臣等謹按〕稻田廠廨宇建於玉泉山之青龍橋，向存貯米石，倉廒及官署、碾房具備焉。又官場二處，一在功德寺，西房四間，一在六郎莊，南房十六間。司其事者員外郎一員，庫掌一員，筆帖式三員，催長、領催等十名，種地蠶蠻子十三名。玉泉山官種稻田

十五頃九十餘畝。其金河蠻子營、六郎莊、聖化寺、泉宗廟、高粱橋、長河兩岸、石景山、黑龍潭、南苑之北紅門外稻田九十二頃九畝餘，合官種稻田共一百八頃九畝有零，較往時幾數倍之，仰見我皇上勤民教稼務本重農之至意有加無已云。

增武備院兼管院事大臣，特簡，無定員。卿二，掌供御用武備，製造兵仗。郎中一，掌章奏及庫帑出納。主事二，掌文移。所屬四庫，各設員外郎二，庫掌三，未入流庫掌二，筆帖式二十八，庫守五十有九。司函長一，司函六，司弓、司矢各三，下五旗司弓五人並隸焉。掌御用甲胄弓矢。掌蓋三，掌擎御蓋。司幄三，掌御幄帳殿。司匠七，分掌各作匠役成造器物。大清會典

增武備院在東華門外北長街路西，甲庫直房、氈庫直房俱南向，靴皮作西向，鞍庫直房東向，正南爲帳房處檔案房北向，南鞍庫直房南向。前後五重，房七十有九楹，掌御用武備及製造兵仗之事。初名靴樓，順治十一年，改名兵仗局，十八年，改今名。內務府册

增甲庫內庫在左翼門內，體仁閣之南，西向，庫房八楹。外庫在東華門外北城下，房十有二楹，西向。同上

增景山官學之西，庫房五楹，北向，所屬亮鐵作在東安門外迤北，西向，房八十有五楹。同上

增氈庫內庫在昭德門內，東西房共十一楹，又中右門內房十楹，東向，外庫在東華門外北城下，房十有四楹，西向，所屬箭廠坐落南池子長街石頭縫衚衕，房十有五楹，南向。上同

增帽作在東安門外錫鑞衚衕，房九楹，北向。上同

增染氈作在燒酒衚衕，北向，房二十有四楹，所屬沙河氈作在沙河城。上同

增北鞍庫內庫在左翼門內迤北，房四楹，西向，又房四楹，南向，體仁閣之南房四楹，北向，又房二楹，西向。外庫在東華門外北城下，房六十楹，西向。所屬鞍作在南池子長街南燈籠庫內，房九楹。上同

增南鞍庫內庫在昭德門內南角樓，外庫在東華門外北城下，房十有八楹，西向。所屬熟皮作與騎河樓相望，房十有五楹。上同

增上駟院兼管院事大臣，特簡，無定員。卿二，掌羣牧之政。所屬左司郎中一，侍衛、員外郎各二，主事一，掌均齊賞罰。右司侍衛、員外郎各二，主事一，掌俸餉芻菽。堂主事二，掌章奏文移。筆帖式二十五，分隸堂司，掌繙譯。侍衛二十一，掌侍直，內八人兼試御馬。司鞍長二，司鞍八，司轡二十。大清會典

增上駟院初名御馬監。順治十八年，置阿敦衙門，康熙十六年，改今名。舊署在東華門

内三座門之西，今改建於左翼門外，門西向。堂左右爲司房，東西耳房，其所掌御馬廄今移於新署内之南，計廄五間。所屬之十八廄分設禁城内外。上乘御馬爲一廄，皇子良馬爲一廄，對子馬爲一廄，在院署之旁。東安門内駑馬三廄，駕車騾馬一廄，西安門内駑馬二廄，小馬一廄，乾隆五年，增設駕車騾馬一廄。圓明園大有莊駑馬一廄，南苑御馬内養馬六廄，凡十八廄。又圓明園上乘御馬外圈一廄，小馬外圈一廄。暢春園皇子良馬外圈一廄，駕車騾馬外圈一廄，備差駑馬外圈一廄。内務府册

增康熙十九年，始以武英殿内左右廊房共六十三楹爲修書處，掌刊印裝潢書籍之事。乾隆三十八年奉旨創製活字版，錫名聚珍，置局西華門外北長街路東，排印各書事亦隸焉。額設監造一員，副監造一員，主事一員，六品庫掌一員，筆帖式四員，庫掌三員，委署庫掌六員，欽命王大臣總理之。其專司繕録校閲等事，則有提調二員，纂修十二員，均以翰詹官奏充，而特簡大臣爲總裁以綜其成。上同

〔臣等謹按〕武英殿聚珍版御製詩，今恭載宫室卷中，茲不復録。

增御書處在西華門内南，共房四十三楹。康熙二十九年立，初名文書館，後改今名。恭刻御製詩文法帖之屬。内務府册

增景山官學在景山前門，左右連房四十有五楹。上同

〔臣等謹按〕景山官學，康熙二十四年，聖祖恩命特設，專以教習内府三旗子弟之書射者，迄今遂爲定制云。

增咸安宫學在壽康宫長庚門内，雍正七年設，乾隆十六年改建壽安宫，移置西華門内舊尚衣監。二十五年，復移於器皿庫之西，東向。共房二十有七楹。學中恭懸雍正六年世宗皇帝諭旨並皇上諭旨。內務府册

〔臣等謹按〕咸安宫學，雍正六年，世宗恩命特設，以教育内府三旗子弟及景山官學中之俊秀者，復派翰林等官督課之。於滿漢文藝外，兼習國語騎射，立法至周且密。皇上御極之初，首頒恩諭，俾滿洲八旗子弟兼得選入是學，以廣樂育之仁。是以人材蔚起，每屆鄉會試，獲雋者多，而以内外職官特擢者，亦後先相望，彬彬郁郁，稱極盛矣。

增乾隆元年三月初四日上諭：從前皇考格外施恩，於咸安宫設立官學，挑選俊秀子弟，令其讀書，特爲作養内府佐領管領下人等之意。今據爾等奏稱：學生内有年已長大或以當差爲念，則不惟文理不能精進，且致虚度年歲，轉有誤於當差。請將此内人材詳加遴選，擬以等第帶領引見，以筆帖式、拜唐阿酌量録用等語。從前皇考曾有諭旨，朕教誨伊等，原爲成就人材起見，並非徒爲考取筆帖式而設。今復以筆帖式、拜唐阿録用具奏，

不合皇考本意。再怠惰不堪造就者，卽當革退。爾等又稱，此内有未得錢糧者，若謂無錢糧，賞給錢糧亦可。古者三十而娶，四十而仕，今爾等意欲將年逾二十三歲者卽令出學當差。若此十數歲時甫纔入學，二十餘歲卽令出學，則此十數年間遂可謂學問有成乎？爾等此奏，尚未喻皇考聖意也。朕意此後不必令伊等專事讀書，或令學辦稿案，試以事件，或教以弓馬騎射，使伊等諸凡藝業俱可得學。如此庶可仰副皇考仁育滿洲臣子之至意。著將現在内府三旗九十名學生内，爾等公同選其優者留三十名，再令八旗滿洲都統等將可以造就之俊秀子弟每旗選十名，送咸安宫讀書。如大臣子弟内有情願入學者，亦令入於額内讀書。其學生等俱著給與二兩錢糧。所有裁汰之學生，爾等酌量料理。倘現今應留之學生不能得三十名，可另行選補足數，令伊等在内多學數年。果有學問優長才堪辦事者，爾等卽行陳奏，朕將用爲部屬。伊等雖在學讀書，卽係當差。如用爲部屬之後，行走果好，不必論伊等行走年分，該堂官具奏，朕格外擢用。如其不好，亦著具奏，加倍治罪。再伊等不拘用於何處，仍著書寫曾在咸安宫讀書字樣。若將伊等仍令爾内務府總管等公同管轄，殊屬無益。將爾等職名開列進呈，候朕專派一人管理，方有裨益。爾等將此詳細議奏。內務府册

增造辦處掌成造諸器用之物。康熙三十年，以慈寧宫之茶飯房一百五十有一楹爲造辦處。

四十八年，復增白虎殿後房百楹。所屬玻璃廠在西安門内蠶池口之西，共房三十有六楹。上同

〔臣等謹按〕舊制，養心殿有造辦處，雍正年間始移今處，遂爲定制云。

增織染局管局大臣及兼攝局務之司官，均奏請簡用，無定員。司庫一，筆帖式三，庫使六，司匠二，領催六。大清會典

〔臣等謹按〕織染局舊隸工部，康熙三年，歸内府管理。是局原建於地安門内嵩祝寺後，乾隆十六年，奉旨移於萬壽山之西，與稻田毗近。立石曰耕織圖。原機上織染局三字，今改爲耕織圖。至廨舍局房俱詳載苑囿門。

增御藥庫，順治十年設，在東華門内東三所之左，東向。堂西有藥王殿，前後三重，共房三十有六楹。内務府册

增茶膳房舊在中和殿東圍房内，乾隆十三年，以箭亭東外庫改爲御茶膳房，門東向。門内迤北東西黄琉璃瓦房八楹，西南黄琉璃瓦房十有二楹，又南北瓦房九楹。上同

增辦理回人佐領事務處，乾隆二十五年奉旨授白和卓爲回子佐領，以投誠回衆編爲一佐領，於西長安街路南設回營一所居之，共房百四十有七楹。回營内設辦事房，以内府官董其事。回營之西建禮拜寺，北向。寺門内恭立御製敕建回人禮拜寺碑記。上同

增御製禮拜寺碑文　爲天下共主，俾阻遐逖聽，壹禀我約束，而後戎索所屆，風氣莫敢

以自私，尚已。顧在昔寄象鞮譯之掌，必與之達志通欲，修其教不易其宜，厥旨豈相戾哉？蓋惟極天下之不齊以致其大齊，而觀化者益臻於無外。考前史，回紇自隋開皇時始入於中國，至唐元和初，偕摩尼進貢，請置寺太原，額曰大雲光明，實爲禮拜寺所由昉。然其致之也，或以假師以通市，於納土服屬我甿我隸之義故無當焉。朕寅承天地祖宗鴻庥，平準噶爾，遂定回部各城。其伯克霍集斯、霍什克等並賜爵王公，賜居邸舍。而餘衆之不令回其故地者，咸居之長安門之西，俾服官執役，受廛旅處，都人因號稱回子營。夫齒繁則見龎，類辨則情渙，思所以統同合異，使瞻聽無奇衺，初不在闢其教而揉矯之也。且準部四衞拉特内附，若普寧寺，若固爾札廟，既爲次第創搆，用是寵綏，回人亦吾人也，若之何望有缺耶！爰命將作支内帑羨金，就所居適中之地，爲建斯寺。穹門塏殿，翊廡周阿，具中程度。經始以乾隆癸未清和吉月，浹歲落成。回衆以時會聚其下，輪年入覲之衆伯克等無不歡欣瞻拜。詫西域所未曾覩，問有叨近日之榮，而兼擅土風之美，如是舉者乎！咸鞠跽虞抃曰：然。復重諗之曰：爾回之俗嚮，惟知有魯斯訥墨，今則朔奉朝正矣。嚮惟知有騰格，今則鑄頒泉府矣。越及屯賦覲饗諸令典，其大者靡弗同我聲教，而國家推以人治人之則，更爲之因其教以和其衆。揆諸蒿彝俳銅繩之技，九賓綴廛頭之班，此物此志云爾。其誰曰不宜！乃爲之記而系以銘。孰爲天方？孰爲天堂？花門秘刹，依我雲闇。厥城默伽，厥宗墨克。派哈帕爾，傳依鐵勒。經藏三十，咨之阿渾。西向北向，同歸一尊。珉城枏梁，司工所作。會極歸極，萬邦是若。乾隆二十有九年歲在甲申仲夏之吉，御製并書。

增回子館學，乾隆二十一年立，在西華門内右翼門外，東向。緬子館，乾隆三十二年立，在西華門内右翼門外造辦處南門外迤東路北。上同

增養鷹鷂鴉鶻處總名鷹房，在東華門内三座門路東，共房二十有二楹。上同

增内養狗處在東華門内東三所前路東，房十有九楹。外養狗處在東安門内南池子之南，房十有五楹。上同

原上林苑監在皇城東東江米巷，南向。永樂十四年論：凡牧養栽種地，東至白河，西至西山，南至武清，北至居庸，西南至渾河，禁不許圍獵。春明夢餘録

原上林苑監在文德坊玉河橋西，典簿廳附焉。外有蕃育、嘉蔬、冰鑑、川衡、林衡、良牧、左典察、右典察、前典察、後典察十署亦隸之。明一統志

原宣德十年二月，革上林苑監所轄冰鑑、川衡、典察左右前後六署，惟存嘉蔬、蕃育、良牧、林衡四署，從行在户部奏請也。明宣宗實録　以上三條原在城市門，今移改。

〔臣等謹按〕明上林苑久廢。考春明夢餘録云，東至白河，西至西山，南至武清，北至居庸，禁圍獵者幾數百里。我朝苑囿務爲限制，繚垣以外，芻蕘往來，瞻仁囿者，咸仰法制之寬大焉。

〔臣等謹按〕以上各條，敍内務府，附原書上林苑監。

欽定日下舊聞考卷七十二

官署

增領侍衛府領侍衛内大臣六人，内大臣六人，散秩大臣無定員，掌統領侍衛親軍，以先後宸御，左右翊衞焉。一等侍衛六十人，二等侍衛百五十人，三等、四等侍衛二百七十人，藍翎侍衛九十人，親軍校四十五人，宗室侍衛一等九人，二等十八人，三等六十三人，每十人各設什長一人。皇朝文獻通考

增御前侍衛、乾清門侍衛皆無定員。隨印協理事務侍衛班領十有二。漢侍衛無定員，主事一，筆帖式十有二，貼寫筆帖式十有五，掌辦理章奏收發文移。大清會典

〔臣等謹按〕大清會典：領侍衛内大臣員闕，除奉特旨補授外，以滿洲都統、内大臣、散秩大臣、前鋒護軍統領暨各省滿洲將軍職名開列具奏，恭候簡命。内大臣員闕，以散秩大臣暨都統、前鋒護軍統領、各省滿洲將軍職名開列亦如之。散秩大臣多由特恩補授，或人員不敷，於宗室鎮國、輔國公，鎮國、輔國將軍，宗室一等侍

衛暨公、侯、伯、子、男內簡選引見，或授散秩大臣，或署散秩大臣，恭候欽定。世襲散秩大臣員闕，移咨該旗，將應襲人員開送引見補授。隨印協理事務侍衛班領員闕，於侍衛班領署班、領什長內，不論等級，遴選引見補授。侍衛班領員闕，於署班、領什長內遴選，署班、領什長員闕，於侍衛內遴選，均引見補授。又按領侍衛府無專署，惟設檔房在昭德門外。

增宿衛更番輪直凡六班，班分兩翼，各設侍衛班領一，署班領一，侍衛三十。宿衛乾清門，爲內班，散秩大臣一，侍衛親軍十。宿衛中和殿，侍衛什長三，侍衛親軍三十。宿衛太和門，爲外班，以領侍衛內大臣一總統之。內大臣、散秩大臣二隨班入直。行幸駐蹕，宿衛一如宮禁之制。大清會典

增侍衛初選，均授爲三等侍衛、藍翎侍衛，歲以冬月推陞。一等侍衛員闕，以二等侍衛引見陞補。二等、三等侍衛員闕，以次遞行引見陞補。至勳戚後裔內有特旨初選卽授爲一、二等侍衛者，卽坐補本旗員闕。同上

增宗室侍衛，不論鎮國、輔國、奉國、奉恩將軍，先選三等四等侍衛，遇闕以次陞補亦如之。同上

增上駟院侍衛，每旗七人，司轡、司鞍侍衛無定員，隸上駟院。其兼尚虞鷹鷂房、鶻

房、狗房、十五善射、善騎射、善射鵠、善强弓、善撲等處侍衛各有專管，統在三旗額內，無定員。上同

增漢一等侍衛以一甲一名武進士補授，二等以一甲二名、三名武進士補授，三等於二甲內簡選，藍翎侍衛於三甲內簡選。上同

增凡習射三旗侍衛，按期於該旗侍衛教場騎射二次，步射六次，領侍衛內大臣暨侍衛班領察驗。遇閲軍器之年，更番擐甲胄騎射，親軍按期習騎射於侍衛教場，協理事務侍衛班領及親軍校察驗。上同

增統領親軍三旗，每佐領親軍二名。鑲黄旗滿洲八十五佐領，蒙古二十八佐領，共親軍二百二十四名，内親軍校十有五人，五旗移入六十五佐領，親軍一百三十名，内親軍校十人。正黄旗滿洲九十三佐領，蒙古二十四佐領，共親軍二百三十四名，内親軍校十有五人，五旗移入六十七佐領一半佐領，親軍一百三十五名，内親軍校十有一人。正白旗滿洲八十六佐領，蒙古二十九佐領，共親軍二百三十名，内親軍校十有五人，五旗移入五十八佐領一半佐領，親軍一百十有七名，内親軍校九人。三旗親軍每旗選六十人，隨侍衛班行走。其餘親軍校、親軍盡隨三旗護軍營護軍校、護軍一同直宿當差。上同

〔臣等謹按〕以上各條敍領侍衛府。

增鑾儀衛職掌乘輿供奉鹵簿之事，掌衛事内大臣一人。鑾儀使，滿洲二人，漢軍一人。初設二人，康熙三十一年裁一人。所屬前後中左右所，分鑾輿、馴馬、擎蓋、弓矢、旌節、旛幢、扇手、斧鉞、戈戟、班劍十司，馴象一所，分東西二司，旗手一衛，分左右二司。皇朝文獻通考

增左所冠軍使，滿洲一人；雲麾使，滿洲三人，漢軍二人；治儀正，滿洲四人，漢軍四人；整儀尉，滿洲二人，漢軍九人；掌輦輅。同上

增右所冠軍使，滿洲一人；雲麾使，滿洲三人，漢軍一人；治儀正，滿洲三人，漢軍三人；整儀尉，滿洲三人；掌繖蓋、儀刀、弓矢、槍、殳戟。同上

增中所冠軍使，滿洲一人；雲麾使，滿洲三人，漢軍一人；治儀正，滿洲三人，漢軍三人；整儀尉，滿洲二人，漢軍二人；掌麾氅、旛幢、纛幟、節鉞、仗馬。同上

增前所冠軍使，滿洲一人；雲麾使，滿洲三人，漢軍一人；治儀正，滿洲三人，漢軍五人；整儀尉，滿洲二人，漢軍二人；掌扇拂、罏盒、盂盤、几椅、星御仗、引仗、櫈薦、靜鞭、品級山。同上

增後所冠軍使，滿洲一人；雲麾使，滿洲三人，漢軍二人；治儀正，滿洲三人，漢軍四人；整儀尉，滿洲二人；掌旗、瓜、吾仗。同上

增馴象所冠軍使，滿洲一人；雲麾使，滿洲三人，漢軍一人；治儀正，滿洲三人，漢軍

二人；整儀尉，滿洲一人，漢軍一人；掌儀象、寶瓶、騎駕鹵簿、鐃歌鼓吹。同上

增旗手衛冠軍使，滿洲一人，漢軍一人；雲麾使，滿洲二人；治儀正，滿洲一人，漢軍一人；整儀尉，滿洲一人，漢軍二人；掌金鉦、鼓角、鐃歌大樂。同上

增陪祀冠軍使，漢軍二人；贊鳴鞭八人。同上

增鑾儀衛主事，滿洲一人；經歷，漢人一人；筆帖式，滿洲七人，漢軍三人。同上

〔臣等謹按〕衛官除授掌鑾儀衛内大臣員闕，由領侍衛府以領侍衛内大臣列名疏請簡授。滿鑾儀使員闕，於冠軍使及一等侍衛内簡選，冠軍使於雲麾使内簡選，雲麾使、治儀正於治儀正、整儀尉内以次簡選。如選不得人，移領侍衛府簡選三旗三等侍衛擬補雲麾使，藍翎侍衛擬補治儀正。整儀尉於滿洲、蒙古世爵及佐領内簡選，均由衛引見補授。漢鑾儀使員闕，由兵部以直省提督、總兵官、本衛漢冠軍使列名疏請補授，冠軍使、雲麾使、治儀正於雲麾使、治儀正、整儀尉内以次簡選，整儀尉於漢軍領催驍騎閒散人内簡選，均由衛引見補授。

增鑾儀衛署在長安右門外，即明錦衣衛舊署。本朝順治二年改爲鑾儀衛，所屬有内外駕庫、鐘樓、鼓樓、馴象所。鑾儀衛册

〔臣等謹按〕鑾儀衛堂額曰恪恭輿衛。前列訓辭曰：輿衛之設，所以尊朝廷、彰國采

也。萬國觀瞻於是乎在，惟練習典章，恪恭將事，始稱厥職。世宗御筆也。

〔又按〕今刑部公署亦相傳爲明錦衣衛故址，殆卽其地而分建二署歟！

增內駕庫在東華門內北向。大門一楹，隨門房六楹，更房一間，東黃瓦大庫五楹，南黃瓦大庫二座，十楹，庫前石碣鐫古今通集庫五字，大堂三楹，小堂三楹，銀庫三楹，辦事房及小庫班房檔房計三十三楹，內貯全分新大駕鹵簿，大禮轎一，法駕步輿一，十六人亮轎一，各樣轎十四，法駕、騎駕、鑾駕共三百七十餘件。鑾儀衛册

增外駕庫在東長安門外，北向。大門三楹，前黃瓦正庫九楹，後黃瓦正庫五楹，前後四廂黃瓦庫四座，每座七楹，土地祠、官廳、廂房、巡更房共九楹。內貯全分舊大駕鹵簿、金輦、玉輦、五輅、轎乘、法駕、騎駕、鑾駕，共八百餘件。同上

增鐘鼓樓在地安門，北爲鐘樓，南爲鼓樓。象房在宣武門內王恭廠之前。同上

〔臣等謹按〕鐘鼓樓詳城市門北城卷內，象房詳南城卷內。

增凡軍尉儀刀、弓矢、殳戟用親軍，豹尾槍仗馬用護軍，蒙古畫角用蒙古鳴角軍。奉輦擎執各校尉，由內府選充者爲旗尉，五城選充者爲民尉。奉輦旗尉一百六十八人，民尉六十人，各執事旗尉二百四十六人，民尉三百二十二人，左右中前後五所民尉計千三百

二十八人，馴象所民尉二百有六人，八旗及漢軍更夫四十人。〔大清會典〕

增凡鹵簿，大祀南郊，陳玉輦，陳大駕鹵簿，奏前部大樂、鐃歌大樂。大祭北郊，乘金輦，陳法駕鹵簿，奏前部大樂、鐃歌大樂。享太廟、社稷不設前部大樂。祭堂子，朝日，夕月，耕耤，饗先農，親饗前代帝王、先師，乘禮輿，仍設玉輦、金輦，餘俱與郊大祀同。〔同上〕

〔臣等謹按〕大祀，皇上親詣行禮，均乘禮輿出宮，至太和門乘輦，祀畢還宮，均備禮輿。又按南郊各祀及大祀北郊，皆先一日陳鹵簿於午門外，駕詣齋宮，鹵簿前導，前部鐃歌大樂均設而不作。禮成回鑾，作前部鐃歌大樂，以金二鳴、鉦三鳴爲作止之節。

增凡朝會御殿，陳法駕鹵簿，奏鐃歌大樂，御樓受俘，陳法駕鹵簿前部大樂於午門下，設金鼓鐃歌大樂於鹵簿之前。巡幸皇城内陳鑾駕鹵簿，時巡省方用騎駕鹵簿，前列鐃歌大樂，恭遇大閱，陳騎駕鹵簿於行宮門外。〔大清會典〕

原錦衣衛在通政司南，經歷司、上下鎮撫司并各所司附焉。〔明一統志〕

原明宣宗錦衣衛箴：自古建國，皆重環衛。爾惟厥官，朝夕廷陛。予所服御，咸爾攸秩。出入先後，以警以蹕。左右駿奔，亦戒不虞。亦有匪人，爾詰爾祛。爾其懋毖，勿縱於私。宜廉宜慎，宜勤宜祇。惟義之遵，惟善之迪。敬恭勿渝，用保終言。〔官箴〕

原錦衣衛，初以鑾儀司改設，後改供衛司，又改爲親軍指揮使司，爲二十二衛禁軍之首，不復隸都督府。至永樂，而任寄漸重，及英、憲兩朝，委以心膂，乃至秋後大廷審録重囚，其堂上官遂得與三法司及各部大臣會讞，而雄峻無可加矣。至世宗南巡江漢，一切前驅使、護蹕使及整搠鹵簿、防護屬軍諸使俱以本衛堂上充之。於是陸炳得於行宮救火，建捧日之勳，兼拜公孤，與進士恩榮宴而極矣。若鎮撫司者，在外各軍衛俱有之，其任本理獄訟，惟錦衣爲重。洪武二十年，太祖聞其拷掠過酷，盡焚刑具，歸其事於刑部，罷廢其官，天下如脱水火。永樂間復設，然不過如外衛止立一司耳。俄又設北鎮撫司，專管詔獄，而以軍匠諸事屬之南鎮撫司，於是北司之名亞於東廠矣。其初，重大事情，一訊之後，即送法司定罪，不具審詞。至成化初，用參語覆奏，而刑官始掣肘矣。然猶未有印也。成化中葉，又添鑄北司印信，一切刑獄不復關白本衛堂官，即堂官所行下者亦徑自具奏請旨，堂官不得與聞。遂與東廠稱表裏衙門，西曹奉行恐後矣。東廠設有旗校，與錦衣同詷機密。然其人俱從本衛撥去，以尤儇巧者充之。彼此偵探，盤結膠固，以故廠衛未有不同心者。然東廠能得之内廷，因輕重上下其手，而外廷間有一二扞格。至本衛則東西兩司房訪緝之，北鎮撫司拷問之，鍛鍊完密，始入司寇之目。即東廠所獲大小不法，亦拿送北司再鞫情由，方得到貫城中。法官非膽力大於身者未易平反也。野獲編

原錦衣一重於紀綱，再重於錢寧，三重於陸炳。其初一禁校耳，其究乃位師保，參綸綍，不亦殆哉！錦衣志

原太保兼少傅者一人，陸炳；太保兼太子太傅一人，朱希孝；太子太傅一人，劉守有；左都督一人，錢寧；右都督一人，陳寅；都督同知一人，余廕。以上皆掌衛督行事官校者也。右都督一人，錢安；都督同知三人，袁天章、孫鈺、楊俊卿。以上同掌衛督捕者也。其他恩廕管事左右都督如麥祥、高恕、黄浦之類，不可勝紀矣。春明夢餘録

原嘉靖中，兵科給事中夏言、御史鄭本公、兵部主事汪文盛等上言：錦衣一衛，額設指揮使一，同知二，僉事三，鎮撫二所千百户各有定員。自正統後，貴妃尚主公侯中貴子弟多寄禄衛中，遞進用事。至正德間，奄官擅權，貴幸子弟以奏帶冒銜錦衣者尤多。今查應革者二千一百九十九員。兵部尚書彭澤覆奏從之。然裁革未幾，濫授如故。至隆慶四年，復汰冒濫官旗一千一百一十五人，而邊功之冒報，内侍之傳奉，勳戚之陳乞，相襲以爲故事。此明政之一蠹也。

同上

原錦衣校衛五所，約八九千人。病逸漫記

原衛有駕差，而廠無之。外省大僚有事犯提問者，旨下錦衣衛差官一二員旗尉二三十名前去提解，而廠役不及。客窗偶談

原錦衣典親軍，其後寄以詷察之柄，體勢日重。然本非尊官也。故雖紀綱、門達、逯杲之寵，然綱、達不過都指揮僉事，杲僅指揮同知而已。堂上官遇駕出，則戎裝帶繡春刀扈從。繡春刀極小，然非上賜則不敢佩。其校尉皆衣濟

蘇，其名仍元舊也。天順及弘治初，門達、袁彬、朱驥等提督緝捕，每至十年，方一類奏，下兵部議陞，多止十人，賞或以布絹鈔錠，無功者撻而斥之。已而有拿獲妖言陞襲一輩之例，於是競貪功賞，肆行羅織矣。春明夢餘錄

原 嘉靖二年十一月，刑科給事中劉濟上言：國家置三法司，專理刑獄。其後乃有錦衣衛、鎮撫司專理詔獄，緝訪於羅織之門，鍛鍊於詔獄之手，裁決於內降之旨，而三法司幾於虛設矣。明世宗實錄

原 錦衣衛職掌鑾儀，明太祖時不司刑名，而校尉官衣與教坊樂工同式，但花色小異耳。衛秩三品，其後掌衛者率皆五府都督，有加宮保者。客窗偶談

原 鎮撫，錦衣屬也，而得專治獄。或上有所怒，特下與緹騎賊曹鉤發者，俱以委鎮撫，獄竟，自上請可否。錦衣志

原 鎮撫有南北二司，南司掌本衛官役俸糧，掌司者必堂上僉事，其列衛者大率多文廕。北司亦有起自文廕世職者，然多由廠衛掌刑陞轉。東廠雖惡，然不能廷辱縉紳，每擋頭打事件，得旨下鎮撫司問，則北司立逮縉紳於獄矣。客窗偶談

原 朝廷設立廠衛，原以緝盜防奸，非以察百官也。今以暗訪之權歸諸廠衛。人非正直，事出冤誣。朝廷既憑廠衛，廠衛復委番役。此輩貪殘，何所不至！非盛世所宜有也。舒司寇奏議

原崇禎四年五月，給事中許國榮疏言：掌廠、掌衛之臣，寄耳目於夥長旗番，通國畏之如虎。止有廠衛緝事之人，而無緝廠衛事之人。彼能顛倒人之是非，而人不敢操其是非。何憚而不恣所欲爲乎？明崇禎疏鈔

原 旗手衛在通政司後。明一統志

原 唐金吾衛屬南衙，即今之錦衣。羽林衛屬北衙，即今之東廠。李輔國置察士數十人，潛令於人間偵察細事，有所追索，諸司無敢拒者。魚朝恩亦於北軍置獄，使坊市少年羅告富室，沒其家貲，則成化間之西廠矣。穀城山房筆麈　以上十七條原在城市門今移改。

〔臣等謹按〕明設錦衣衛，其初但司輿衛而已。一自閹豎攬權，而兵刑之任，掌衛事者咸得專恣，遂失建官初意。我朝定鼎之初，即革除明季弊政。順治二年，改錦衣衛爲鑾儀衛，專司鑾輿儀仗，而以內大臣掌其事。節制嚴而名實稱，誠萬世不易之良法矣。

〔臣等謹按〕以上各條敍鑾儀衞，附原書錦衣衞。

增滿洲八旗，旗各都統一人，副都統二人，掌宣布教養，整詰戎兵，以治旗人。所屬參領五人，副參領五人，掌頒都統、副都統之政令以達於佐領。佐領所治以三百人爲率，人户滋生，則增設佐領。蒙古、漢軍旗同。今以見數計之：鑲黄旗八十五人，正黄旗九十三人，正白旗八十六人，正紅旗七十四人，鑲白旗八十四人，鑲紅旗八十六人，正藍旗八十四人，鑲藍旗八十七人。驍騎校每佐領一人，掌稽所治人户、田宅、兵籍，以時頒其職掌。大清會典

增蒙古八旗，旗各都統一人，副都統二人。所屬參領二人，副參領二人，佐領鑲黄旗二十八人，正黄旗二十四人，正白旗二十九人，正紅旗二十二人，鑲白旗三十一人，鑲紅旗三十二人，正藍旗三十人，鑲藍旗二十五人，驍騎校每佐領一人。以上職掌與滿洲八旗同。上同

增漢軍八旗，旗各都統一人，副都統二人。所屬參領五人，副參領五人，佐領，鑲黄、正黄、正白三旗各四十人，正紅旗二十八人，鑲白旗三十人，鑲紅旗二十九人，正藍旗三十人，鑲藍旗二十九人，驍騎校每佐領一人。以上職掌與滿洲八旗同。上同

〔臣等謹按〕都統、副都統均由兵部疏請補授，滿洲參領由本旗都統列副參領五人，

並移宗人府、領侍衛府簡選宗室侍衛、鎮國將軍以下，奉國將軍以上，咨送列名。蒙古漢軍參領列副參領五人，均引見補授。副參領於印房理事之佐領世爵及應陞各官内引見補授。又按世襲佐領三等：國初各部落長率屬來歸者，曰勳舊佐領；攜挈族里倡義歸誠，或功在旗常，得賜户口者，曰世管佐領；户少丁稀，合編佐領，兩姓三姓迭爲是官者，曰互管佐領。每遇闕出，照例分列正陪引見補授。

增八旗都統衙門，鑲黄旗滿洲都統署在安定門大街交道口，蒙古都統署在北新橋南大街，漢軍都統署在安定門大街。正黄旗滿洲都統署在德勝橋南，蒙古都統署在德勝門大街石虎衚衕，漢軍都統署在西直門丁家井。正白旗滿洲都統署在朝陽門老君堂衚衕，蒙古都統漢軍都統署俱在東四牌樓南報房衚衕。正紅旗滿洲都統署在阜成門錦石坊街，蒙古都統署舊在巡捕廳衚衕，今移水車衚衕，漢軍都統署在宣武門内鷲峯寺街。鑲白旗滿洲都統署在燈市口大街，蒙古都統署在王府大街甘雨衚衕，漢軍都統署在燈草衚衕。鑲紅旗滿洲蒙古漢軍都統署皆在石駙馬大街。正藍旗滿洲蒙古漢軍都統署皆在崇文門内燈市口本司衚衕。鑲藍旗滿洲都統署在華嘉寺衚衕，蒙古都統署在宣武門内西單牌樓太僕寺街，漢軍都統署在堂子衚衕寬街。八旗册

〔臣等謹按〕各旗都統官署，雍正元年始行建立，滿洲蒙古漢軍同一廨宇。厥後漸次

分建，遂爲今制。各署中恭懸堂額曰公忠勤慎。前列訓辭曰：八旗爲國家之根本，時厪朕懷。教必先而率必謹。爾等司統率者，立心則教勉以忠敬，行事則教勉以公勤，居家則教勉以節儉，技勇則教勉以精熟，守定滿洲從來尊君親上醇樸之善俗，永邀上天之眷佑，以成至治之風。豈惟我君臣現蒙其福，我國家萬億斯年子子孫孫長享昇平之道，皆本於此，尚其勉諸！世宗御筆也。

增公中佐領以本旗不兼部務之世爵及一品以下、五品以上文武官内簡選。大清會典

增滿洲、蒙古驍騎校於本佐領下護軍領催内選正陪二人引見，漢軍驍騎校於本佐領下領催内選擬正陪，領催不得其人，於出征効力年久之驍騎内選擬，如本佐領下不得其人，於本旗内選擬，均由本旗都統等引見補用。上同

增凡八旗序次，曰鑲黄，曰正黄，曰正白，爲上三旗。曰正紅，曰鑲白，曰鑲紅，曰正藍，曰鑲藍，爲下五旗。行軍蒐狩，以鑲黄、正白、鑲白、正藍四旗居左爲左翼，正黄、正紅、鑲紅、鑲藍四旗居右爲右翼。官職除授公差踐更，以上下旗爲辨，朝祭班列旗籍界止以左右翼爲辨。上同

增八旗方位，左翼自北而東，自東而南：鑲黄旗在安定門内，正白旗在東直門内，鑲白旗在朝陽門内，正藍旗在崇文門内。右翼自北而西，自西而南：正黄旗在德勝門内，正

紅旗在西直門內，鑲紅旗在阜成門內，鑲藍旗在宣武門內。皆四周星共，以環衛宸居。同上

〔臣等謹按〕我國家以神武開基，龍興之初，建旗辨色，用飭戎行。定鼎以後，即旗色以頒户籍。分田授宅，辨方正位。居則環衛周防，出則折衝禦侮。磐石之固，萬世無疆，誠超越百代矣。

增八旗直班，各有定所，更番宿直。詳見則例。內城九門，安定、德勝、東直、西直、朝陽、阜成、崇文、宣武八門，各按軍士居止方位，八旗滿洲、蒙古、漢軍分直。惟城門領安定門以正藍旗，德勝門以鑲藍旗，東直門以鑲白旗，西直門以鑲紅旗，朝陽門以正白旗，阜成門以正紅旗，崇文門以鑲黄旗，宣武門以正黄旗，正陽門八旗輪直以滿洲、蒙古，九門外舊營房以滿洲、蒙古，新營房以滿洲、蒙古、漢軍。外城七門，鑲黄旗直東便門，正黄旗直西便門，正白旗直廣渠門，正紅旗直廣寧門，鑲白鑲藍二旗直左安門，鑲紅旗直右安門，正藍旗直永定門，均以漢軍。大清會典

增值年旗衙門在地安門外雨兒衚衕，南向。前後四層，共房四十楹。雍正六年，始設，名當月旗，八旗輪流當月。乾隆十六年，奉旨改今名，每歲終，兵部奏派王大臣等司其事。八旗冊

增凡八旗設兵之制，滿洲、蒙古旗每佐領下親軍二人，上三旗隸領侍衛内大臣，下五旗隸宗室王公；前鋒二人，隸前鋒統領；護軍十有七人，隸護軍統領；步軍領催二人，步軍十有八人，隸步軍統領；鳥槍護軍三人，鳥槍驍騎四人，礮驍騎一人，隸火器營，領催五人，驍騎二十人，弓匠一人，鐵匠或鞍匠一人，各隸本旗都統。大清會典

增凡大閲，皇帝躬擐甲胄，御櫜鞬，巡閲軍營，登臺視操。八旗將領簡精鋭，飭器械，集教場結陣，肅聽軍令。上同

增凡操兵，八旗官軍歲以春月分操於本旗教場二次，合操於鑲黄、正黄二旗教場一次。秋月豫奏操期，會八旗諸營大操於仰善窪二次。上同

增漢軍旗藤牌軍，每歲春秋二季均四旗合操二次，八旗合操一次。遇大閲及八旗諸營大操之時，仍守護大礮入陣演習。上同

增凡演試火器，漢軍歲以春二月十六日，秋八月十六日爲始，各演鳥槍四十五日，本翼四旗仍合操二次，春秋各演標準三次。歲由兵部奏演神威將軍等礮，鑲黄旗漢軍都統會八旗列名奏請簡命都統、副都統各二人監視。先期運礮至盧溝橋，樹的以百弓爲率，自九月一日始，每礮日演十出，至一月止。鳥槍營及礮營每三歲一合操。上同

增凡校射，八旗驍騎營以每月上旬四八日，中下旬三八日爲校射之期。都統以下各官親

往閱視。若遇奏事及會議之日，留副都統一人往閱。春秋擐甲冑步射二次，由本旗定期移文兵部，馬射由兵部定期通行八旗，均遣官稽察。同上

〔臣等謹按〕以上各條敍八旗都統。

增 前鋒統領，左右翼各一人，或以王公大臣兼領。掌本翼四旗前鋒之政令。前鋒參領、前鋒侍衛，左右翼各八人，署前鋒參領各四人，掌督率前鋒警蹕宿衛。每翼隨印協理事務前鋒參領、侍衛各一人，前鋒校二人，筆帖式二人。大清會典

〔臣等謹按〕統領由兵部列名奏請簡命，筆帖式由吏部補用外，前鋒參領員闕，於本旗護軍參領、一二等侍衛、宗室將軍、一二等侍衛、前鋒侍衛内遴選六人或七人；前鋒侍衛員闕，以署前鋒參領一人列於前，再於本旗二三等侍衛、護衛、副護軍參領、前鋒校内遴選五人或六人；署前鋒參領員闕，於本翼前鋒校内遴選正陪；前鋒校員闕，於本旗鳥槍什長、隊長内遴選正陪，若闕多人少，於前鋒内每闕遴選四人或五人，均由統領引見補授；協理事務前鋒參領侍衛員闕，於本翼前鋒參領侍衛内各遴選正陪引見補授；隨印前鋒校闕，於本翼前鋒校内選委；前鋒鳥槍什長闕，於本旗隊長，隊長闕，於本旗前鋒各遴選充補。

增 左翼前鋒統領衙門在燈市口本司衚衕内，共房十九楹。八旗冊

增右翼前鋒統領衙門在阜成門内巡捕廳衚衕，共房二十一楹。上同

增凡營制，鑲黄、正白、鑲白、正藍爲左翼，正黄、正紅、鑲紅、鑲藍爲右翼。前鋒校左右翼各四十八人，每旗十有二人爲一隊，鳥槍什長左右翼各二十四人，隊長如之。前鋒，八旗、滿洲、蒙古每佐領二人。本旗教場操演步射月六次，騎射歲二次或四次，三年考驗一次。又於左右翼内各分前鋒之半兼習鳥槍，月演十次，均由統領督率參衛校長如法訓練，以定黜陟。上同

增凡拔補前鋒，由統領會本旗護軍統領於護軍驍騎、執事人、養育兵、閒散壯丁内遴選補用。大清會典

增凡兩翼前鋒統領，遇一人奉差外出者，即以未出差之人兼攝，如二人均差，奏請簡署。上同

增凡卡倫，距御營一二里外安設，立前鋒旗二以爲門户，左右以次列帳。日則瞭望，夜則守衛，以前鋒參領前鋒侍衛共八人，前鋒校前鋒共百二十人董其役。犯卡倫者，坐以軍法。上同

〔臣等謹按〕以上各條敍前鋒統領。

增護軍統領每旗一人，掌護軍之政令。護軍參領每旗滿洲十人，蒙古四人，内司鑰長署

司鑰長各一人，副護軍參領如參領之數，護軍校署護軍參領每旗七人，隨印協理事務護軍參領副護軍參領各一人，護軍校各二人，筆帖式各二人，門筆帖式鑲黄、正黄、正白三旗各十人，護軍校八旗，滿洲、蒙古每佐領各一人，護軍每佐領各十有七人。大清會典

〔臣等謹按〕統領由兵部列名奏請簡用，筆帖式咨吏部考取補用外，協理事務參領員闕，於護軍參領内，司鑰長署司鑰長員闕，於護軍前鋒鳥槍參領内，護軍參領員闕，於本旗驍騎參領、冠軍、雲麾使、一二等侍衛、護衛、前鋒侍衛、副護軍參領、宗室一二等侍衛、鎮國輔國等將軍、子、男、輕車都尉等官内選六人或七人，副護軍參領員闕，以署護軍參領一人列於前，再於本旗副驍騎參領、雲麾使、治儀正、二三等侍衛、護衛、宗室二三等侍衛、奉國、奉恩將軍、佐領、騎都尉、雲騎尉等官内選二人，並於護軍校内選一人，署護軍參領員闕，於本旗護軍校内均由該統領會本翼四旗統領遴選正陪引見補授。護軍校員闕，於本佐領下前鋒親軍護軍領催及食四兩餉銀之執事人内遴選二人，擬定正陪，由該旗統領會同本翼四旗統領引見補授。

增鑲黄旗護軍統領署在東直門内金太監寺衚衕，正黄旗護軍統領署在西直門内崇元觀後寬街，正白旗護軍統領署在東四牌樓十條衚衕，正紅旗護軍統領署在西四牌樓臭皮衚

衚，鑲白旗護軍統領署在朝陽門内騾市衚衕，鑲紅旗護軍統領署在西單牌樓報子街，正藍旗護軍統領署在崇文門内乾麪衚衕，鑲藍旗護軍統領署在屯絹衚衕。八旗冊

（臣等謹按）護軍統領署向分左右四旗爲二區，今每旗各立一署，於辦公爲尤便云。

增凡拔補護軍，由該統領會同本旗都統於本佐領下驍騎、執事人、養育兵、步軍、閒散壯丁内遴選善於國語、弓馬嫻熟、人材壯健者補用。大清會典

增凡訓練，月以初二、初六、十一、十六、二十一、二十六等日步射六次，歲以春秋擐甲冑騎射各一次或二次，三年考驗一次，均由統領督率參校軍士如法訓練，以嚴黜陟。同上

（臣等謹按）以上各條敍護軍統領。

增十五善射，王公大臣官員等共四十五闕，拜唐阿兵丁等共一百二十闕，善騎射二十闕，善射鵠帶翎者六闕，餘無定額。大清會典

增善撲、善强弓處左右兩翼翼領六員，筆帖式六員，善撲二百名，善强弓五十名，騙馬人五十名，教習十六名。同上

（臣等謹按）十五善射、善騎射、善射鵠、善撲、善强弓諸處俱無專署，特派王公大臣管理。

增圓明園總統無定員，掌翊衛之政令。營總八人，護軍參領八人，副護軍參領十六人，署護軍參領三十二人，護軍校、副護軍校各一百二十八人，護軍三千六百七十二人，養育兵四百八十人。大清會典

〔臣等謹按〕圓明園總統員闕，由本處奏請特簡。營總員闕於本營護軍參領及京中護軍參領內由總統遴選擬正陪引見補授，其護軍參領、副護軍參領、署護軍參領、護軍校以次遴選引見亦如之。至副護軍校筆帖式於護軍內遴選，護軍於養育兵、閒散壯丁內遴選，均由總統考驗拔補。

增圓明園八旗護軍營房八處，分旗駐劄。大清會典

增鑲黃旗營房在樹村西，護軍參領等廨舍共六十有五楹，護軍校、護軍等官房共一千四百八十五楹。正黃旗營房在蕭家河北，護軍參領等廨舍共六十五楹，護軍校、護軍等官房共一千四百八十五楹。正白旗營房在樹村東，護軍參領等廨舍共六十五楹，護軍校、護軍等官房共一千四百六十四楹。鑲白旗大營房在長春園東北，副護軍參領等廨舍共三十九楹，護軍校、護軍等官房共一千一百六十七楹。小營房在長春園東，護軍參領等廨舍共二十六楹，護軍校、護軍等官房共三百一十五楹。正藍旗營房在海甸東，護軍參領等廨舍共六十五楹，護軍校、護軍等官房共一千四百五十五楹。鑲藍旗營房在廣仁宮西，

護軍參領等廨舍共六十五楹，護軍校、護軍等官房共一千四百八十五楹。正紅旗營房在安河橋西北，護軍參領等廨舍共六十五楹，護軍校、護軍等官房共一千四百六十七楹。鑲紅旗營房在靜明園東北，護軍參領等廨舍共六十五楹，護軍校、護軍等官房共一千四百八十五楹。八旗冊

增內務府包衣三旗營房在陳府村東，護軍參領等廨舍共九十六楹，護軍校、護軍等官房共四百有八楹。其總管八旗及三旗護軍印房在圓明園前紅橋河側。上同

增圓明園設堆鋪七十有六，日以營總、護軍參領各二人，副護軍參領、署護軍參領十五人，護軍校、護軍七百六十人守衛。大清會典

增長春園設堆鋪二十，日以護軍參領一人，副護軍參領、署護軍參領四人，護軍校、護軍二百人守衛。上同

增清漪園設堆鋪六，日以副護軍參領或署護軍參領一人、護軍校護軍六十人守衛。上同

增靜宜園設堆鋪五十有一，日以營總二人、護軍參領一人。副護軍參領、署護軍參領十三人，護軍校、護軍五百十人守衛。上同

增暢春園設堆鋪十有九，日以營總一人，副護軍參領、署護軍參領五人，護軍校、護軍一百九十人守衛。恭遇車駕行幸，官軍沿途清蹕，隨時酌委。上同

增凡訓練步射、騎射、鳥槍、步獵及軍政考驗，均與八旗護軍營同。又於八旗營房内各設學舍，以繙繹生員六人充教習，分教八旗肄業子弟。同上

〔臣等謹按〕以上各條敍圓明園總統。

增嚮導總統以前鋒統領、護軍統領、八旗副都統兼理，於八旗前鋒營、護軍營内選參領侍衛四人，前鋒校、護軍校、前鋒護軍六人佐之。恭遇時巡省方，以嚮導總統一人先期率官校詣車駕經行之地，周覽山川，通橋梁，夷險隘，計程入告。駕行，佩櫜鞬前導。既駐蹕，以次日程途及駐蹕之所奏交行在兵部，曉諭闔營。回鑾亦如之。駐蹕御營及頓營看城，均由嚮導總統先期指示，飭所在有司修築營盤。大清會典

〔臣等謹按〕嚮導官無定員，亦無專署。

欽定日下舊聞考卷七十三

官署

增提督九門巡捕三營步軍統領一人，掌管門禁鎖鑰，統率八旗步軍三營將備，以肅清輦轂。協理刑名部臣一人，掌參酌刑律。所屬文職十有七人，武職六百六十人。員外郎二人，主事二人，掌句檢旗營簿書；司務一人，掌稽察簿書兼理俸餉；筆帖式十有二人，掌文移翻譯。大清會典

〔臣等謹按〕凡本屬員外郎員闕，咨吏部轉行各部院遴選主事移送，與本衙門主事選擬正陪，由統領引見補授。主事由司務、筆帖式內簡選，亦如之。司務於筆帖式內選擬正陪，咨送吏部，筆帖式咨吏部行各部院保送。筆帖式簡選擬調，由吏部引見補用。

增步軍統領衙門在地安門外顯佑宮之右，廨舍共一百四十二楹。步軍統領衙門册

〔臣等謹按〕步軍統領，康熙十三年始行設立，無專署。雍正十二年，以宣武門内京

畿道衙衕内務府官房爲之。乾隆二十一年，管步軍統領事傅恒以衙署偏在西南，奏請與地安門外帽兒衚衕禮部會同館互易。奉旨允行。堂上恭懸額曰風清輦轂。前列訓辭曰：輦轂之間，兵民雜處，必寬嚴互用，禁暴戢民，然後九陌風清，四民和會。世宗御筆也。

增左右翼步軍翼尉各一人，八旗步軍協尉、副尉各二十四人，掌董率守衛，巡警掃除。步軍尉每旗滿洲二十四人，蒙古、漢軍各九人；委署步軍尉每旗滿洲各五人，蒙古、漢軍各二人；掌分汛警夜，清道詰姦。捕盗步軍尉滿洲每旗各三人，蒙古、漢軍每旗各一人，緝捕盗賊，稽察姦宄。領催二千三十一人，步軍萬七千八百四十七人。大清會典

〔臣等謹按〕步軍翼尉，會該翼滿洲都統、護軍統領各選驍騎參領、護軍參領一人引見補授。協尉於該旗城門領副尉、步軍尉内選擬，如步軍營不得其人，會同該旗都統於男以下、騎都尉以上世爵内選擬正陪。副尉，於該旗步軍尉等官内選擬。步軍尉，會該旗都統於委署步軍尉、雲騎尉、前鋒護軍驍騎諸校、城門吏、隨旗行走之五六七八品官及調旗部員内選擬正陪。委署步軍尉，會同該旗都統於雲騎尉、護軍驍騎諸校及隨旗行走之五六七八品官内選擬。均引見補授。捕盗步軍尉於該旗步軍尉内遴委。

增城門領，内九門每門二人，外七門每門一人。城門吏同。門千總，内外門每門均二人，掌嚴啓閉出入，以稽詐僞。大清會典

〔臣等謹按〕城門領，内九門以八旗滿洲，外七門以八旗漢軍，均於該旗步軍副尉、步軍尉内選擬；步軍營無可陞授者，會該旗於騎都尉、雲騎尉内選擬正陪。城門吏由該旗都統於前鋒護軍領催驍騎内選擬。均引見補授。門千總，移咨兵部銓補。

增凡京師營房在皇城内者，八旗滿洲步軍宿衛之處九十所。内城九門各設巡房，左翼三百二十七所，右翼二百九十九所，分隸八旗滿洲、蒙古、漢軍，門内皆令循環巡警，附城列屋三千六百十有六，每旗各撥滿洲、蒙古、漢軍官兵挈眷駐防。並於城門外各設巡房八間，卽令駐防官兵分班守衛。外城七門設馬步兵巡房三百四十二所，分隸巡捕三營巡守。步軍統領衙門册

增内外城門各設班房、更房，内城百有五楹，外城八十楹。城上各設戍守望，内城八十四所，外城四十三所。同上

增信礮總管一人，五品官八旗各一人，掌監守白塔信礮。同上

〔臣等謹按〕監守信礮總管，由八旗直年都統等以八旗三四品世爵及監守信礮官内簡選十人引見補授。監守信礮五品官，該旗都統於騎都尉、雲騎尉、護軍驍騎校及六

七八品官內擬正陪，引見補授。

增中、南、北三營參將各一人，游擊各一人，掌訓練弁兵，分駐巡緝。守備十有九人，千總十有五人，把總三十人，掌分守營汛，緝捕姦匪。外委千總十有五人，外委把總二十六人，分汛協防，隨營差委。馬兵千四百四十人，步兵三千五百六十人。大清會典

〔臣等謹按〕巡捕三營參將、游擊、守備以次陞補，均簡選引見補授。千總以把總選補，把總以外委千把總及馬兵並發營補用之人拔補。外委千把總皆循次拔補。

增中營參將分駐崇文門外抽分廠，中營游擊分駐正陽門外猪市口。西南一守備署在宣武門外棉花頭條衚衕，東南二守備署在崇文門外上三條衚衕，外正東守備署在朝陽門外大街，外東南守備署在廣渠門外關廂大街，外正南守備署在永定門外，海子牆守備署在左安門外黄家莊。步軍統領衙門册

增南營參將分駐海甸，南營游擊分駐宣武門外菜市口。東南一守備署在正陽門外東小市，西南二守備署在廣寧門內牛街，外南一守備署在西直門外西關，外南二守備署在右安門外關廂，外南三守備署在廣寧門外大街。暢春園守備署在海甸莊，圓明園守備署在掛甲屯西衚衕，圓明園千總署在水磨地方，圓明園樹村守備署在樹村南，把總署在甕山東北。静宜園守備署在香山買賣街，千總署在四王府，把總署在小屯村。同上

增北營參將分駐宣武門外大關。北營游擊分駐安定門外大關。內北東守備署在正陽門外東河沿，內北西守備署在宣武門外鐵廠，外東北守備署在東直門外大街，外西北守備署在德勝門外大關，外西一守備署在朝陽門外雞市口頭條衚衕。同上

〔臣等謹按〕乾隆四十六年以前三營弁兵廨舍之制如此。

增乾隆四十六年奉上諭：京師輦轂重地，向來步軍統領所管營務，止分中、南、北三營，地方本屬廣闊。又西北昆明湖一帶離城較遠，稽查巡緝，更覺耳目難周。所有從前額設官兵不敷派撥，且營制亦有參差未協之處。其應如何添設兵丁，酌定營汛，並管兵員弁及一切事宜，著步軍統領衙門會同各該部詳悉妥議具奏。上諭簿

增京城南、北、左、右，分設四營以合方位。圓明園爲聖駕每年駐蹕之處，列爲巡捕營之首。原爲南營，今改爲中營，共爲中、南、北、左、右五營。兵部冊

〔臣等謹按〕中、南、北、左、右五營，每營各設參將一員，游擊一員，都司一員。中營管轄園庭，增設副將一員。其營汛之制，中營五汛，南營六汛，餘三營各轄四汛，每汛千總二員，把總四員，經制外委六員，額外外委三員。

增中營副將分駐海甸，游擊分駐四王府，都司分駐圓明園汛。其暢春園、樹村、香山三汛仍舊。樂善園汛管轄西直門外及長河萬壽街諸處。兵部冊

增南營參將分駐崇文門外，游擊分駐菜市口，其珠市口西南一汛以都司分駐，餘仍舊。上同

增北營四汛，所轄以德勝、安定、東直、朝陽門外石路北界爲限。參將署在德勝門，游擊署仍舊，其德勝門守備改爲都司，餘三門俱以守備管轄。上同

增左營四汛，所轄自朝陽門石道之南至東便、廣渠、左安、永定門以東。參將分駐朝陽門，游擊分駐東便門，都司分駐左安門外，其朝陽、東便、廣渠三門仍各設守備管轄。上同

增右營四汛，所轄自阜成門以南至西便、廣寧、右安、永定門以西。參將分駐阜成門，游擊分駐廣寧門，都司分駐右安門外，其阜成、西便、廣寧三門仍各設守備管轄。上同

〔臣等謹按〕以上各條敍步軍統領。

增火器營總統六人，以王、公、領侍衛内大臣、都統、前鋒護軍各統領兼任。掌教演火器之政令。八旗鳥槍護軍參領十有六人，鳥槍驍騎參領二十四人，管鳥槍散秩官五十六人，管礮散秩官四十人，鳥槍護軍校、鳥槍驍騎校各一百十有二人，管礮驍騎校四十人，八旗滿洲、蒙古每佐領下鳥槍護軍三人，鳥槍驍騎四人，礮驍騎一人。以上鳥槍護軍參領爲該營專設官，餘均以八旗滿洲、蒙古官兵兼任。大清會典

〔臣等謹按〕乾隆三十五年奏准，礮手馬甲歸併火器營操演，礮房俱隸火器營管理。

增火器營衙門在東四牌樓西。火器營册

增凡訓練，歲於七月十七日始，遇閏七月，即於閏七月十七日爲始。至次年四月十八日止。封印日至開印日暫停。月以初四、初九、十四、十九、二十四、二十九等六日演礮，初二、初七、十二、十七、二十二、二十七等六日演鳥槍，初六、十六、二十六等三日校射，春秋會操於安定門外教場，大操日隨大隊列陣合操於仰善窪。每年秋後，奏請於盧溝橋演放子母礮，得旨率官軍前往盧溝橋演放十日，開演日祭礮儀節均與漢軍同。大清會典

增左翼鑲黄、正白、鑲白、正藍四旗礮廠在東直門北新橋東教場，康熙二十四年工部修建。八旗册

增右翼正黄、正紅兩旗礮廠在西直門内樺皮廠，康熙四十六年移建。鑲紅、鑲藍兩旗礮廠在宣武門内城隍廟北。同上

增八旗火藥廠舊在德勝、安定二門外，康熙三十一年，奏明移貯濯靈廠及各門城上收貯。同上

增外火器營房在長河西岸藍靛廠後，官廨一千二十四楹，官廳義學等房六十楹，礮甲連房六千三十八楹，圍牆大門樓四座，看牆八道，周圍門樓三千一百七十六座，虎皮石院牆長二萬七丈有奇，曲尺牆三千一百四十座，外圍大牆長一千一百六十六丈有奇，隨門

平橋四座，牆脚下洩水溝二十五道，護牆河長一千一百八十餘丈有奇，鑿井十六，建水房十六楹，其西門外建翼長廨舍一所。乾隆三十五年奉旨創建，撥八旗滿洲火器營官員兵丁駐此。同上

增外火器營西門之西設立大教場，爲八旗合操之地。建演武廳一座五楹，抱廈三楹，配殿六楹，看守房四楹，大門樓一座，隨牆門二，虎皮石圍牆長三十八丈四尺有奇。廳前月臺三出陛，以備合操時聖駕臨閱。乾隆三十九年，又於火器營南門外藍靛廠後設小教場，以爲兵士早晚較射之地。同上

〔臣等謹按〕火器營官署向止城内東四牌樓一處，至操演訓練，俱會於安定門外教場。乾隆三十五年，上命於長河西岸另立教場，爲外火器營，並建蓋營房，撥本營八旗滿洲弁兵移駐，俾羣聚環居，便於演習。仰見我皇上訓練士卒之心至周且密矣。

〔臣等謹按〕以上各條敍火器營。

增健鋭營總統，無定員，以公侯大臣兼任。翼領二人，前鋒參領八人，副前鋒參領八人，署前鋒參領十有六人，前鋒校五十人，副前鋒校四十人，什長五十人，筆帖式四人，前鋒千人，副校、什長、筆帖式均在內。委前鋒二人，習雲梯、馬步射、鳥槍、馳馬、躍馬、舞鞭、舞刀、水戰、駕

船、馭風之技，翼領督率所屬隨時訓練。大清會典

〔臣等謹按〕水師習戰於昆明湖，而轄於香山健鋭營。

〔又按〕凡翼領員闕，於前鋒參領内由總統遴選，擬定正陪，引見補授。其前鋒參領、副前鋒參領、署前鋒參領、前鋒校、副前鋒校，以次陞補，亦如之。至副前鋒校員闕，於筆帖式、什長内選補。什長、筆帖式、前鋒、委前鋒，以次拔補，亦如之。委前鋒闕，於養育兵、閒散壯丁及八旗驍騎、養育兵内拔補。養育兵闕，於壯丁内拔補。

增 健鋭營衙門在静宜園東南，圍牆四角有碉樓四座，共房二十二楹。皇上閲兵演武廳一座，後有看城及東西朝房、放馬黄城。健鋭營册

〔臣等謹按〕演武廳，乾隆十四年奉勅建立，爲健鋭雲梯營肄武之地。廳内恭懸御書聯曰：選士勵無前，遠宣偉績；練軍垂有久，永視成規。圓城南門石額曰威宣壁壘，北門石額曰志喻金湯。皆御書。北樓上及廳南碑亭皆恭勒乾隆十四年御製實勝寺記，恭載入郊坰門實勝寺條内。土城門五，内設碉樓七處，西城樓門一。

增 健鋭營官兵營房在静宜園之左右翼，共三千五百三十二楹，碉樓六十八所。健鋭營册

增 乾隆十五年御製賜健鋭雲梯營軍士食卽席得句有序 朕於實勝寺旁造室廬，以居雲梯軍

士，命之曰健鋭雲梯營，室成居定。茲臨香山之便，因賜以食。是營皆去歲金川成功之旅，適金川降虜及臨陣俘番習工築者數人，令附居營側。是日并列衆末，俾預惠焉。猶憶前冬月，雲梯始習諸。功成事師古，戈止衆寧居。實勝招提側，華筵快霽初。餕餘何必惜？可以逮豚魚。

增乾隆三十二年御製閱武詩　健鋭練精旅，香山聚隊居。知方素嘉爾，閱武便臨予。所尚赳桓實，寧誇聲勢虛？展伸佈行雁，偏伍列麗魚。撫壯誠欣矣，問勞尚憫如。藉茲成偉績，（前此平定回部時，健鋭營士卒所至奮勇先登，屢奏攻堅陷陣之捷，遂成大功。）耆定可忘諸？

增乾隆三十四年御製閱武詩　自葺實勝寺，爰居健鋭營。鋪敦恒藉是，開拓竟因成。緬甸何無賴？王師斯有征。重臣奉命討，耆定貴先聲。

增乾隆三十七年御製閱武詩　八旗子弟兵，健鋭此居營。聚處（上聲）。無他誘，（初建健鋭營於此，掄八旗勇壯之士居之。以其地離京城遠，無習俗外誘，而列營聚處，技易精勤。平定西陲時用之，頗著成效。）勤操自致精。一時看斫陣，異日待干城。亦已收明效，西師頗著名。

〔臣等謹按〕以上各條敍健鋭營。

增三旗虎槍營總統一人，（以公侯領侍衛內大臣簡任。）總領六人，（以內大臣、都統、前鋒護軍統領、副都統、侍衛參領簡補。）三旗虎槍六百人，旗各二百人，（于侍衛參領親軍、前鋒護軍驍騎校親軍、前鋒護軍領催驍騎及閑散人內選用。）虎槍長旗各七人，副長七人。（于虎槍人內簡選引見補授。）恭遇車駕巡狩，虎槍總統總領日以十人佩虎槍，於前導侍衛前行安營，後偵虎豹，出入備仗弩箭犂刀。行田遇大獸，則列槍從之。奉旨殺虎，或追蹤、或尋山，得實具奏。有旨，則殺虎以獻，以首先刺虎一二人名奏聞。如差往畿輔近地或於口外殺虎，量地方遠近，奏請簡總統或總領酌帶虎槍人前往，選八旗善騎射者旗各參領二人，前鋒護軍校二人，前鋒護軍十有八人，共一百六十人，行田時於蒙古圍後列隊隨行，獸有逸出圍外者，馳騁射獵，以厲士氣，以整軍容。大清會典

〔臣等謹按〕虎槍營總統、總領等官皆御前侍衛大臣等兼攝之，無定員，亦無專署也。

原 正統七年，建王府於大明門之右，遂營武成王廟於後軍都督府。明英宗實録

原 五軍都督府在闕之西，皆東向。春明夢餘録 以上二條原在城市門，今移改。

〔臣等謹按〕五軍都督府久廢。考明史，五軍都督掌理軍政。所謂五軍者，中軍、左掖、右掖、左哨、右哨也。明初兵制亦有可觀，厥後更變不一，日就廢弛。正、嘉、天、崇之間，提督武臣或用世胄紈袴，或用閹豎專制，未嫻軍旅，惟務因循。平時則空名支餉，臨事則束手無能。此固立法之未精，亦由用人之不當也。今以五軍都督府各條附之卷末，以考其得失，益可見我朝兵制精詳，小大相維，奇正互

應，八旗勁旅，整肅謹嚴，翊衛無疆，信足立極萬世矣。

原皇城東燈市大街，嘉靖二十九年立戎政府。統以勳臣一員，曰總督京營戎政，佐以文臣一員，曰協理京城戎政。營制有三，中曰五軍，東曰神樞，西曰神機。五軍營析爲營十六，神樞營析爲營十，神機營析爲營九，凡三十五營，聯之則三大營，又聯之則總曰戎政府。崇禎十六年八月，以襄城伯李國楨總督京營戎政。國楨請上御書營額，上爲親書共武堂賜之。春明夢餘録

原宣德六年正月朔，以纂修兩朝實録成，賜監修總裁、纂修等官太師英國公張輔等宴於行在中軍都督府。館閣類録　以上二條原在城市門，今移改。

原五軍營卽團營，景泰初年建立於安定、德勝兩關外之中。嘉靖二十九年罷團營，始更於此。南面建閱武門。閱武門起，至北土城止，長一千七百四十二步，設將臺一座，前設旗臺二座，石榜牌一座，鼓棚二座，石旗架二座，演武廳一座。

春明夢餘録

原神樞營卽舊五軍營。永樂初年建立於德勝關外之西。舊神機營在新立神機營之西。嘉靖二十九年罷團營，將五軍營更團營，以神機營更舊五軍營，而神機舊營竟廢。同上

原天順八年三月，會昌侯孫繼宗、兵部尚書馬昂議將五軍三千神機三大營原選馬步官軍十一萬九百餘，選足十二萬，分十二營，上然之。遂立奮武、耀武、練武、顯武、敢勇、果勇、鼓勇、効勇、立威、伸威、揚威、振威十二營名，以内臣十二員監

槍。明英宗實録

原成化三年四月，設十二營坐營官，

以平江伯陳鋭等爲之。明憲宗實録

原成化十年八月，英國公張懋上言：五軍營舊教場在德勝門外，初以狹不容衆，而三千營兵少，教場廣，因而易之，復立十二營，又以大教場移與團營，而五軍營暫就錦衣衛教場，愈狹不能容。今觀三千營兵終少，宜就錦衣衛教場，仍以舊教場還五軍營

爲宜。允之。同上

原京營之制，國初止有五軍營。五軍者，中軍、左掖、右掖、左哨、右哨也。此外有曰大營，曰圍子手，曰幼官舍人營，曰十二營，皆五軍營之支分。每營各有坐營把總官，多寡不等。永樂初，始以龍旗寶纛下三千小達子立三千營，内有坐營、管操、正直、披明甲等官。又有隨侍營，則三千營之支分也。亦有坐營官以統之。神機營永樂中征交阯，得其神機火箭之法，因立是營。亦有中軍左右掖左右哨，各有坐營把司把牌官。又有曰五千下者，永樂中得都督譚廣馬五千匹，今所謂譚家馬者卽此，别有坐營把總官統之。此則神機營之支分也。已上舊名三大營。至成化初年，以言者議選取三大營精兵設立團營十二，曰奮武，曰耀武，曰練武，曰顯武，曰敢勇，曰果勇，曰效勇，曰

鼓勇，曰立威，曰伸威，曰揚威，曰振威，每營各有坐營把總官統之。每遇出征，即量調而行。三大營所存無幾，名曰老家兒。專備營造差撥等用，十二團營精兵在京各衛并在外各都司所屬及南北兩直隸衛所共二十五萬，分爲春秋二班，團操聽調，此京營制度之大略也。菽園雜記

原明興，兵制有五軍營，五軍營變而爲三大營，三大營又變而爲團營，團營敝而戎政府之名始立矣。其沿革之由，盛衰之故，大概可考焉。五軍營者，高皇帝所定也。籍留守等四十八衛之衆而訓練之，有中軍，有左哨、右哨、左掖、右掖，總之曰五軍。無事則戒弓馬，習技擊，環衛都城。有事則簡師命率，分統以出，事已而休，制至善也。文皇帝時仍五府之舊，增七十二衛，又以龍旗寶纛等物下三千獵騎立三千營。後征交阯，得神鎗火箭之法，立神機營。是爲三大營。訓練如高皇帝時。而河南、山東、大寧、中都四都司之軍又歲以班操春秋番練，如三大營，益詳備矣。洪宣之世，海宇昇平，兵革不試，將媮士窳，日以廢壞。至於正統，嬉恬益甚，京營之兵至不能受甲。此己巳之變所由興也。于肅愍逢多難之秋，深惟良策，乃於三大營中拔其驍鋭，分爲十營，營萬人。其統之之官，則隊長統五十人，隊官統百人，把總統千人，都指揮統五千人。訓練之方，則有八陳，八陳分而爲六十四陳，纖微委曲，咸有條理。雖未能盡如祖宗之舊，要以救弊舉廢振弱爲强，斯亦有足觀者。天順初年，務反景泰之所爲，遂革團營，八年而復，成化初再革，二年而復，又增爲十二營，營萬人。京兵八萬，益以外兵八萬，分兩班隸之，期年一報代。初，十二營之選也，其任者名曰選餘，不任者歸本營，名曰老家。老家固已孱弱，而所謂選餘者，歲久浸失其初，供役於私門，掊克於主帥，上下相蒙，歲月無事，愈益脆弱，與老家何異？庚戌之役，無能加一矢者。都門晝閉，烽燧燭天，肅皇帝震怒，責令廷臣博謀所以强兵之略。諸臣乃請復三大營，改三千爲神樞，統以勳臣，督以樞臣，巡以臺臣省臣，其大指俱如洪、永時，而規制爲備。上是其議，著爲令。及今數十年，其弊又有甚于曩日者。蒼霞草　以上九條，原在郊坰門，今移改。

增三大營官軍先年俱在五軍營操練，萬曆二十年，郭士吉等題准分三營操練，至合操仍歸五軍營。凡車兵輪演日期，亦赴五軍營，以軍就車耳。三大營官軍選鋒除弓矢各隨帶外，其一應軍火器具俱安置於安定、德勝二處京營局，遇操日赴局領用。春明夢餘録

原三大營者，曰五軍，曰神樞，曰神機。領之者，總督、提督、協理，外有四衛營，以龍驤左、龍驤右、武驤左、武驤右四衛官軍充之，爲天子禁旅。以御馬監掌印太監爲提督。後曹化淳領之，改名勇衛營。以黄得功、周遇吉爲將，練爲戰兵。又有巡捕營，專司捕盜，以五府帶俸都督爲提督，後添設内臣一員，名内提督。及王之俊爲之，亦練爲戰兵，改名練捕營。襄城伯李國楨請選京衛幼官應襲舍人六千充護衛，名選練營。總計京營兵不下數十萬，而可用者獨勇衛營而已。明遺録　原在郊坰門，今移改。

原明宣宗都督府箴　天命太祖，興自武功。海宇既寧，武備實崇。皇祖皇考，敬繩祖武。兵戎之政，總以督府。朕嗣大統，祇率舊章。居安慮危，夙夜不忘。惟昔帝王，咸奮武衛。靖亂保民，安内攘外。凡今兵衛，布在四方。總制於中，有維有綱。惟是樞機，爾司其柄。宜敬念之，以修其政。將有才智，士有勇鋭。部伍有訓，儲峙有備。除治戎器，豫戒不虞。政修兵堅，誰敢侮予？爾敬念之，毋忽毋怠。必壯其猷，以輔予治。官箴

補鄒德溥京營戎政府題名記　國朝業以錦衣諸衛衛宫禁矣，而京營之設獨主巡徼，彷彿漢南北軍相制。而所謂班換兵，取諸山東、河南、中都，又仿漢調三輔之規焉。然高皇帝故以衛兵分隸五府，獨有五軍營爾。自文皇帝聚兵北伐，歸而結營團操，始設三大營，曰五軍，曰三千，曰神機營，以勳臣二人提督之，而不爲開府置篆也。當此之時，蓋有勝兵四十萬，稱最勁焉。陵遲至於己巳之變，營務弛矣。於是于肅愍更簡驍鋭十五萬，分爲十營而訓練之，命曰團營，而其餘者爲老家營，蓋一變矣。當時仍用勳臣提督，涖以大司馬，其後益團營爲十二，而提督如故。正德初，至用中貴人參之，號曰監槍，而戎務滋窳焉。嘉靖中乃設東西官廳，簡驍鋭六千人爲聽征，又一變也。蓋自三大營選兵爲團營，團營選兵爲東西廳，有東西廳而團營又與老家軍等矣，則積弊耗之漸也。肅皇帝深懲庚戌之變，詔撤中貴人，盡罷提督東西廳，復設三大營爲神樞，并舊五軍神機爲三。特設提督勳臣一人爲大將，又命文臣一人協理之。則今所謂戎政府也。蓋擧十餘萬衆而統於一，自開國以來，兵權未有若斯之重已。顧趙文貞上言：兵權獨主，强者挾之可虞，弱者引嫌而不敢振，非强兵固國之術。則請倣祖宗分府意，錯置五營，各擇一將董治之，而大臣以時巡覈校閲焉。乃行之三日，見謂號令不一，而復議專統，豈分合於時固各有當歟？抑自有要領在而不係乎制之分合歟？臨淮侯李公言恭、少司馬辛公應乾籍録前任人姓氏，勒之石而屬予記營制興革之略焉。夫訏謨竭智，爲國揚武，壯士之概也。精白一心，捍衛王家，藎臣之軌也。執節壯猷，以功德自垂不朽，哲人之致也。繼斯任者，觀於是碑，亦可以悠然興矣。吉州人文紀略　原在城市門，今移改。

〔臣等謹按〕以上各條附原書五軍三營團營及戎政府。

欽定日下舊聞考卷七十四

國朝苑囿 南苑一

〔臣等謹按〕苑囿之設，所以循覽郊原，節宣氣序。仰惟開國以來，若南苑則自世祖肇加修葺，用備蒐狩。而暢春園創自聖祖，圓明園啓自世宗，實爲勤政勑幾劭農觀稼之所。皇上紹庭繼述，每歲恭值駕幸圓明園，凡涖官治事，一如内朝，晷刻靡間。其旁近園居若清漪、静明、静宜諸園，規制樸略，以備歲時觀省。恭誦宸章，惟以民依物候、雨暘農穀爲務。今謹依次釐卷編録。至朱彝尊原書如南海子、高梁橋、甕山、西湖、玉泉山、香山諸地，皆載郊坰門，今爲摘敍，分附於國朝苑囿各條後，使有原委可證焉。

南海子在都城南二十里。幾輔通志

〔臣等謹按〕南海子卽南苑，在永定門外。元時爲飛放泊，明永樂時復增廣其地，周垣百二十里。我朝因之，設海户一千六百，人各給地二十四畝。春蒐冬狩，以時講武。恭遇大閱，則肅陳兵旅於此。

聖祖御製南苑晚景詩 薰風南苑翠斿回，處處連雲暮色催。夜火煇煌盈帳幕，離宮長待萬幾來。

聖祖御製駐蹕南苑遣使恭進太皇太后鮮果詩 日永離宮節候新，薰風早已獻嘉珍。赤瑛盤内甘鮮果，奉進瑶池第一人。

乾隆四年御製南苑獲野禽恭進皇太后詩 積雪滿郊坰，三冬農務停。鳴笳齊隊伍，布令疾雷霆。馬足奔如電，鷹眸迅似星。山禽味鮮潔，飛騎進慈寧。

乾隆五年御製秋日奉皇太后駕幸南苑即事八首 歲荷天恩慶有秋，欣陪慈輦駕龍輴。如京畿甸風光好，萬户歡聲夾道周。虞人建帳甸人隨，南苑秋清好獵時。閲武此來兼省斂，香風餅餌拂旌旗。萬物熙和大造中，郊原輝映苑門紅。承歡仰識慈顔豫，祇爲天恩錫屢豐。羽衞森翺出帝城，順時清蹕此巡行。金吾底事頻傳警，便欲周知閭巷情。十里秋光伯虎畫，一鞭斜日晾鷹臺。衆中掄得穿楊手，琥珀光濃賜御杯。扈從長承愛日暉，五雲高捧鳳輿翬。問安户外親調膳，手射郊原鹿正肥。離宫月影透書窗，法曲時聞畫鼓摐。題柱吟餘思往事，不知絳蠟灺銀釭。從來稽古戒禽荒，宵旰勤勞敢刻忘！懽樂正饒還上輦，屬車侍從有東方。

乾隆十三年御製南苑行宮晚坐憶經略大學士傅恒　依然庭宇靜，揭爾研甌閒。一室澄心處，兩年睫眼間。南苑未至蓋二年矣。衝寒懷碩輔，此際歷重關。所願明天討，成功指日還。

乾隆十四年御製去歲冬月駐南苑行宮有憶經略大學士傅恒之作茲以金川平定恭謁孝陵景陵回鑾取道南苑往易州恭謁泰陵駐蹕行宮見壁上舊題輒疊原韻　早傳三箭定，稍得萬幾閒。迴蹕經臨便，逾年想像間。軍聲揚雪嶺，輿頌溢桃關。經略大學士振旅而歸，成都士民迎至桃關，歌頌載路，此所謂父老扶杖以觀武成者乎！離聚何須論？心同孰往還？

乾隆二十一年御製南苑行宮疊舊作韻有序　孔林告祭，禮成旋蹕，展謁孝陵景陵，由趙北口取道而東，經臨南苑，遷次逾宿，循覽舊題，感時觸緒，輒仍原韻用述近懷。離宮信宿重關情，綈几芸編觸目清。詎料鹿蠢仍計詐，尚教頡利待擒生。起鑾日，西路軍營馳報擒獲阿睦爾撒納露布，蓋據以告者乃逆賊緩師之計也。已而策楞等知其爲詐，督兵速進，刻期往擒。驅除已奏伊犁定，初阿睦爾撒納潛蹤伊犁，聞大兵至乃遁去，喇嘛人衆來迎策楞等，遂以二月二十四日收復其地。旋轉終歸絶域平。謨烈在天祈默佑，橋山東望薊雲橫。

乾隆二十三年御製南苑賜哈薩克布魯特塔什罕回人等觀烟火燈詞　欵關定莋復存卭，慶典頻繁舉仲冬。爲耀光明逮疏狄，先陳曼衍引魚龍。燈火城南六十春，康熙二三十年間元宵蓋曾在南苑陳烟火，後以建暢春園，率于彼度節，不復在此觀燈者六十餘年矣。重觀因賚遠來人。村民遥近扶携至，不禁金吾例可循。百道流虹貝闕朝，光明彷彿上元宵。田蠶事例雖云早，已盼霏空六出飄。後先接踵共來尊，難學蕭王閉玉門。爆響連珠成捷報，便期早晚定堅昆。時吾師方圍葉爾奇木城，日夜望捷音之至。

風定時暄夜正長，上弦魄影已騰光。時十一月初五日。周家建子原正月，想是嫦娥也爲去聲忙。鱗集應教一視同，避寒燈火夜深烘。高張黃幕三巡罷，訝似清涼萬樹中。山莊三十六景内無暑清涼後即萬樹園，週年觀燈火宴遠蕃之處。翠火明燈玉樹攢，化城蜃閣絳雲端。元宵預借休相擬，惠遠寧爲好樂觀？萬幕高竿揭野燈，半輪真是一條冰。肩輿宴罷還行館，惕夕因心畏益增。

乾隆二十八年御製二月三日幸南海子有序　紫籞敷筵，乍過頌春以後；紅門候仗，方當作社而前。念西濛陪使前歸，俾南苑首途載遣。時乃日長熊館，草痕細簇馬蹄；風暖鷹臺，林影徐翻鳩羽。得氣驗神皋温晏，古苔已綻雙槐；循名知陸海膏腴，新溜常飛一泊。爰徵近衛，還參典屬材官；偶試初圍，不校司衡簿正。值嘉彙昭蘇伊始，詎效三畋？臻遐阻綏靖以還，寧弛九伐？眷爾朝元奉表，未預隨獵騎秋行；咨予紀歲留題，頻迴憶軍書夜治。因抒卽事，以誌緣情。慶節難辭宴賞頻，詰戎欲示遠徠人。櫜鞬御馬非從鹿，帕幘趨塗仰集鱗。信宿言旋寧玩日，羣生資養惜當春。武成猶此不忘武，王國聲靈被海垠。

乾隆三十六年御製海子行　元明以來南海子，周環一百六十里。元明諸家記載並稱海子周圍一百六十里，今繚垣故址劃然，實按之不過百二十里耳。七十二泉非信徵，日下舊聞稱有七十二處，近經細勘，則團河之泉可指數者九十有四，一畝泉亦有二十三泉，較舊數殆贏其半。稗野無徵，大率類是。五海至今誠有此。舊稱三海，今實有五海子，但第四、第五夏秋方有水，冬春則涸耳。諸水實爲鳳河源，藉以盪渾防運穿。海子内泉源所聚曰一畝泉，曰團河，而瀦水則有五海子。考一畝泉在新衙門之北，曲折東南流經舊衙門南，至二閘，涼水河自海子外西北來入苑滙之。其水發源右安門外之水頭莊，東流折而南，入海子北牆，至此又南流，五海子之減水自西南注之。又東南流出海子東牆，過馬駒橋，至張家灣，入運。團河在黃村門内，導而東南流，逕晾鷹臺，南過南紅門，五海子之水自北注之，又東流出海子東南，是爲鳳河。東流歷東安、武清境，至天津之雙口，與永定河會，渾水藉此盪漾，乃成清流。又東至韓家樹，入大清河，又東至西沽入運。雖五海子之水與涼水河團河時相灌輸，而二河正流仍各判別，若玉泉則由昆明湖達於長河，穿禁城出，東南流爲通惠河，至通州入運，並不經行海子，與一畝泉、團河渺不相涉。綜而論之，通惠河原在北，入運最近；涼水河源居中，入運次近；鳳河源在南，入運最遠；源委秩然不紊。前代著述家未加稽考，率以玉泉牽附海子，支離可笑，因詳訂之。歲久淤閼事疏治，無非本計厘黎元。蒲葦戢戢水漠漠，鳧雁光輝魚蟹樂。亦弗恒來施矰繳，徒説前朝飛放泊。迤南有臺高丈餘，晾鷹猶踵前明呼。其顛方廣不十丈，元院何以容仁虞？吴偉業梅村集云：晾鷹臺，元之仁虞院也。今臺基宛然尚在，其顛不及十丈，勢不可以建院。即云臺或傳院，而旁近皆曠地，杳無院址可徵髣髴，其謬不待辨矣。二十四園泯遺蹟，偉業又言，明置二十四園。明時較元更近，豈有二十四處澌滅無存若此，且不能一舉其名耶？耕地牧場較若畫。是何有於國用資，裕陵詔諭量斯窄。所存新舊兩衙門，中官爾日體制尊。一總督更四提督，見明朝宫史。有如是夫勢燄薰！内虛外怨禍來乍，大軍曾此經南下。我朝太宗文皇帝時，六師既圍燕京，分兵南下，道經海子，如入無人之境。舊傳曾於此中射黃羊鹿兔。閹逃不知何所之，縱横路便黄羊射。勝朝廡殿但存名，在新舊兩衙門之間，相距各十餘。頽垣落桷埋榛荆。茸爲駟厩飛龍牧，時得良騎出駿英。沿其成例海户守，芻蕘往焉雉兔否。設概聽之將無禽，苑中鳥獸皆馴豢之物，豈能任遊手弋獵，竟無典守？向以子輿氏文囿之喻不免過情。設果聽民盡取，久之將無雉兔。所謂盡信書不如無書。曾有詩紀及此，然雖有禁制，亦豈如孟子所云殺麋鹿者如殺人之罪乎？如殺人罪則何有？少時習獵歲歲來，獮餘亦復攄吟裁。五十年忽若一瞥，電光石火誠迅哉！即看平原雙柳樹，疊爲賓主凡幾度。苑中有雙柳，其一先萎，補植之，拱把矣。其一復繼焉。萎補相踵，撫而增懷，緣起並悉昔所爲賦。世間萬事付不知，風擺長條祇如故。

乾隆三十九年御製啓蹕幸南苑詩　南苑邇來臨弗亟，去年今歲兩臨加。昨緣迴蹕奉金幰，上年春，閲視河淀工程，因恭奉皇太后巡幸天津，由水程回鑾，登陸後便道掖奉慈輦臨憩南苑。茲以落成禮碧霞。重修馬駒橋碧霞元君廟蔵工，擇於十二日親致瓣香慶落，而南頂神廟亦丹雘鼎新，因分日虔詣瞻禮，路便遂駐新舊衙門行宮。習習風輕花放蕊，濛濛露重麥抽芽。因之更爲去聲。思膏雨，祈稔吾懷詎有涯。

〔臣等謹按〕南苑御製諸詩，謹繹有關紀述事實之篇恭載卷内，餘不備録。

南苑繚垣爲門凡九，正南曰南紅門，東南曰迴城門，西南曰黄村門，正北曰大紅門，稍東曰小紅門，正東曰東紅門，東北曰雙橋門，正西曰西紅門西北曰鎮國寺門。南苑冊

〔臣等謹按〕南海子舊闢四門，本朝增之爲九門。

南苑總尉一人，正四品，防禦八人，正五品。大清會典

凡田於近郊，設圍場於南苑，以奉宸苑領之。統圍大臣督八旗統領等各率所屬官兵先涖圍場布列，鑲黄、正白、鑲白、正藍四旗以次列於左，正黄、正紅、鑲紅、鑲藍四旗以次列於右，兩翼各置旗以爲表，兩哨前隊用白，兩協用黄，中軍用鑲黄。駕至圍場，合圍較獵。同上

聖祖御製南苑行圍詩　苑中閒教陣，無事静論邊。不廢時苗典，思周天下先。

乾隆七年御製射獵南苑即事詩 旭影曈曨射綵斿，虞旌初建趁中秋。馬嘶平野金聲肅，箭落輕莎露氣浮。增城門外接村垧，禾黍垂黄菜麥青。今日翠華憑賞處，要知憂思幾番經。韎韐櫜鞬列羽林，當秋文囿偶經臨。承平詎肯忘戎事？萬户饑寒更惕心。翼翼堆場皆早稑，纍纍懸架足秋壺。豳風底用丹青筆？十里烟郊入畫圖。北紅門裏仲秋天，爽氣游絲拂錦韉。行過雁橋人似畫，踏來芳甸草如烟。南苑宜秋宜獵時，禾香風滿赤鸞旗。少年熟讀相如疏，每至歡娱鑒在兹。榆槐黄染野花殷，策渡時過水一灣。千朶青蓮萬章錦，却教人憶塞中山。省耕省斂古曾聞，望處西成意亦欣。漫把豐年容易看，幾多憂慮廑宵分。

乾隆十九年御製行圍詩 南苑臨春暮，青郊試小蒐。略觀虞者技，宛憶少年遊。勞衆寧堪亟，携孫自有由。今年兩孫皆八歲，因携以來示之度也。翻犁見耕父，諮穡每延留。

乾隆二十年御製行圍三首 緑原小試佶閑騮，俞騎鴻絅認五斿。所乘馬名。勝日尋芳兼示度，雕龍何用賦春蒐。露潤青衢草氣醃，陽和舉目化機含。季登漫詡中雙兔，一日雙還倍彼三。是日凡射中八兔，故云。生風耳後最豪情，付廿年前縷壤平。不廢武還思諫獵，箇中吾自有權衡。

乾隆二十三年御製行圍三首 春郊取便命春蒐，弓燥偏欣手更柔。緑野平鋪天鹿錦，好教親試佶閑騮。所御馬名。正諫相如信不誣，習勞亦欲示烝徒。若云今古非殊致，封建井田行得無？小豝大兕曾何必？四兔一麕適可哉。是日親射中者。顧語侍臣今較劣，有人曾見少年來。

又御製南苑行圍雜詠 盤谷迴鑾携貴山，柏冬苑景益蕭閒。先來大獮均曾預，上年左部哈薩克及今秋布魯特赴觀木蘭，皆得隨獮，今右部哈薩克等繼至，携赴南苑閱武錫宴，乘便行圍，亦令其隨列預觀。小狩應教視此間。草枯廣甸馬蹄輕，疊中非誇技擅精。驚喜從他遠方訝，歡呼驗我衆人情。疏蕪淡靄接霜林，勒馬凝思亦偶吟。二十年前習獵我，原無爾許創垂心。

乾隆二十九年御製南苑小獵卽事雜詠 百年寺宇事重新，苑中永慕寺、元靈宮，皆因年久，重事新葺，兹以仲冬月中浣落成，躬詣瞻禮，道便小試行圍。卜吉落成展禮親。小獵却緣來宿便，漫同冬狩擬時巡。木蘭迴後射何曾？馬上金弓御用弓以金桃皮飾之。勉始勝。却覺屈支失調習，可應警語忘去聲。枚乘。今來不是少年身，擇地徐馳諫獵循。雙兔中連猶覺愧，何當奇事賦文人？

乾隆三十九年御製小獵三首 圍牆近以種田周，柳外平原佈獵騶。近海子牆設莊頭種地，植柳爲限，其外平原皆獵場。適可而行適可止，此來非特爲春蒐。業已圍陳曠野間，罷而弗用似躭閒。設云愛物當春令，爾雅曾無蒐字删。磬控自知不及前，挽弓毚兔獲纔連。艷稱雙口仍嗤彼，乙亥春，南苑行圍，一日射中八兔，因有季登漫詠中雙兔，一日雙還倍彼三之句。今日小隊行圍，射兔僅獲其二，忽忽二十年，竟如向之所嗤，實堪自哂。然予春秋六旬有四，猶能馳射中雙，雖未符昔日所云，差足驗習勞弗懈之志。非徒誇精力未衰，藉以解嘲耳。今日翻嗤衆亦然。

乾隆四十七年御製仲春幸南苑卽事雜詠　南苑前年曾一過，前歲庚子秋，自熱河迴蹕，恭謁東陵禮成，卽取道南苑，恭詣西陵，未及行圍，距今不覺兩年矣。寒暄閱歲迅逶迤。手柔弓燥思典論，小試春蒐仲月和。於此習圍憶少年，朝家家法意深焉。予十二歲時，恭侍皇祖於南苑習圍，蓋我朝家法，最重騎射，無不自幼習勞。今每歲春間，仍命皇子、皇孫、皇曾孫輩於此學習行圍，所宜萬年遵守也。今仍命子孫曾輩，一例遵行奕葉傳。北紅門外水田治，路便輕輿快覽之。苑内亦多宣剔處，近年疏剔南苑新舊諸水泊，已成者共二十一處，又展寬清理河道，清流演漾，滙達運河，並現在擬開水泊四處，次第施工，通流濟運，較昔時飛放泊尤爲益利云。由來萬事在人爲。平原早已列圍場，風作旋教罷獵行。不惜畏勞將致議，古稀遵養亦云當。

〔臣等謹按〕南苑行圍御製諸詩，謹繹有關紀述事實者恭載卷内，餘不備録。

康熙二十四年，聖祖仁皇帝幸南苑大閲，擇南苑西紅門内曠地，八旗官兵槍礮按旗排爲三隊。聖祖仁皇帝率皇子等擐甲，前張黄蓋，内大臣、侍衛、大學士及各部院大臣均扈從，後建黄龍大纛。聖祖仁皇帝周閲八旗兵陣，閲畢駕還行宫。特降勅諭，申明軍令，宣示於大閲之地。是日未閲前，官兵均賜食，閲後賜酒。大清會典

凡大閲吉期，由欽天監選擇。先期二日，武備院設御營帳殿於南苑晾鷹臺。帳殿後設圓幄，恭候皇帝躬御甲冑。既成列，兵部堂官奏請皇帝閲操。駕臨晾鷹臺圓幄，躬擐甲冑。扈從内大臣、侍衛、親軍等均甲冑。奏請親閲隊伍。内大臣兵部堂官前導，後扈大

臣及總理演兵王大臣隨從，御前大臣、侍衛，乾清門侍衛，滿洲大學士等均隨行，其次豹尾班侍衛隨行，又次黃龍大纛隨行，又次上三旗侍衛按次隨行，在火器營兵之後，首隊之前。自左至右，閱隊一周，還御晾鷹臺帳殿。兵部尚書進前跪奏請鳴角。帳殿前蒙古畫角先鳴，次親軍海螺傳令，海螺以次遞鳴，聲至鹿角前，首隊次隊海螺齊鳴，舉鹿角兵聞擊鼓而進，鳴金而止，麾紅旗則礮槍齊發，鳴金則止。如此九次。至第十次，連環齊發，鳴金三次乃止。滿洲礮至第七次停發。連環發畢，鹿角分爲八門，首隊前鋒護軍驍騎排開駐立，次隊亦隨進，候鳴螺，皆聲喊前進，兩腋應援兵亦斜向前進，以次及殿後兵進，鳴螺而回。大閱禮成，駕御圓幄，釋甲冑，駕還行宫。每旗應賞饌筵五十席，豬二十，羊二十，並薪炭等物，於大閱日黎明，王大臣等並內務府官尚茶、尚膳人等公同監看，務令暖食周徧。同上

〔臣等謹按〕大閱全儀及官兵器械、旗纛、槍鼓、金鼓各有定數，詳見大清會典，兹不備録。

乾隆四年御製大閱詩　時狩由來武備修，特臨南苑肅貔貅。龍驤選將頗兼牧，天駟掄才驥共騮。組練光生殘雪映，旌旗影動朔雲浮。承平詎敢忘戎事？經國應知有大猷。

乾隆二十三年御製仲冬南苑大閱紀事詩　廿年一舉寧爲數？乾隆己未大閱，至今蓋廿年矣。周禮分明節候

論。便設軍容示西域，時哈薩克布魯特塔什罕回人等皆令預觀。佇看露布靖堅昆。邇日盼將軍兆惠喜音，殊切於懷。好齊以暇千旂颭，既正還奇萬礮喧。風日晴和士挾纊，非予恩也總天恩。

〔臣等謹按〕南苑大閲御製詩，謹繹有關紀述事實者恭載卷内，餘不備録。

大紅門内更衣殿南向，門二層，大殿三間。南苑冊

〔臣等謹按〕大紅門，南苑正北門也，亦稱北紅門。舊有南苑官署房三層，共十有八間。更衣殿，乾隆三年建，殿内恭懸御書額曰郊原在望，聯曰：舊題在壁幾行緑；曉日横窗一抹殷。其南爲地藏庵，東爲小龍王廟。

聖祖御製海子北紅門秋雨後行圍戲作　晝漏稀聞紫陌長，霏霏細雨過南莊。雲飛御苑秋花濕，風到紅門野草香。玉輦遥臨平甸闊，羽旗近傍遠林揚。初晴少頃布圍獵，好趁清涼躍驌驦。

乾隆十五年御製北紅門外即景詩　北紅門外曉迴鑾，雨後春郊料峭寒。五鳳樓高直北望，居庸遥列玉爲巒。青牟撲隴蔚蓬葱，微雪侵晨一律融。却憶龍沙宣郡外，幾多毳帳怨春風。蒙古以遊牧爲生，春雪風作，牛羊多凍斃。故畏之甚於冬日。南北風土不齊有如此者。夜聞風盛愁無寐，曉見雪消喜動容。豈是喜愁太無定，都來念裏爲三農。別奉慈輿旋保陽，命諴親王率法從自保定侍皇太后進宮，以減從紆道欲視永定河工。紆途永定閲堤防。將旬萱戺疏温清，此日詢安謁壽康。

乾隆二十八年御製入北紅門小獵即事四詩　出城十里到紅門，近也虞丞典制存。却歷五年方一至，迅哉何以駐高奔？朝家武備萬方欽，略示西戎寓意深。何必三驅詡他藉？此來本不爲從禽。苑中小獵心猶喜，習氣了知未易降。臂痛雖然難射鵠，馬馳中去聲。兔尚連雙。廣甸土蘇多作濘，揮鞭視馬力徐馳。爲思積潦疏消處，春種可能不誤時？

〔臣等謹按〕北紅門御製詩，謹繹有關紀述事實者恭載卷内，餘不備録。

元靈宫在南苑，順治年間世祖勅建。幾輔通志

〔臣等謹按〕元靈宫在小紅門内西偏，順治十四年建，乾隆二十八年重修。山門三楹，南向，額曰宅真寶境。内爲朝元門，中構元極殿十有二楹，圓殿重檐，置門二十有四。奉玉皇上帝。恭懸御書額曰帝載元功，聯曰：碧瓦護風雲，别開洞府；丹霄懸日月，近麗神皋。殿後爲元祐門，内爲凝始殿，重簷，殿宇五楹。奉三清四皇像。御書額曰上清寶界，聯曰：顥氣絪緼，一元資發育；神功覆幬，萬彙荷生成。東曰翊真殿，奉九天真女梓潼像。西曰祇元殿，奉三官像。殿前穹碑二，恭勒御製詩。再後隨牆宫門後圍房十六楹，中三楹爲静室。

聖祖御製南苑元靈宫詩　南苑元靈宫是世祖皇考建。傑閣横霄峻，清都與漢翔。規

模開壯麗，星宿燦輝光。碧瓦浮空翠，金鋪映日黃。門當啼鳥靜，户有異花香。細草沿堦發，新槐拂檻涼。紆迴疏輦路，藻彩繪雕梁。警蹕臨仙境，瞻依問谷王。敬欽崇太昊，繼述憶先皇。歲月碑文古，乾坤事業昌。茫茫扶大造，皞皞體穹蒼。恭己身無倦，齋心念不忘。時巡非逸豫，幾暇豈游荒？衞騎驂驔列，華旄宛轉颺。南薰披萬物，北斗起千祥。瑞氣亭前見，佳辰晝正長。休歌白雲曲，吾道在惟康。

乾隆四年御製南苑大閱謁元靈宫詩 宫是皇曾祖世祖章皇帝建也。敬依皇祖聖祖仁皇帝韻以誌敬仰之忱。時冬至月朔日。閱狩金輿駕，鳴騶赤羽翔。千官分鷺序，萬姓仰龍光。雪積平原白，泥鋪御道黃。翠華來別苑，初地散天香。杳靄雲生路，蕭森松泛涼。星辰圍斗宿，丁甲護虹梁。屏念瞻瑶殿，虔心禮素王。若臨欽在上，作極愧惟皇。祇以紹庭切，何能與物昌！律身懷監史，敷化體穹蒼。文德猶慚未，武功不敢忘。蒐苗遵古制，逸豫戒禽荒。簇簇雲屯盛，悠悠霧旆颺。一陽初應律，三白已呈祥。漸覺條風扇，新添麗日長。覲揚吾未逮，布治願平康。

乾隆十一年御製題元靈宫後静室詩 紫府蕭臺太上家，松篁擁作碧雲霞。豈因訪道來丹地，聊爾怡神凭緑紗。妙契何須問嬰姹！虚皇猶自護龜蛇。雙楸恰似倪迂景，静室前有雙楸樹，蒼古可愛。只少翩飛三兩鴉。

乾隆二十八年御製謁元靈宮詩　規制仿光明，（是宮建於順治年間，蓋仿京都光明殿之制。光明殿則明朝所建也。）年深喬樹成。蓋緣福萬物，詎是媚三清？驅過可無顧，入瞻祇屏營。前題一再讀，今昔定誰名？

乾隆二十九年御製謁元靈宮卽事詩　百年天宇焕今朝，（宮自順治十四年建，逮今蓋百年矣。）慶落涓辰對赫昭。浮柱神扶俯寥廓，法堦躬陟仰岧嶤。穆然匪冀喬佺遇，顒若惟祈風雨調。古柏蒙籠護懸圃，微飈擬奏九靈簫。

〔臣等謹按〕元靈宮御製詩，謹繹有關紀述事實者恭載卷内，餘不備録。

舊衙門，宮門三楹，前殿五楹，二層、三層殿宇各五楹。（南苑册）

〔臣等謹按〕舊衙門在小紅門西南，建自前明，本朝順治十五年，重加修葺。前殿御書額曰：閲武時臨。第三層殿御書額曰爽豁天倪。東壁題聯曰：平野晴雲横短障；滿川烟靄潤新犁。東間爲佛室，聯云：七寶莊嚴成滿字；四花湧現得全提。四層殿西間御書額曰清溢素襟。東間聯曰：短長詩稿閒中檢；來往年華静裏觀。中間聯曰：入座韶光發新藻；隔林山鳥試春聲。

乾隆九年御製舊衙門行宮疊壁間春曉之作　參差緑影到書帷，秋半何如春曉時？卽景忽忘原是我，賡題試道復爲誰？儻來生意菊含蕊，適去韶華花謝枝。（舊句花色纔添四五枝。）却哂未能離結習，吟乂猶自鎮敲詩。

乾隆十八年御製舊衙門行宮卽事詩　別殿前頭書室連，修文曾記養痾旋。豈知近膝翻成背，朕待皇子等素嚴，從未假之辭色。惟庚午年皇長子養疾於此，每溫諭冀其痊可，父子之情較切，不謂遂成永訣，駐蹕思昔，不禁黯然。尚冀承恩竟永捐。丙舍長眠又隔載，離宮不到已三年。憑參幻夢清宵裏，一枕鐘聲古寺邊。

乾隆二十二年御製舊衙門行宮卽事詩　樸斲軒楹翰墨筵，老榆晚菊景清妍。春秋蒐獮尋常憩，來往光陰卅五年。予自十二歲隨皇祖來此，至今蓋三十五年矣。見獵寧關動心喜，習勞率欲以身先。洛那服射非嫻射，時哈薩克使臣隨圍，無一善射者，然見馳馬連中，無不心服國家弧矢之威。示度因人有別權。

乾隆二十三年御製舊衙門行宮小憩詩　別館向陽開，收圍繫玉騋。非關問花柳，率欲憩輿臺。春雨全滋蘚，北寒始放梅。是處書室前種梅竹蒼松。北方寒，向無植梅於地者，近始有之，雖成活而開花必在二三月云。小停旋移蹕，匪爲豫游來。

乾隆二十八年御製舊衙門行宮卽事詩　別館駐旌斿，森然古樹稠。庭軒去卑濕，翰墨足優游。潦盛將成圮，年深事重去聲。修。舊衙門行宮蓋仍明季所有，經百餘年未大修葺，去歲霖潦，漏圮益多，奉宸請內帑重修，煥然一新。絜思杜甫什，不樂祇生愁。

乾隆四十七年御製舊衙門行宮卽事詩　庚子壬寅忽隔歲，祇如瞬息度高奔。予茲十二侍聖祖，今乃七十閱衆孫。塵世流陰真是幻，勝朝往事漫重論。拈毫新什續舊詠，戛戛難哉陳去言。

〔臣等謹按〕舊衙門御製諸詩，謹繹有關紀述事實者恭載卷内，餘不備録。

蔭榆書屋三楹在後殿，殿東轉西爲西書房，南爲書室。南苑册

〔臣等謹按〕蔭榆書屋額爲皇上御書，聯曰：烟霞並入新詩卷；雲樹長開舊畫圖。西書房之南書室中御書聯曰：雨足春郊，亭皐開麗矚；風清書幌，花竹有真香。

乾隆九年御製蔭榆書屋作 蔭榆書屋，南苑舊行宫内曩時讀書舍也，佳蔭滿庭，緑窗半榻，邈然有懷，率爾成章。我昔讀書時，對榆寫襟懷。我來讀書舍，榆樹依然佳。何人手種植，緑陰滿空堦。撫茲重盤桓，不肯易以槐。見唐書吴湊傳。春風韻謖謖，秋月影皚皚。罨窗紗緑緑，棲鳥鳴喈喈。占此書屋幽，安得常汝皆？

〔臣等謹按〕蔭榆書屋御製詩，恭載首見之篇，餘不備録。

平臺樓之東另一所，宫門三楹，内殿二層。南苑册

〔臣等謹按〕二層殿内聯曰：風經錦埭香猶細；鶴步蘭皐篆欲斑。後爲佛室。

舊衙門西，永慕寺大殿五間，東西配殿各三間，後爲經庫。南苑册

〔臣等謹按〕永慕寺，康熙三十年建，乾隆二十九年重修，寺額聖祖御筆也。大殿奉釋迦佛像，聖祖題額曰：香雲法雨。皇上御書聯曰：心珠朗映大千界；性海常通不二門。

乾隆二十八年御製永慕寺詩　聖藻焕痕釵，寺額，皇祖御書也。依依永慕懷。見之於大舜，蓋以奉思齋。翠蔭禪林葉，緑回忍草荄。獵餘游淨界，詩句自安排。

乾隆二十九年御製永慕寺詩　永慕建康熙，是寺皇祖所建，蓋祝釐太皇太后故也。孝莊虔祝釐。遥年重焕若，此日落成之。佛豈故新繫？寺資修葺爲。無須稱大舜，家法仰昭垂。

乾隆三十二年御製永慕寺詩　皇祖建斯寺，追思莊后遥。向年重葺宇，在甲申。此日又憑寮。梵樂僧迎奏，此寺向設喇嘛僧。風旛心與飄。問予永慕者，欽曰在神堯。

〔臣等謹按〕永慕寺御製詩，謹繹有關紀述事實者恭載卷内，餘不備録。

德壽寺山門三間，東西建坊二，大殿五間，東西配殿各三間，殿後隨牆門内爲御座房。南苑册

〔臣等謹按〕德壽寺在舊衙門東偏，順治十五年建，後燬於火，乾隆二十年重加修葺。東西二坊，東曰化通萬物，西曰覺被羣生。大殿奉釋迦佛及阿藍迦舍佛，御題額曰慧燈圓照，曰善獅子吼。聯曰：沙界淨因留月印；檀林妙旨悟風香。又曰：慧鏡慈燈，廣種善根垂福祐；溪聲山色，遠從賢刼證圓通。院内穹碑二，恭勒御製重修德壽寺碑記，並御製詩章。御座房三楹，乾隆四十五年改建。東室聯曰：禪味每從閒裏得；道心常向静中參。西室聯曰：竹秀石奇參道妙；水流雲在示真常。

聖祖御製德壽寺詩 持身崇孝理，清淨契真如。歲久開金寺，時來降玉輿。

御製重修德壽寺碑記 南苑德壽寺創於世祖章皇帝御宇之十有五年，規制崇麗，庭中金鼎，笵冶精緻，樂善堂集中所爲賦寶鼎歌者也。皇祖行蒐南苑，時常臨幸瞻禮。越乾隆二十年燬於火，以其爲列祖聖蹟所留，亟命更造殿宇，仍舊名以誌弗忘。工蕆，所司以碑記請。南苑爲較獵地，陂隰廣衍，草木豐美，羽毛蹄角，充牣雜遝。歲時之暇，行圍較射，以蒐軍實，習武備，其於佛事不相涉也。而營建特爲宏敞，金碧丹堊，蔚然傑構，此豈徒以侈美觀已哉？洪惟我世祖肇造區夏，乂安元元，出水火而衽席之，凡可利益斯民者，罔弗修舉。念大雄氏教能福佑羣生，虔致崇奉，卽一游豫亦不忘邀福庇民德意。茲寺之所爲作也。朕常幸南苑，周視檐宇，仰瞻像設，睪然想見當日幬覆萬有爲民祈福之忱，輒低徊不能去。夫後人所以纘承前休者，惟其心不惟其蹟，則茲寺固其蹟也。而前人所以垂示來茲者，傳其蹟乃傳其心，則茲寺卽其心也。鬱攸弗戒，遺址僅在，雖開天之迹，懿爍海宇，無藉一寺以傳，而斂時五福，用敷錫厥庶民，隨在沾被，流露於琳宮寶網間，盛美庸可弗誌？踵而完之，所不容已也。後之人撫苑囿之繁盛，仰蘭若之莊嚴，因以念開創時雖燕閒騎射，設周阹，逐禽左，足以騁懷游目，而祐庇斯民之思，猶未嘗一刻置。其於法宮明堂之上更何如也！則庶幾勤民家法，卽一寺而昭示無窮，而朕祇紹謨烈、弗敢失墜之意，亦藉以表見云。偈曰：有大招提，在南海子。莊嚴樓閣，照曜半空。此南海子乃羽獵場。飛者，走者，蹄者，角者，或羣或友，紛紜霍繹，云何其中，有此淨土？以何因緣，何德慧故？曰我世祖，卽如來身，手扶金輪，安立世界。於凡世間，跂行喙息，十方生衆，無不悲憫。此悲憫心，乃至刹那，一瞚之間，未嘗間斷。以故有時，遊幸兹苑，行圍較獵，羽林佽飛，期門七萃，前呼後哨，挽强推堅，足可快心，爲樂忘疲，而是悲憫，亦無不在。以是因緣，創此寶刹，邀福庇民，爲游豫時，參禮之所。花宫梵宇，一一湧現，成祇樹洹，香積珍施，珠碧珊瑚，種種瓌異，歷百年來，寶鼎特峙，常新不壞。無何一朝，不戒於火。曰非火燬，世尊慈緣，醒悟大衆，如舊藏物，習見不覺，一時失却，惆悵追思，思得復見，還我舊觀。忽覩是物，頓復本原，了了在目，歡喜讚歎，勝於前時。是一燬者，正爲顯出，此悲憫心，指示後世。然而是心，不以寺見，若竟無寺，於何見心？故今重建，青鴛蘭若，金碧輝朗，一如其舊。禮斯寺者，當思昔時，講武行樂，不忘錫福，普庇三千，大千世界。此悲憫心，如金蓮花，隨地湧出。如長明燈，六時不斷。如大雲雨，卉木藥草，隨分受潤。則知今日，重建殿宇，乃是憑仗，繼續因緣，闡如來心，演如來事，滋栴檀林，護琉璃界，歷千萬劫，利益衆生。

御製德壽寺古鼎歌　龍宮巍巍紫氣軒，輝耀榱甍焕崇垣。寺名德壽庵羅園，刹等高挂珊瑚旛。停鞭卸轡山門前，一滴欲尋曹溪源。東瞻紫霧明朝暾，清涼頓覺隔塵喧。香浮寶殿謁世尊，兀然古鼎吐雲烟。何人鎔冶工雕鎸？金翠斑斕歷歲年。上文雷回下雲紘，狰獰狀類獅子蹲。籀書斯篆蹟難分，世次那辨癸與辛？蝌蚪盤屈蛟龍奔，周彝虞敦恍猶存。葆精凝潤疑瓊璠，寒光欲流不可捫。日月照射輪朝昏，濯洗全資雨露恩。在昔盛事傳横汾，此鼎神異邁等倫。我欲負之千蹄犍，移向帝闕鎮厚坤。充以大武佐魚豚，萬斤木火爲之燔，有實大亨養聖賢。

乾隆四年御製德壽寺詩　招提建百年，勝境壓諸天。樹古龍蛇矯，壇高雲霧連。珠旛飄赤篆，寶鼎羃祥烟。暫去空林杳，猶聞鐘磬傳。

乾隆二十二年御製重修德壽寺落成詩以紀事　閲歲祇園致鬱攸，經營深意緬前猷。寺建於順治年間，世祖、聖祖南苑行圍，常所臨幸。前歲不戒於火，特勅重修。固知一切有爲法，作如是觀無可留。盡洗何妨萬緣淨？重提依舊四禪修。從兹法雨霏金地，澤潤蒼生百億秋。

乾隆二十八年御製德壽寺詩　花宮火劫後重新，是寺於乙亥年遭回禄，因重新之。落成後至今又七年矣。敗是成因成敗因。調御丈夫都不較，如然法爾示於人。

乾隆三十二年御製德壽寺詩　收圍臨竺宇，屏息禮金身。松柏祇如舊，殿庭已焕新。

是寺曾遭回禄，因重造，今仍金碧焕然。遷中有常住，義處卽能仁。習武義之屬，故云。古鼎益蔚翠，殿前古鼎巍然，翠色可愛，向曾有詩。那知秋復春？

乾隆三十六年御製題德壽寺詩　殿堂重建又經年，喬木蘢葱祇故然。下馬入門早忘獵，無僧守寺莫非禪。寺遭乙亥回禄，後經重建，祇令苑隸看守，弗居僧人。風飄旛影演真偈，鳥啄窗虚窺法筵。大德由來必得壽，儒宗梵義有同詮。

乾隆四十五年御製德壽寺詩　德壽禪林成世祖，德壽寺建於順治十五年，詳見丙子重修寺碑記。爾時達賴喇嘛朝。何期一百經年久，五輩達賴喇嘛以順治九年十二月來京，時我世祖駐蹕南苑，卽於此迎謁，賜宴。至今百二十餘年，班禪額爾德呢祝釐來覲，又復於此謁見。後先輝映，實爲國家盛事。又見班禪祝嘏遥。適我東歸西去便，今歲以余七旬初度，敬謁東陵，禮畢取道南苑，恭詣西陵，適爲經行順路。許其駐錫謁鑾翹。翻經揭律尋常謹，可悟鐘聲披七條。喇嘛教以講經持律爲事，雖有悟無我無生者，不似禪僧之豎拂棒喝，單提向上，流而爲口頭禪者。

〔臣等謹按〕德壽寺御製諸詩，謹繹有關紀述事實者恭載卷内，餘不備録。

關帝廟山門一楹，前殿、二層殿、後殿各三楹。南苑册

〔臣等謹按〕關帝廟建自明嘉靖年間，在德壽寺西南里許。本朝乾隆三年重修，山門南向。前殿奉關帝，二層殿奉真武，後殿奉三世佛。

永佑廟山門三楹，大殿三楹，後宇九楹。南苑册

〔臣等謹按〕永佑廟在德壽寺東南二里許，康熙十七年建。大殿曰延真，殿中奉天仙

碧霞元君。御題聯曰：漫教勝鬘霏花雨；應有那伽衞法筵。東西配殿，東曰協佑殿，西曰弘育殿。後宇聯曰：花宫具見嚴而妙；别室還饒清且嘉。皆御書。

乾隆二十三年御製永佑廟詩　永佑於何創？仁皇祝太任。經翻花落晝，寺古樹連陰。雨足滋忍草，春深多語禽。欲尋少年蹟，無處覔三心。

〔臣等謹按〕永佑廟御製詩，恭載首見之篇，餘不備録。

欽定日下舊聞考卷七十五

國朝苑囿 南苑二

晾鷹臺在永定門外南海子內，大興縣界也。畿輔通志

〔臣等謹按〕晾鷹臺，明一統志亦稱按鷹臺。吳偉業梅村集謂晾鷹臺本元仁虞院。又明于慎行穀城山房筆麈謂元人以鷹坊爲仁虞院。據此則明之晾鷹臺、元之鷹坊及仁虞院，皆一地也。至元之晾鷹臺，顧祖禹方輿紀要云，在漷縣西南。又元史，至大元年，築呼鷹臺於漷州。其地距南海子凡九十餘里。元時又有鷹房，在德勝門外中鄉，見明張爵五城坊巷衚衕集，皆别爲一處，與南海子無涉。臺高六丈，徑十九丈有奇，周徑百二十七丈。恭值大閱之典，例於晾鷹臺舉行，詳見前帙。

聖祖御製晾鷹臺詩　清晨漫上晾鷹臺，八駿齊登萬馬催。遥望九重雲霧裏，羣臣就景獻詩來。

乾隆三十六年御製射虎行　虎圈養虎林丞守，官家備物無不有。飼以久徒費以多，殪之

每試佽飛手。南苑殪虎宜何處？往例晾鷹臺陳旅。虎槍比肩立周阹，於菟欲避無去所。出柙莫問誰之過，曳尾那有猛風作？檻中積威約致然，馬遷語固非虛播。彎弧偶亦射斃之，比孱兔耳何足奇！木蘭昔乃真射耳，乙亥秋，木蘭行圍，虞人報有虎，率虎槍擊刺，虎忽逸出，衆莫敢攖。其日有厄魯特新附者來觀，因馳安吉驄追及之，壹發而殪。曾作射虎行紀其事。憶子布言今弗爲。

〔臣等謹按〕射虎行御製詩，爲晾鷹臺紀述事實之作，恭載卷内。

寧佑廟山門三楹，大殿三楹，後殿五楹，東西御書房各三楹。南苑冊

〔臣等謹按〕寧佑廟在晾鷹臺北六里許，雍正八年建。大殿奉南苑安禧司土神像，恭懸世宗御題額曰薰風布澤，皇上御題額曰福疆蕃育。山門内碑亭一，恭勒御製海子行詩，詩載前卷。

乾隆四十一年御製寧佑廟瞻禮詩 海子居中地，靈祠奉祀虔。是廟建於雍正己酉年，祀海子土地之神。來瞻仲春月，建置卌餘年。松已龍鱗作，碑新虬篆鐫。寺前碑亭刻辛卯海子行，詳敍南苑顛末。安輿頻奉豫，益壽祝綿綿。

〔臣等謹按〕寧佑廟御製詩，恭載首見之篇，餘不備録。

雙柳樹池旁立崑崙石，東偏高阜處石幢一。南苑冊

〔臣等謹按〕雙柳樹在海子居中之地，舊有古柳二株，先後凋枯，隨時補植，並蒙天

章題詠，遂爲苑内名區矣。有水一道，爲飲鹿池。崑崙石在池之西，四面恭勒御製南苑雙柳樹暨春雲海户謡雜言諸詩，東偏石幢恭勒御製甲子題句，謹編載卷内。

御製南苑雙柳樹賦 廣甸春風，躞春騎兮玉驄。伊雙柳兮宿識，欣向榮兮菁葱。念此地兮少游，緒紛觸兮吾衷。昔曾損一，獨樹孤蹤。伊誰補種？新匹舊同。其舊復枯，賓爲主翁。而何新賓，代嬗莫窮。樹不能言，長言以通。若夫東門徒期，上林復起。嵇康則夏月居之，張緒則當年似已。桓司馬之金城所種，攀枝泫然；陶淵明之彭澤所栽，酬觴醺矣。雖亨屯之畧殊，總未出乎情之所使也。爾其枯楊生稊，老夫得其女妻。雖云過以相與，何妨聊復宜之？豈知夫何能故者曰世，不再來者惟時。則見牂牂老葉，蕭蕭敗枝。强摇金以梳風，慢寫玉以臨池。對嫩條而常覺忸忸，憶昔侣而那置依依？值秋風而不禁，溘朝露而豈辭！好事者憐之曰：樹可亡也，名不可亡也。幻者常之幻也，常者幻之常也。乃復移植新者而使成雙焉。蓋經予見者，三十年之間，新舊迭爲賓主者凡三矣。嗟夫！舊閲新而成故，故何新之恒齊？奇合偶而成雙，雙何偶之弗離？覩兩樹之如斯，雖萬事其可知。暮而隱几，若有星宿之昆前而言曰：大椿過八千，朝槿榮其後，是誰之詩乎？曩何爲而弗惜，今何事而予悲乎？且夫建木則入五千圍，蟠桃則歷九萬歲。刦至數盈，根蠹節瘁。不聞名以實傳，實以名寄。如兩樹之閲滄桑而永世焉。昌昌生意未婆娑，方來日月其正多，不亡者存感則那？言訖而去，若尼拘使者之相過也。

乾隆九年御製雙柳樹詩 南苑雙柳樹，厥名亦已久。臨池弄清陰，婉婉蓋數畝。歲月與俱深，麋鹿相爲友。昔曾枯其一，秋風自淒吼。何人見憐之，補種復成偶。我聞未枯樹，却種曾枯後。迭爲主與賓，遑論新兮舊？叶曰名不如實，斯柳以名壽。

乾隆十一年御製南苑雙柳樹復枯其一疊韻誌感 種柳補成雙，雙雙期未久。經年此一過，獨樹臨蕪畝。昔爲舊者伴，今待新爲友。停鞭契菀枯，真似獅子吼。彭殤本齊年，賓主亦其偶。大椿過八千，朝槿榮其後。底事重歡悲，强分新與舊。靈和儻悟此，是謂無量壽。

崑崙石南面恭勒乾隆五年御製南苑雙柳樹詩 南苑雙柳樹，昔年何葱菁！兩株立平原，千絲織晚晴。因循失其一，獨樹若無榮。至今行路人，猶道雙柳名。豈無補植者，枯萎率不生。嗟哉草木質，尚有相憐情。徘徊不能去，長歌代柳鳴。

又北面恭勒乾隆二十八年御製春雲詩 春雲吐西山，彌空忽幡纚。青郊方濈洳，已覺艱舉趾。弗雨斯乃佳，旋聽風聲起。盡吹雲捲去，意乃爲之喜。回憶往年春，雲生盼雨矣。聞風便已愁，那有喜之理？人情好惡殊，翻覆有如此。

又東面恭勒乾隆二十八年御製海户謡 海户給以田，俾守南海子。常年足餬口，去歲胥被水。以其有恒産，不與齊民比。賑貸所弗及，是實向隅己。我偶試春蒐，掃塗仍役使。藍縷洵可憐，内帑寧惜此？一千六百人，二千白金與。稍以救燃眉，庶免溝中徙。並得貰春種，青黄藉有恃。道旁紛謝恩，菜色頗生喜。爾喜我所慚，過不他人諉。

又西面恭勒乾隆二十八年御製雜言 弗善馬射者，弓力欲其弱。善於馬射者，弓勁乃氣作。臂痛步射艱，馬射猶自若。可與知者言，不知如蠟嚼。木蘭九月回，數月久閒却。春風小試蒐，豪情殊踴躍。狡兔連中雙，是蓋夙所學。以今屈支觀，一亦艱射著。隔宿手已胮，臂疢增於昨。習逸所致然，言之面先怍。昭烈髀肉生，其歎有雄畧。枚叔譏肥膿，命曰腐腸藥。雜言鮮錯綜，藉用自斟酌。

〔臣等謹按〕雙柳樹御製詩，謹繹有關紀述事實者恭載卷内，餘不備録。

南宮宮門二重，前殿五楹，後殿五楹，再後西正室三楹。南苑册

〔臣等謹按〕南宮在南紅門内里許，門對苑牆，康熙五十二年建。前殿内御題額曰芳甸怡春，聯曰：映窗黛鬱千年樹；插架芸芳四庫書。西間爲佛室，聯曰：大自在因臻最上；妙觀察智悟真如。後殿御題額曰景湛清華。聯曰：淥水亭前羅帶繞；碧山窗外畫屏開。又聯曰：樹將暖旭輕籠牖；花與香風並入簾。三捲房東間額曰暢遠襟。聯曰：景欣孚甲含胎際；春在人心物性間。西間聯曰：草木愜生意；風泉清道

心。後間聯曰：入目景光渾似舊；得心興會每殊前。再後西正室聯曰：愜心雅得箇中趣；澄景憑催象外詩。内間額曰理趣。

乾隆七年御製秋夕於南紅門行宫對月有作　去歲龍沙試秋獮，關山月色閒吟遣。今宵桂魄還分明，離宫照我無限情。誰知幾缺復幾圓，暗換今年與去年。去年月卽今年月，何必視昔空悵然！白露瀼瀼衣袂冷，倚楹相對忘懷永。

乾隆十八年御製南紅門行宫晚坐詩　旋蹕臨南苑，行宫憩息便。庭軒信瀟灑，書史足周旋。窗紙今宵朗，壁題前度懸。治平聲。平何所就，睫眼又三年。不到南苑者蓋三年矣。

乾隆二十八年御製暢遠襟軒詩　詭石弗羅墀，縱觀雅得宜。盆花仍焙蕊，樹葉未抽枝。適纔去聲。臨春仲，無過坐片時。遠襟付誰暢，虚室不言知。

乾隆四十一年御製暢遠襟軒口號　曲室迴廊四面圍，循名軒額似相違。暢懷近遠寧因此？笑屬多言辨是非。

〔臣等謹按〕南紅門行宫暨暢遠襟軒御製詩，謹繹有關紀述事實者恭載卷内，餘不備録。

新衙門宫門三楹，左右垂花門内對面房十間，前殿三楹，後殿五楹。南苑册

〔臣等謹按〕新衙門在鎮國寺門内約五里許，建自前明。宫門前鐵獅子二，上鐫延祐

元年十月製，元時舊物也。垂花門内對面房御題額曰邇延野緑。東壁聯曰：緑深草色輕風拂；紅潤花光宿雨晴。西壁聯曰：樹鳥鳴春聲漸暢；砌苔向日緑偏多。後殿屏扆間恭繪聖容，擐甲據鞍。東間聯曰：翠峯自寫王家畫；飛瀑常調雷氏琴。西間額曰神遊清曠。聯曰：披圖自可尋山對；得句偏宜選壁題。皆御書。

乾隆四年御製南苑新衙門行宫即事詩　南苑重來羽騎馳，離宫未御已經時。新詩消遣閒中興，舊學商量静裏知。花笑迎人詩得意，鳥吟爲我話相思。留連不是耽風景，却惜年華暗轉移。

乾隆二十八年御製新衙門行宫疊舊作韻詩　三處行宫兩宿移，春風小試漫淹遲。無過武備示規意，是來本欲以行圍之度示諸回部，故啟程之日咸令送駕而去。信宿還宫，即御經筵。況逮文華進講時。昔往今來真迅矣，民情物理慎思之。皞熙未致伊誰責？縱曰知難亦底爲。

乾隆四十五年御製新衙門行宫作　衙門舊矣尚稱新，明季於斯駐内臣。孰謂名當遜乎實，試看假乃勝其真。歲時聊以識庚子，詩句奚堪閲丙申？丙申四月東巡，奉聖母曾駐此，題什宛在壁間，追憶不勝淒感。此去西陵叩七袠，來年慶典那由陳？

〔臣等謹按〕新衙門行宫御製詩，謹繹有關紀述事實者恭載卷内，餘不備録。

後殿之東，裕性軒五楹，軒西爲澹思書屋，後爲陶春室。南苑册

〔臣等謹按〕裕性軒東間爲佛室，聯曰：經標窣堵雲常護；心印牟尼月共圓。西間聯曰：即境試抽思汩汩；向榮且喜木欣欣。軒東小室壁上恭懸世祖章皇帝御書唐李白清平調詩，苑人因稱爲詩句房。古秀亭、澹思書屋、陶春室，皆皇上御書。陶春室内聯曰：明月松間照；清泉石上流。

乾隆十一年御製裕性軒題壁（南苑行宮内舊書屋也。）宿解讀書樂，時復與静宜。幽苑構離宮，憶昔曾下帷。几清無俗氛，樹古多喬枝。春風此駐蹕，芸編一再披。鳥語如相訴，駒影不肯移。欲去重徘徊，長歌有所思。

乾隆十九年御製裕性軒詠玉蘭詩　一樹當庭萬玉蕤，春風别館及芳時。色香兩字無餘凈，綈几憑參性所宜。繪寫春光得爾神，去年題句壁間新。（去歲來此，亦值花開。）較量含韻齋前樹，清詠饒他兩度春。（舊作有裕性軒爲含韻齋之句。含韻齋，圓明園賞玉蘭處也。）

乾隆二十八年御製裕性軒詩　几席有餘清，春風暫駐旌。馬嘶牆外草，翬煥屋間甍。稽古遥懷託，居今静趣生。玉蘭猶未放，（庭中玉蘭甚古，昔曾有詩。）小惜昔年情。

乾隆四十一年御製題裕性軒詩　性近人生初，能率斯稱道。是軒額裕性，命義誠云好。有餘之謂裕，廓然祛急躁。（叶）虚受應物來，静守謝私擾。所見實如斯，全斯勉探討。

乾隆二十八年御製古秀亭詩　度來十笏猶爲少，納以三千亦覺餘。試凭緑窗静觀物，應知此語信非虛。

又御製澹思書屋詩　寧誇芝篆餘釵脚，喜對芸編在案頭。馳馬射麞近豪放，澹思有藉此優游。

乾隆四十一年御製澹思書屋詩　少時恒此讀芸編，思慮無分誠澹然。今日思艱那語澹？副名祗有別經年。

乾隆二十八年御製陶春室詩　春草緑侵階，春禽入聽諧。陶春自老屋，坐對始知佳。

乾隆四十一年御製陶春室詩　書齋清遠塵，來駐仲之春。編簡都依舊，柳桃已報新。因知化工妙，更切體元仁。蒐騎平原待，偶爲底事頻。

〔臣等謹按〕新衙門行宫暨裕性軒、古秀亭、澹思書屋、陶春室御製詩，謹繹有關紀述事實者恭載卷内，餘不備録。

團河行宫一所，宫門三間，前殿五間，後殿五間。南苑冊

〔臣等謹按〕團河之源舊稱團泊，在黄村門内六里許。河南北舊寬六十餘丈，東西五十餘丈。乾隆四十二年，重加疏濬，復拓開數十丈。團泊之流出南苑牆爲團河，又入鳳河，又東南流與永定河合。藉以蕩滌淤濁，復同由大清河入海。詳載御製團河行宫及南紅門外詩注。宫内大殿前簷額曰璇源堂，殿内額曰時與天遊，後殿抱廈前簷額曰涵道齋，别宇爲鑒止書屋，皆御書。

乾隆四十五年御製團河行宮作　團河本是鳳河源，疏濬於旁築館軒。斷手三年未一到，團河出南苑牆，釃爲鳳河，又東南流，資滌永定河之濁，由大清河歸海。既經疏濬，因於旁構築數宇，以供臨眺。惟登覽無暇，故工成三年兹始因路便一到耳。臨看此日識長言。非關疏懶身無暇，惟愛樸淳志弗諼。流出清波刷渾水，資安永奠意斯存。

又御製涵道齋有會詩　齋建書堂後，臨池俯淡然。因之額涵道，遂以凜臨淵。詎曰羨魚謂？亦思願治焉。賢良策雖讀，敢易視更弦？

又御製鑒止書屋詩　結構率臨池，是處富於水。璇源言其實，涵道言其理。書屋别一曲，爰名曰鑒止。動實濫於面，止乃澈其底。澈底鑒斯明，孰能混臧否？偶來俯空澄，心境兩清美。不波勝其波，有鑒謂多矣。

乾隆四十七年御製團河行宮作　庚子於斯一度經，團河行宮工成後，庚子秋路便始一經臨，有斷手三年未一到，臨看此日識長言之句。兹來信宿蹕應停。落成則已數年閲，題句那辭七字寧？何必盆頭花弄紫，即看牆角柳含青。因疏泉遂闢行館，知過論中早自銘。近歲因南苑水源未暢，命加疏濬以期通流濟運。其團河一支則釃爲鳳河，又東南流，資以滌永定河之濁，復由大清河歸海。疏治既成，因於其旁構築行館以供臨憩。昨歲知過論中所云南苑工作指此。

〔臣等謹按〕璇源堂、涵道齋、鑒止書屋、團河御製詩，謹繹有關紀述事實者恭載卷内，餘不備録。

東所大宫門三楹，東西配殿各三楹，九間房九楹，河中敞宇三楹，平臺三楹，石板房三楹，石亭一，水柱房二楹，六方亭一，河亭三楹，圓亭一。南苑册

〔臣等謹按〕六方亭在北山之上，御書額曰鏡虹亭。過河亭接苑牆之南，其下卽團泊之水，流向苑外，團河迤邐而入鳳河者也。圓亭御書額曰雲隨亭。

龍王廟三楹，半山房五楹，西臨河房五楹。南苑册

〔臣等謹按〕龍王廟在北山之上，門外御書額曰珠源寺，半山房前簷額曰拂雲岫，西臨河房額曰濯月漪。皆御書。

鳳河水一渠從西流至鳳窩村，雖隆冬沍寒，水亦不冰。名勝志

鳳河其形如鳳，河源在南苑，中流出東南隅，至武清之堠上村，河身深廣，以下填淤斷續，一遇伏秋，雨潦散漫無歸。雍正四年命修水利。查有涼水河，發源水頭莊，貫南苑，出宏仁橋，東流至高各莊，東北流抵張灣，入運河。乃於高各莊分流南引至堠上，入鳳河故道，一路挑挖，過雙口抵清沽港，入淀河。仍於分流之處各建一牐。水小則閉東牐啟南牐，流入鳳河，水大則閉南牐啟東牐，洩入運河。次年河成，宛平、漷縣、武清、東安一帶積潦盡消，桐林、牛鎮、三間房等處開渠引水，各營田數十頃。畿輔通志

〔臣等謹按〕涼水河卽大紅門外繞垣之水，源出右安門西南鳳泉，復合南苑之一畝泉

及三海子諸水，由馬駒橋入運河，是爲苑内北源之水，與南源之團泊、鳳河經流迴別。乾隆三十八年奉命疏濬，共修河道八千餘丈。恭繹御製涼水河詩，詳注原委，因其地屬通州，謹編載京畿通州卷内。

乾隆四十一年御製南紅門外作　南苑行宫逐頓移，東巡此日信遵逵。紅門外便烟村接，歷覽農桑兹始之。秋麥已長春麥萌，不教獵騎躪縱横。柳圍村識青雲店，憶我少年覔句行。鳳河一再渡橋𢭃，蕩漾渾流每藉兹。（鳳河發源於海子内之團河，下流與永定河滙，蕩瀠沙渾，同由大清河入海，是鳳河實永定關鍵。向以年久淤塞，因出内府帑金飭加挑濬，俾得暢流，邇年頗資其力。又以舊河勢直，恐其一瀉無遺，令作之字形，使其曲折而下。）設使不爲之字繞，清波直瀉慮無遺。大興縣境接東安，儒士耆民載道歡。絞縛綵棚申賀祝，（兹啟程前，原降旨不令地方官陳備戲棚，因紅旗報捷，紳士各於本境結小綵亭，申賀喜祝壽之意。周元理奏，地方官並亦不能禁也。）得無程督地方官？

乾隆四十七年御製南紅門行宫作　南苑前秋（庚子。）未至兹，兹來取暇蹕教移。無過一宿便當去，暗數（上聲）六年（丙申至今又六年矣。）有所思。舊日承歡那重得？（丙申奉聖母慈駕東巡，來往皆駐南紅門行宫。舊詩有慶因定西旅，恒是奉東朝之句。）他時歸政且耆期。成吟擲筆付一笑，紀事聊摹老杜詩。

〔臣等謹按〕南紅門外御製詩，詳載鳳河源流形勢，有關考證，謹載於此。

原南海子在京城南二十里，舊爲下馬飛放泊，内有洝鷹臺。永樂十二年增廣其地，周圍凡一萬八千六百六十丈。中有海子三，以禁城北有海子，故別名南海子。（明一統志）

〔臣等謹按〕南苑繚垣實一萬九千二百八十丈，海子今實有五。朱彝尊所引明一統志稱一萬八千六百六十丈中有海子三者，實未詳考。禁城外北海子卽今禁城外之積水潭，詳城市門。

原 元制，冬春之交，天子親幸近郊，縱鷹隼搏擊以爲游豫之度，謂之飛放。元史兵志

原 下馬飛放泊在大興縣正南，廣四十頃，北城店飛放泊、黄埃店飛放泊俱廣三十頃。元混一方輿勝覽

〔臣等謹按〕下馬飛放泊卽今南苑之地，曰下馬者，蓋言其近也。至北城店、黄埃店之飛放泊則別有其地，今不可復辨矣。

原 至順元年七月，調諸衛卒築柳林海子堤堰。三年七月，調軍士修柳林海子橋道。元史文宗紀

〔臣等謹按〕柳林在今通州廢漷縣西，與南海子無涉。朱彝尊原書因元史本文合載二事，遂並引入。其實柳林距南海子幾百餘里矣。

原 明宣德三年十一月，命太師英國公張輔等撥軍修治南海子周垣橋道。七年八月，修南海子紅橋等牐。明宣宗實録

原 正統七年正月，修南海子北門外橋。八年六月，修南海子紅橋。十月朔，上諭都察院曰：南海子先朝所治，以時游觀，以節勞佚。中有樹藝，國用資焉。往時禁例甚嚴，比

來守者多擅耕種其中，至私鬻所有，復縱人芻牧。其卽榜諭之，違者罪無赦。十年正月，修南海子北門外紅橋。十二年六月，修南海子北門大紅橋。天順二年二月，修南海子行殿大紅橋一，小橋七十五。明英宗實録

原 正德十二年正月己丑，大祀天地於南郊，禮畢車駕遂幸南海子。明武宗實録

原 南海子距城南二十里，方百六十里，闢四門，繚以崇墉。中有水泉三處，獐鹿雉兔不可以數計，籍户千餘守視。每獵則海户合圍，縱騎士馳射于中，所以訓武也。可齋筆記

原 南苑方一百六十里，苑中有按鷹臺，臺旁有三海子，皆元之舊也。國朝闢四門，繚以周垣，設海户千人守視。自永樂定都以來，歲時蒐獵於此。大政記

〔臣等謹按〕南海子舊闢四門，本朝增爲九門。海户亦仍其制。按鷹臺卽晾鷹臺之別名，詳見卷首晾鷹臺條下。

原 城南二十里有囿曰南海子，一百六十里，中有殿，殿旁晾鷹臺，臺臨三海子，築七十二橋以渡，元之舊也。海子西北隅，歲清明日蟻集成邱，中一邱高丈，旁三四邱亦數尺，竟日乃散去。土人呼爲螞蟻墳。西牆有沙岡委蛇，歲歲增長，高且三四丈，土人曰沙龍。帝京景物畧

原 陳沂駕幸海子詩：春旗出入夜，夜騎入長楊。赤羽驚風落，雕弓抱月張。橫驅視沙塞，縱發擬河湟。未寢開邊議，誰爲諫獵章？拘虚集

原 薛蕙駕幸南海子詩 詔幸芙蓉苑，傳言羽獵行。三驅陪上將，四校出神兵。列戟圍熊館，分弓射虎城。風雲日暮起，偏繞漢皇營。西原集

原 歐大任出郊至南海子詩 萬樹周阹起夕烟，漢家宫囿帶三川。誇禽幾幸長楊館，講武曾驅下杜田。敕使日調沙苑馬，詔書春散水衡錢。西游不數諸侯事，尚憶詞臣扈從年。歐虞部集

補 南海子周環一百六十里，有水泉七十二處，元之飛放泊也。晾鷹臺，元之仁虞院也。明置二十四園。梅村集

補 南海子本元之飛放泊。元制大都八百里以内，東至灤州，南至河間，西至中山，北至宣德府，捕兔有禁。以天鵝、鴜䳓、仙鶴、鴉鶻私賣者，即以其家婦子給捕獲之人。有於禁地圍獵爲奴婢首出者，斷奴婢爲良民。收住兔鶻向就近官司送納，喂以新羊肉，無則殺雞喂之。自正月初一日至七月二十日禁不打捕，著之令甲。其苛政如是，亦異乎文囿之芻蕘雉兔者已。鴻雪録 以上十五條原在郊坰門，今移載於此。

欽定日下舊聞考卷七十六

國朝苑囿 暢春園

暢春園在南海淀大河莊之北，繚垣一千六十丈有奇。暢春園册

〔臣等謹按〕暢春園本前明戚畹武清侯李偉別墅，聖祖仁皇帝因故址改建，爰錫嘉名。皇上祇奉慈寧，問安承豫，每於此停憩。因在圓明園之南，亦名前園云。

聖祖仁皇帝御製暢春園記　都城西直門外十二里曰海淀，淀有南有北。自萬泉莊平地湧泉，奔流瀰瀰，滙於丹陵沜。沜之大，以百頃，沃野平疇，澄波遠岫，綺合繡錯，蓋神皋之勝區也。朕臨御以來，日夕萬幾，罔自暇逸，久積辛劬，漸以滋疾。偶緣暇時，於兹游憩，酌泉水而甘，顧而賞焉。清風徐引，煩痾乍除，爰稽前朝戚畹武清侯李偉因兹形勝，構爲別墅。當時韋曲之壯麗，歷歷可考，圮廢之餘，遺址周環十里。雖歲遠零落，故蹟堪尋。瞰飛樓之鬱律，循水檻之逶迤。古樹蒼藤，往往而在。爰詔内司，少加規度，依高爲阜，即卑成池。相體勢之自然，取石甓夫固有。計庸畀值，不役一夫。宫

館苑籞，足爲寧神怡性之所。永惟儉德，捐泰去雕。視昔亭臺邱壑林木泉石之勝，絜其廣袤，十僅存夫六七。惟彌望漣漪，水勢加勝耳。當夫重巒極浦，朝烟夕霏，芳蕚發於四序，珍禽喧於百族。禾稼豐稔，滿野鋪芬。寓景無方，會心斯遠。其或穡稌未實，暘雨非時。臨陌以憫胼胝，開軒而察溝澮。占離畢則殷然望，詠雲漢則悄然憂。宛若禹甸周原，在我户牖也。每以春秋佳日，天宇澄鮮之時，或盛夏鬱蒸，炎景爍金之候，幾務少暇，則祗奉頤養，游息於兹。足以迓清和而滌煩暑，寄遠矚而康慈顔。扶輿後先，承歡愛日，有天倫之樂焉。其軒墀爽塏以聽政事，曲房邃宇以貯簡編，茅屋塗茨，略無藻飾。於焉架以橋梁，濟以舟楫，間以籬落，周以繚垣，如是焉而已矣。既成而以暢春爲名，非必其特宜於春日也。夫三統之迭建，以子爲天之春，丑爲地之春，寅爲人之春，而易文言稱乾元統天，則四德皆元，四時皆春也。先王體之以對時育物。使圓頂方趾之衆各得其所，跂行喙息之屬咸若其生。光天之下，熙熙焉，皞皞焉，八風罔或弗宣，六氣罔或弗達，此其所以爲暢春者也。若乃秦有阿房，漢有上林，唐有繡嶺，宋有艮嶽，金釭壁帶之飾，包山跨谷之廣，朕固不能爲，亦意所弗取。朕匪敢希蹤古人，媲美曩軌，安土階之陋，惜露臺之費，亦惟是順時宣滯，承顔致養，期萬類之乂和，思大化之周浹。一民一物，念兹在兹，朕之心豈有已哉？於是爲之記而系以詩。詩曰：昔在夏姒，克儉卑宫。亦越姬文，勿亟庶攻。若稽古訓，是欽是崇。箴銘户牖，夙夜朕躬。棟宇之興，因基前代。巖宿丹霞，檐棲翠靄。營之度之，以治蕪廢。有沸泉源，汪濊斯在。駕言西郊，聊駐綵斿。甘彼挹酌，工築斯謀。瑩澈明鏡，縈帶芳流。川上徘徊，以泳以游。因山成峻，就谷斯卑。咨彼將作，毋曰改爲。松軒茅殿，實惟予宜。亦有樸斲，予尚念兹。撰辰經始，不日落成。豈曰游豫，燕喜是營。展事慈闈，那居高明？遐矚俯瞰，聊用娱情。粤有圖史，藏之延閣。惟此大廡，會彼朱襮。鬱鬱溝塍，依然耕鑿。無假人工，渺瀰雲壑。有鷁其舟，有虹其梁。可帆可涉，於焉徜徉。文武之道，一弛一張。退省庶政，其罔弗臧。嘗聞君德，莫大於仁。體元出治，於時爲春。願言物阜，還使俗醇。暢春之義，以告臣鄰。

聖祖御製避暑暢春園雨後新月詩　園亭氣爽雨初晴，新月朧朧透樹明。漏下微眠思治道，未知清夜意何生。

聖祖御製暢春園觀稻時七月十一日也　七月紫芒五里香，近園遺種祝禎祥。炎方塞北皆稱瑞，稼穡天工樂歲穰。

乾隆六年御製詣暢春園皇太后宫問安詩　窣地青絲兩岸圍，鷗波雲影漾朝暉。輕舟喜近瑶池境，芳甸初開玉版扉。却憶含飴心切切，暢春園係皇祖臨幸地也。每親色笑樂依依。敬承孝治尊家法，長奉慈寧褘鞠輝。

乾隆七年御製詣暢春園問安皇太后命觀園内所藝禾黍與與翼翼誠有秋也得詩一首 占歲今秋好，祈年午夜曾。仙壺叨澤渥，寶稼應時登。繡隴黄雲合，芳園懿賞憑。泠泠朝露綴，靄靄野烟凝。宫府應無異，農桑合並稱。艱難知穡事，慈訓敢欽承。

乾隆九年御製午日詣暢春園問安詩 蒲岸河洲泛玉津，銅龍雙闕問安晨。祇因憫雨遵慈訓，未敢稱觴答令辰。自春徂夏，尚未得霑足雨澤，皇太后步禱于園内龍神廟，朕恐懼惴慄，莫知所措。夫以朕之不德，上累聖母憂勞，遑敢以節序酒食之饌盡承歡之小節乎？黄帽龍舟閒浦溆，緑枝虎艾綴楣桭。分明舊歲端陽景，饒有新愁薄念頻。

乾隆二十六年御製詣暢春園問安詩 雨中御園返，敬爲謁思齋。旋看雩禋逮，初七日雩祭，預齋三日，即當又還宫。又當法駕排。詎辭勞玉轡？懼久闊萱階。奏對烟郊況，端堪悦懿懷。

乾隆二十八年御製詣暢春園問皇太后安詩 皇州冬尚暖，仙苑景如春。温清斯欣適，起居此敬詢。率因成例事，邇年以皇太后喜居暢春園，故自木蘭迴蹕，雖因冬令時享還宫，每間數日，輒命駕問安。冬至前始奉皇太后還宫，率成例事。已覺闊多辰。養志吾心切，那論來往頻？

乾隆三十三年御製旋蹕詣暢春園問皇太后安詩 七日迅回鑾，一心殷問安。膝前勝馳牘，途次命御前侍衛緘宫報請安，並進鮮佐膳。几上定加餐。階影祥曦永，林光瑞露溥。春郊農況好，奏對博慈歡。

乾隆三十五年御製恭奉皇太后至暢春園駐蹕作　遊覽田盤豫聖慈，東還將欲蹕西移。萬年共喜長康健，三宿原應暫憩遲。駐蹕三日，即啟駕往謁泰陵，因至天津。園裏桃開雖不負，樹頭風姤故如斯。銓曹引見催明日，兩字敬勤吾勉之。

又御製端午日詣暢春園問皇太后安即事有作　龍潭親禱未昭靈，例事龍舟概與停。逢節敢因疏定省？致齋仍復遣藩屏。命禮部按例天神、地祇、太歲壇，各遣官致祭請雨。最憐出土禾將萎，懶對插門艾自馨。懿訓肫然相慰藉，益慚無以慰慈寧。

又御製詣暢春園問皇太后安作　昨夜雨誠大，慈恩免問安。十六日傳諭朝請安，因夜雨較大，皇太后差人止行，謹遵懿旨展緩一日。今晨晴更爽，趨詣敬承歡。水殿夏宜清，風疏浦正寬。康强綿福履，錫類萬方觀。

乾隆三十六年御製端午日詣暢春園問皇太后安詩　雨潤纔三寸，曰霑實自瞞。敢疏午日謁，那博懿懷寬？依例菖蒲户，懶看糉黍盤。兩年闕慶節，午日例奉皇太后於御園觀競渡，昨歲及今俱以盼雨未展節事，詣暢春園問安。調幕愧無端。

乾隆三十七年御製詣暢春園恭問皇太后安遂駐御園即事成什　暢春養志冀娛親，來往問安年例循。每歲冬，朕自圓明園進宮。聖母以風景清勝，尚留園居，至節近萬壽進京。朕間數日赴暢春園問安，率駐御園信宿，以便再修定省，凡來往三四次，遂恭奉慈駕還宮。遂駐御園期信宿，適當子月景清真。林無餘葉山有骨，冰出平湖水入神。傍晚西南雲氣重，翹思其雪麥棖皴。

乾隆四十年御製三月四日詣暢春園恭問皇太后安遂啓蹕往盤山因成是什　問寢詣晨朝，喜瞻健倍饒。奏聞將啓蹕，兼告卽還軺。（以十六日還駕。）乘馬仍依舊，尋詩若預要。省耕春有例，以近可知遥。

又御製盤山迴蹕詣暢春園問皇太后安因成是什　往來纔祇十餘日，仙苑芳春花綻皆。迴蹕帶星發行館，（是日寅刻卽從行宫啓行，圖早問安也。）駐旌圖曉謁思齋。最欣超向精神健，寧止如常食履佳？惟是捷音頻繫問，慚猶無以慰恩懷。

又御製玉河泛舟由昆明湖往暢春園恭問皇太后安詩　輕舸順流下，片時平渡湖。易輿行宛轉，前苑到斯須。（暢春園俗亦謂之前苑，以在圓明園南也。）速進輿居啓，歡承恩顧殊。愛同縱資事，惟敬以將愉。

乾隆四十一年御製正月晦日詣暢春園問皇太后安遂還宫之作　祭神（國朝最重祭神，每於春秋仲月朔行禮。）祈社御經筵，（二月初六日致祭社稷壇，應還宫齋戒，並於初二日舉行經筵。）禮也勅躬各致虔。行慶忽看正月過，問安遂以晦辰旋。野含宿潤麥銜露，陌隱韶光柳颺烟。此景較量誠鮮遇，爲欣然復爲夔然。

又御製詣暢春園恭問皇太后安詩遂駐御園有作　夏清冬温處總備，晝安夕宴事胥宜爲（去聲）。茲久駐欽承志，遂致頻來敬問怡。政務原無間以息，人情要亦體而隨。（冬令晝短且寒，朕若園居，則奏事來者必冒冷宵行。數年來率以冬孟還宫而往來問安。既不誤政，亦體人情之一端也。）因之颯景御園攬，林色丹黄入畫時。

〔臣等謹按〕暢春園御製詩，謹繹有關紀述事實者恭載卷内，餘不備録。

暢春園宫門五楹，門外東西朝房各五楹，小河環繞宫門，東西兩旁爲角門，東西隨牆門二，中爲九經三事殿。殿後内朝房各五楹。暢春園册

〔臣等謹按〕宫門懸暢春園額，殿内聯曰：皇建有極，斂時敷錫，而康而色；乾元下濟，虧盈益謙，勉始勉終。與九經三事額皆聖祖御書。

二宫門五楹，中爲春暉堂，五楹，東西配殿各五楹，後爲垂花門，内殿五楹爲壽萱春永。左右配殿五楹，東西耳殿各三楹，後照殿十五楹。暢春園册

〔臣等謹按〕春暉堂、壽萱春永及西耳殿内額曰松鶴延年，皆皇上御書。壽萱春永聯曰：璇閣香清，露華滋蕙畹；萱階晝永，雲錦蔚荷裳。亦御書。

乾隆二十年御製詣暢春園問皇太后安詩　上林行慶奉徽慈，日日承歡祝介眉。安樂歌中度華節，喬卿雲裏駐瑶池。柳稊福地争先發，冰泮靈源不後期。春永壽萱園中皇太后所居殿名。香穗細，民依政要奏移時。

乾隆二十四年御製詣暢春園恭問皇太后安詩　平明傳蹕鳳城垣，問寢欽先詣壽萱。壽萱春永，皇太后所居園中寢殿名也。數日興居懸紫禁，高年頤養喜仙園。皇太后喜園居，故奉養於此，尚未還宫。便臨御苑消清暇，依舊昕窗坐宴温。硯匣琉璃寧慮凍？每當觸興亦形言。

〔臣等謹按〕暢春園御製二詩，爲壽萱春永殿紀述事實之篇，恭載卷内。

照殿後倒座殿三楹爲嘉蔭，兩角門中爲積芳亭，正宇爲雲涯館。館後渡橋，循山而北，有河池，南北立坊二，爲玉澗金流。門内爲瑞景軒，軒後爲林香山翠。又後爲延爽樓，三層九楹。樓後河上爲鳶飛魚躍亭，稍南爲觀蓮所。樓左爲式古齋，齋後爲綺榭。暢春園册

〔臣等謹按〕嘉蔭、積芳、林香山翠、延爽樓、鳶飛魚躍、式古齋、綺榭諸額，皆聖祖御書。觀蓮所、雲涯館額皇上御書。園内築東西二堤，長各數百步，東堤曰丁香堤，西堤曰蘭芝堤，皆通瑞景軒。西堤外別築一堤曰桃花堤。東西兩堤之外，大小河數道，環流苑内，出西北門五空閘達垣外，東經水磨村，趨清河，西流則出馬廠北注入圓明園，自宮門至此爲暢春園中路。

雲涯館東南角門外轉北，過版橋爲劍山，山上爲蒼然亭，下爲清遠亭，由山東轉爲龍王廟，過清遠亭沿堤而南，河上築南北垣一道，中有門，西向曰廣梁門，門内爲澹寧居。暢春園册

〔臣等謹按〕蒼然亭、清遠亭額，聖祖御書，龍王廟額曰甘霖應禱，亦聖祖御書。澹寧居前殿爲聖祖御門聽政、選館、引見之所，後殿爲皇上舊時讀書之處，額亦聖祖

御書。

乾隆四十年御製題澹寧堂詩　憶昔垂髫歲，賜居曰澹寧。予十二歲時，皇祖養育宮中，於暢春園賜住之處卽名曰澹寧居。無忘斯黽勉，有勒在軒庭。遠致要心泰，志明惟德馨。雖云述格語，而每切聰聽。

〔臣等謹按〕澹寧堂御製詩，謹繹有關紀述事實者恭載卷内，餘不備録。

大東門土山北，循河岸西上爲淵鑑齋，七楹南向。齋後臨河爲雲容水態，左廊後爲佩文齋五楹，齋後西爲葆光，東爲蘭藻齋。淵鑑齋之前，水中敞宇三楹，爲藏輝閣，閣後臨河爲清籟亭。佩文齋之東北向爲養愚堂，對面正房七楹爲藏拙齋。

淵鑑齋東過小山口北有府君廟。暢春園册

〔臣等謹按〕淵鑑齋、佩文齋、葆光齋、蘭藻齋、藏輝閣、清籟亭、養愚堂、藏拙齋諸額，皆聖祖御書。府君廟神像如星君，旁殿奉吕祖像。

蘭藻齋循東岸而北，轉山後，西宇三楹爲疏峯，循岸而西，臨湖正軒五楹爲太樸。暢春園册

〔臣等謹按〕疏峯、太樸二額皆聖祖御書。

太樸軒之東有石徑接東垣，卽小東門，溪北爲清溪書屋，後爲導和堂，西穿堂門外爲昭回館。清溪書屋之西爲藻思樓，後爲竹軒。暢春園册

〔臣等謹按〕清溪書屋、導和堂、昭回館、藻思樓、竹軒諸額皆聖祖御書。導和堂東穿堂門，卽恩佑寺佛殿後也。

乾隆三十三年御製清溪書屋詩　暢春園中是處爲皇祖宴寢之所，我皇考改建恩佑寺以奉御容，乾隆癸亥，奉移於安佑宮，逮今四十餘年，有司以修葺告成，敬詣瞻仰，並紀是什。書齋樸斲碧溪邊，玉几親憑宛目前。旰食何由希烈駿？含飴惟是憶恩駢。猶仍堂構秋風日，迅速光陰卌六年。況此軒皇成鼎處，雲天仰望益愀然。

〔臣等謹按〕清溪書屋御製詩，恭載首見之篇，餘不備録。

恩佑寺建於苑之東垣内，山門東向，外臨通衢，門内跨石橋，正殿五楹，南北配殿各三楹。暢春園册

〔臣等謹按〕恩佑寺，世宗憲皇帝爲聖祖仁皇帝薦福，建於暢春園之東垣，正殿内奉三世佛，左奉藥師佛，右奉無量壽佛。山門額曰敬建恩佑寺。二層山門額曰龍象莊嚴，正殿額曰心源統貫。皆世宗御書。殿内龕額曰寶地曇霏。聯曰：萬有擁祥輪，淨因資福；三乘參慧鏡，香界超塵。皆皇上御書。

恩佑寺之右爲恩慕寺，殿宇規制與恩佑寺同。暢春園册

〔臣等謹按〕聖祖仁皇帝爲太皇太后祝釐，建永慕寺於南苑，世宗憲皇帝爲聖祖仁皇

帝薦福，建恩佑寺於暢春園。乾隆四十二年，皇上聖孝哀思，紹承家法，於恩佑寺之側敬構是寺，名曰恩慕寺，爲聖母皇太后廣資慈福。正殿奉藥師佛一尊，左右奉藥師佛一百八尊，南配殿奉彌勒像，北配殿奉觀音像，左右立石幢一，刻全部藥師經，一勒御製恩慕寺瞻禮詩。山門額曰敬建恩慕寺。二層山門額曰慈雲廣蔭，大殿額曰福應天人，殿内額曰慧雨仁風。聯曰：慈福遍人天，祥開佛日；聖恩留法寶，妙現心燈。皆御書。

乾隆四十二年御製恩慕寺瞻禮六韻　尊養暢春歷卅冬，欲求温清更何從？天惟高矣地惟厚，慕述祖兮恩述宗。南苑永慕寺，皇祖爲太皇太后祝釐所建；暢春園恩佑寺，皇考爲聖祖薦福所建；今爲聖母敬啟梵宫，即於恩佑寺側，名兼恩慕，亦誌紹承家法之意云。聖德寧資冥福報，永思因啓梵筵重。階臨忍草韶光寂，庭列祥枝慧蔭濃。愾若聞猶僾若見，耳中音與目中容。大慈本悟無生指，渺息長懷罔極恭。

〔臣等謹按〕御製恩慕寺詩，恭載首見之篇，餘不備録。又自劍山澹寧居一路至此爲暢春園東路。

春暉堂之西，出如意門，過小橋爲玩芳齋，山後爲韻松軒。暢春園冊

〔臣等謹按〕玩芳齋舊名閑邪存誠，聖祖題額也。雍正二年，皇上曾讀書於此，乾隆四年，燬於火，重建此齋。玩芳齋額，皇上御書；韻松軒額，聖祖御書。

乾隆三十四年御製韻松軒口號 韻松恒是聽風籟，獨喜今朝泛雨濤。弘景清音鮮愷澤，士元應占一籌高。蘇東坡次韻王滁州詩，斯人何似似春雨，謂王士元也。

〔臣等謹按〕韻松軒御製詩，恭載首見之篇，餘不備録。

二宫門外出西穿堂門爲買賣街，南垣外爲船塢門，内別宇五楹，北向。暢春園冊

〔臣等謹按〕買賣街建于河之南岸，略倣市廛景物。船塢内停泊大小御舟。小船額曰月波，大者一名吉祥舟，一名載月舫。北向房額曰西墅，接無逸齋之東門矣。

由船塢西行數武，即無逸齋，東垂花門内正宇三楹，後跨河上爲韻玉廊，廊西爲松篁深處。自右廊入爲無逸齋門，門内正殿五楹。西廊内正宇爲對清陰，廊西爲蕙畹芝原。暢春園冊

〔臣等謹按〕無逸齋額爲聖祖御書，康熙年間賜理密親王居住，嗣理密親王移居西花園，遂爲年幼皇子皇孫讀書之所。我皇上御極後，恭詣暢春園問安，於此傳膳辦事。丁酉大事後，爲倚廬之所。齋内御書周書無逸篇，後有御題十韻，韻玉廊、松篁深處、清齋習静、對清陰、蕙畹芝原諸額，皆御書。

乾隆七年御製無逸齋詩 無逸齋在暢春園中，皇祖所建也。葺而新之，以爲問安憩息之所，得詩二首。几有陳編覽，齋無玩物憑。文淵企深汲，道岸仰先登。堂構期勤肯，

仔肩懼莫勝。永惟心作所，庭訓倍欽承。勝地宜慈豫，高齋味至言。荷風涼拂簟，竹氣静當軒。坐愛琴書潤，渾忘鳥雀喧。壺中承夏清，膝下領春温。

乾隆三十二年御製無逸齋詩　全篇曾是屢書屏，無逸一篇乃勤政要旨，嘗手書揭屏扆間，以資隨地觀省。兩字名齋括政經。憶昔揮毫垂訓典，即今退食每延停。七嗚呼實致忠告，四廸哲應緬懿型。法遠莫先勤法近，還殷來許慎聽聽。

乾隆三十三年御製無逸齋詩　退食起居餘，勑幾臨碧疏。每因仰羲畫，可當去聲。讀周書。恭己三無奉，春光萬象如。溪田景何若，乘暇命輕輿。

乾隆三十七年御製無逸齋詩　寢門問安退，别館勑幾仍。事事罔敢忽，孜孜惟用兢。勤民恤彼隱，授吏量其能。黽勉所無逸，神堯垂訓曾。齋額，皇祖御筆也。

乾隆三十八年御製書無逸於無逸齋屏並識十韻　名齋緬皇祖，大戒述周公。萬世仰掞藻，當年茲惄躬。示端引未發，切己惕無窮。每以問安退，於斯咨政同。曰勤恒厲志，云逸那萌衷？爰更去聲。書屏上，仍如勤殿中。圓明園皇考理事處曰勤政殿，向曾書無逸於屏，以爲視政龜鑑。民嵒天命凛，深嘆永嗟通。凡七端往復，半千言始終。依然此靈囿，恧若奉卑宫。即事遵家法，惟欽對昊穹。

乾隆四十二年御製無逸齋作　本擬憩遲處，向每逢請安後，即退至此齋，爲傳膳辦事之所，且以備聖母起居或偶違豫，旦晚猝聞，可以居此侍奉醫藥。孰意升遐乃在御園，而此室轉成苦次，曷禁感痛！何期苦𠙶居？哀哀申此日，歷歷憶當初。因以繹周訓，無殊讀禮書。壁多侍顔什，覽更痛沈予。

〔臣等謹按〕無逸齋御製諸詩，謹繹有關紀述事實之篇恭載卷内，餘不備録。

無逸齋北角門外近西垣一帶，南爲菜園數十畝，北則稻田數頃。無逸齋後循山逕稍東有關帝廟，東過版橋方亭爲蓮花巖，對河爲松柏閘，關帝廟後爲娘娘殿，殿臺方式建於水中。暢春園册

〔臣等謹按〕松柏閘河之東岸卽蘭芝堤，西岸卽桃花堤也。關帝廟額曰忠義，聖祖御書。

凝春堂在淵鑑齋之西，東室三楹爲純約堂，其右河廳三楹爲迎旭堂。純約堂東爲招涼精舍。河廳之西爲彎轉橋，橋北圓門爲憩雲。迎旭堂後迴廊折而北爲曉烟榭，河岸以西爲松柏室，其左爲樂善堂。别院有亭，爲天光雲影。松柏室後出山口臨河爲紅蘂亭。自天光雲影後廊出北小門登山，東宇爲緑窻，山北爲回芳墅紅蘂亭，東爲秀野亭，自回芳墅北轉山口過河，水中傑閣爲蘂珠院。暢春園册

〔臣等謹按〕凝春堂舊時無額，因東室純約堂爲聖祖御題，卽稱爲純約堂。乾隆十二年重修，以奉聖母慈豫，皇上御題是額，今純約堂額尚懸東室舊處。堂内御書額曰導

和頤性，松柏室額曰翠嵓山房，北小門外山間甎門上鐫極覽二字，蘂珠院緑窗額皆聖祖御書。曉烟榭、迎旭堂皆隸書，天光雲影、紅蘂亭皆篆書。蘂珠院内額曰憑虚暢襟，皇上御書。

乾隆十二年御製純約堂詩 暢春園之純約堂，皇祖時所建也。朕既奉皇太后駐蹕於此，因畧爲修葺以供夏清，落成侍宴，敬成近體。軒榭貽皇祖，佳名純約垂。清温奉慈豫，丹雘柍桭施。今日成新落，清和正好時。指山傾北斗，俯水是西池。麗景窗中納，瑶圖座上披。卽看階砌畔，應茁萬年枝。

乾隆十三年御製蘂珠院詩 暢春苑湖中傑閣數楹，上摩清顥，下瞰澄波，皇祖題之曰蘂珠院。朕奉皇太后駐蹕是苑，每問安視膳於此。信乎清都之境，不老之庭也。因成長律，敬勒壁間。鏡裏岑樓號蘂珠，網軒四面遠山圖。堯年寶露猶霑樹，王母香華每降廚。地是上清無暑境，庭名不老列仙都。六星又見朝南極，鸞鶴紛隨瑞靄扶。

〔臣等謹按〕純約堂、蘂珠院御製詩，恭載首見之篇，餘不備録。

蘂珠院北埠上層臺爲觀瀾榭，西河廳三楹。東河廳四楹，爲坐烟槎臺，榭後正宇爲蔚秀涵清，後爲流文亭。暢春園册

〔臣等謹按〕觀瀾榭額爲聖祖御書。榭内額曰與物皆春，及坐烟槎、蔚秀涵清，皆皇

上御書。

乾隆十三年御製九月五日詣暢春園恭請皇太后聖安即視事於觀瀾榭引見于大西門其地長樓橫亘即皇祖曩時閲射處也爰親御弧矢集近侍諸臣較射時惟深秋風高日晶氣候清肅弓手相調連發二十矢中一十有九儒臣侍列與觀者援唐臣元武闕觀射故事賦詩進覽因用侍郎齊召南韻成四律紀之　暢春松柏茂南山，王母樓臺瑞靄間。侵曉問安欽養志，競辰考政敢偷閒！惟寅宗伯應輪直，啓事山公更合班。是日禮部值班奏事，吏部亦帶領引見。次第指揮還有暇，便教玉靶一親彎。延樓橫嶺正相當，遥見扶空樹葉黄。示儉已看霏細草，縱禽底用獻長楊？論文誰繼伯僑庶，較藝原多斛律光。安不忘危古有戒，金川況未靖天狼。憶年十二此呼嵩，聖眷靈承衆不同。每向月輪能中鵠，遂蒙天笑亦頒弓。予侍皇祖於此閲射，時年甫十二，蒙皇祖指授射法，輒能發矢命中，仰荷嘉奬，倏忽廿餘年矣。玉墀肅列猶鴛鷺，匡衛紛趨如虎熊。我遜貞觀能致治，且循習射教臣工。秋原駁娑一鳴鞭，遠入烟堤近柳前。橫過緑殘紅重嶺，俯看雲白菊黄天。幞頭導中誠堪笑，元周密燕射記：淳熙元年，孝宗幸玉津園講燕射禮，立招箭班，紫衣幞頭立於垛前，御箭之來，能以幞頭取勢轉導入的。連網周陆未是田。歷覽西成堪額慶，敢忘兢業詡豐年。

〔臣等謹按〕觀瀾榭御製詩，恭載首見之篇，餘不備録。

蘂珠院之西過紅橋北爲集鳳軒。軒前連房九楹，中爲穿堂門，門北正殿七楹。殿後稍

左爲月崖，其右有亭爲錦陂，度河橋西爲俯鏡清流。暢春園册

〔臣等謹按〕集鳳軒、月崖、錦陂、俯鏡清流諸額皆聖祖御書。軒正殿外簷額曰執中含穌，内額曰德言欽式，皆皇上御書。由俯鏡清流穿堂門西出循河而南，即大西門，延樓四十二楹，其外即西花園之馬廠也。

乾隆十四年御製集鳳軒詩　孟夏下浣之七日，皇太后賜膳於暢春園之集鳳軒，是地近大西門，去歲習射，於此發矢二十中十九，因用齊召南韻成詩四首勒於壁間。茲以侍膳視事之暇，陳馬技以娱慈顔，親發十矢，復中九，且破其的者三焉。聖母豫悦，仙苑增春，輒叠舊韻以誌歲月。萱齡長此祝如山，鏡面軒齋圖畫間。樂對清陰蒲節近，欣陪色笑鳳樓間。勸餐敬進仙廚膳，視事旋催朝士班。馬技更陳新雨後，遥峯澄景黛峨彎。封事籌裁懼弗當，無私兢業奉元黄。蒐材常冀空羣駿，較武均期中葉楊。每切祈年咨穡務，豈惟問景賞烟光？賢臣集事窮番服，烽息今休戍白狼。去歲金川用兵，故有金川況未靖天狼之句。今大學士忠勇公傅恒平定金川，奏凱還朝，復值時雨常霑，稍解朕憂矣。心殷愛日奉維嵩，涼室温闈地不同。集鳳軒亦新修飾以奉夏清之所。喜向座前親捧爵，更看樓外競彎弓。高岡萋菶將儀鳳，閒館蜵蜎陋射熊。家法儀型巍蕩近，此勤民政亮天工。穽地楊絲拂玉鞭，蘭舟遥待葦洲前。試調馴馬雲中錦，便泛澄波鏡裏天。疊韻新詩酬勝會，喜緣甘雨遍公田。惕乾未敢忘初志，多故猶然憶去年。

乾隆二十五年御製題集鳳軒詩　養志冬常駐園，問安暇此題軒。豈必雝喈真集，所喜萋菶猶存。掄材羣引廣廈，較射兼御西門。問安日視事此軒，於大西門較射尤便。寶額永輝聖日，含飴敢忘深恩？

乾隆三十五年御製詣暢春園問皇太后安詩　望雨予心切，相關聖母同。幸因霑渥澤，可以慰慈宮。砌草濃含露，池荷細引風。敞軒宜夏清，集鳳聖母所居軒名。有萋桐。

〔臣等謹按〕集鳳軒御製詩，謹繹有關紀述事實者恭載卷内，餘不備録。

集鳳軒後河橋西爲閘口門，閘口北設隨牆，小西門北一帶構延樓，自西至東北角上下共八十有四楹。西樓爲天馥齋，内建崇基中立坊，自東轉角樓，再至東面，樓共九十有六楹。中樓爲雅玩齋、天馥齋，東爲紫雲堂。暢春園册

〔臣等謹按〕天馥齋牌坊前額曰日窮寥廓，後額曰露澄霞焕。紫雲堂之西過穿堂北爲西北門，卽苑牆外也。

〔又按〕自玩芳齋至此爲暢春園西路，再西則爲西花園矣。

欽定日下舊聞考卷七十七

國朝苑囿 樂善園

西直門外高梁橋之北，宮門五楹，正宇爲倚虹堂。樂善園册

〔臣等謹按〕高梁橋在西直門之北，其水發源於玉泉，由昆明湖秀漪橋東流注此，卽長河也。乾隆十六年，聖母皇太后六旬萬壽，自長河至高梁橋易輦進宮，因建是堂。皇上臨幸御園，每於此侍膳視事，宮門額曰雲楣星鄂，與倚虹堂額皆御書。

乾隆十六年御製題倚虹堂詩 橋畔堂成辛未年，辛未年爲聖母六旬大慶，自長河乘冰牀至高梁橋，易輦進宮，建堂於是。大安登輦慶敷天。崇基已見祥貽永，盛典行將舉繼前。來往每因裁詠什，西直門爲御園必經之路，來往觀農，率有詩勒於壁間。雨暘惟是廑農田。虹光銀渚一灣映，春色皇州萬禩綿。

〔臣等謹按〕倚虹堂御製詩，恭載首見之篇，餘不備録。

倚虹堂西二里許爲樂善園，園門三楹，北向。樂善園册

〔臣等謹按〕樂善園門額，皇上御書。是處舊爲康親王園亭，頹廢已久。乾隆十二年

重加修葺，其上游與昆明湖相接，爲龍舸所必經云。

乾隆十七年御製題樂善園詩　樂善始康邸，（園故康親王別業也。）取義東平蒼。結構逾緑野，勝國爲皇莊。鼎革屬故藩，百載移星霜。宴遊既冷落，草樹就蕪荒。亭榭早無存，半立餘頹牆。地隣長河岸，來往泛烟航。憑眺念興廢，爲之長慨慷。稍命復其舊，芟穢疏汙塘。室宇何須多？足令供徜徉。廻池日以清，春翹日以芳。由來歲月深，峭蒨增林光。人工久斯敞，天然久益彰。艤舟一來憩，妙理參幻常。園名仍舊稱，況我曾顔堂。游心惟竹素，永言誌其詳。

〔臣等謹按〕樂善園御製詩，恭載首見之篇，餘不備録。

樂善園宫門内跨小溪南爲穿室，東向，曰意外味。轉石徑而南，爲於此賞心，内間北向爲含清齋，東爲瀟碧，北爲約花欄，南有軒爲雲垂波動。含清齋對河敞宇爲池月巖雲，中穿堂爲翠微深處，内爲藴真堂，南宇爲氣清心遠，別院有室曰鸞舉軒。（樂善園册）

〔臣等謹按〕意外味諸額皆皇上御書，鸞舉軒垣外是爲園之南門。

乾隆二十四年御製藴真堂詩　藩邸園亭頽廢久，（是處本康親王舊園也。）畧加葺築便如新。古柯曾不煩修飾，芘庥槎枒總藴真。

〔臣等謹按〕藴真堂御製詩，恭載首見之篇，餘不備録。

於此賞心之西南爲又一村，左有亭爲攬衆翠。意外味之西穿堂爲得佳賞，西爲蘭秘室，再西爲環青亭碧。蘭秘室之北有宇爲賞仁勝地。樂善園册

〔臣等謹按〕又一村諸額皆皇上御書。

園門内有樓爲沖情峻賞，東北爲紅半樓，其旁峙巖上者爲踞秀亭。沖情峻賞之西南有室爲畫所不到，東爲揖長虹，再東爲蔭林宅岫，内宇爲古歡精舍。樂善園册

〔臣等謹按〕沖情峻賞諸額皆皇上御書。

園門以西臨河敞宇爲自然妙有，西室爲風湍幽響，再西有軒爲詩畫間，爲玉潭清謐，亭爲箇中趣。亭北敞宇爲坐觀衆妙，西出河口，折而南，有室爲致灑然，接宇爲光碧涵暉。稍東曰遠青無際，後爲雲林畫意，再東有軒爲心乎湛然，折而南爲緑雲間。樂善園册

〔臣等謹按〕自然妙有諸額皆皇上御書。

樂善園西三里許曰大正覺寺，大殿五楹，後爲金剛寶塔，塔後殿五楹，塔院之東爲行殿。五城寺院册

〔臣等謹按〕大正覺寺卽朱彝尊原書所謂真覺寺也。明永樂間重建金剛塔，成於成化九年，凡五浮圖，俗因稱五塔寺。乾隆二十六年重修。正殿額曰心珠朗瑩。聯曰：般若演慈源，妙通筏喻；菩提宏覺路，長炳燈傳。皆皇上御書。塔東恭勒御製重修

正覺寺碑文，謹編載卷内。

御製重修正覺寺碑文 自萬壽寺迤東，不二里而近，有招提五塔離立，衆因以寺所有名之。實舊誌所稱大正覺寺者也。朕敬爲聖慈祝釐，歲辛未，既命將作庀材營繕，逮今辛巳，星紀載周。恭遇七旬大慶，復出帑金，是崇是飾。所司以落成告，且礱石請文。考梵典釋佛義曰覺，又曰：佛像標身，經標口，塔標意。故説根塵者以意爲之因緣，譚覺性者亦以意爲之提攝。世傳阿育王建塔八萬四千，震旦僅得十之一。若兹寺經始明永樂間，西竺國師班迪達用一臺五佛準印土金剛寶座成式，俾大千情與無情咸知印可。其於開宗也甚著，而於資福也甚閎。然觀大慈氏如如不動意于何有？彼芸芸者覓意了不可得，則相率而求之相輪窣堵，自凡僧初果以至辟支菩薩六重七重云爾，是何異和南合十執丈六以求像，執華嚴海藏以求口者哉？反是以觀，震旦所標固不必意西竺之意，而以無意利益羣生者，雖放之遍滿恒河沙數，無盡意法界無二無別可也。乃者楶梠交疏，增輝初地，華鑑寶鐸，具足莊嚴。將諏辰侍輦過之，疇不皈依迴向晉無疆之祝乎？嗣是每逢慶典，其鳩工夙事，長與六甲循環，極無量八百鼻功德永弗替。

原 真覺寺浮圖高五六丈許，而上爲塔五方，陟其頂山林城市之勝收焉。繽山集

原 真覺寺原名正覺寺，乃蒙古人所建。寺後一塔甚高，名金剛寶座。從暗竇中左右入，

蝸旋以躋於顛，爲平臺。臺上湧小塔五座，内藏如來金身。金剛座之左偏又一浮屠，傳是憲宗皇帝生葬衣冠處。前臨橋，橋臨大道，夾道長楊，綠陰如幕，清流映帶，尤可取也。燕都游覽志

原 成祖文皇帝時，西番班迪達來貢金佛五軀，金剛寶座規式，詔封大國師，賜金印，建寺居之。寺賜名真覺。成化九年，詔寺準中印度式，建寶座，累石臺五丈，藏級於壁，左右蝸旋而上，頂平爲臺，列塔五，各二丈，塔刻梵像、梵字、梵寶、梵華，中塔刻兩足跡，他跡陷下廓摹耳。此隆起，紋螺相抵蹲，是由趾著跡湧，步著蓮生。燈燈𤌿就，月滿露升，法界藏身，斯不誣焉。塔前有成化御製碑曰：寺址土沃而廣，泉流而清，寺外石橋望去，繞繞長隄，高柳夏繞翠雲，秋晚春初，繞金色界。帝京景物略 按班迪達，梵語材能也，舊作板的達。今譯改。

〔臣等謹按〕成化御製碑今無存。

原 真覺寺塔規制特奇，寺有姚夔碑記，稱永樂中國師五明班迪達召見於武英殿，帝與語悅之，爲造寺。石臺則成化九年所建也。析津日記

〔臣等謹按〕姚夔碑今無存。

原 明憲宗御製真覺寺金剛寶座記略 永樂初年，有西域梵僧曰班迪達大國師，貢金身諸佛之像，金剛寶座之式，由是擇地西關外，建立真覺寺，創治金身寶座，弗克易就，於茲有年。朕念善果未完，必欲新之。命工督修殿宇，創

金剛寶座，以石爲之，基高數丈，上有五佛，分爲五塔，其丈尺規矩與中印土之寶座無以異也。成化癸巳十一月告成立石。

原朱衡真覺寺五塔詩 勝地塵埃少，中天洞壑孤。雲欞欹縹緲，風磴入虛無。檻外三天界，尊前五岳圖。何當探慧鏡，一爲照迷途。鎮山集

原何棟登真覺寺浮圖詩 凌空垂寶塔，披露出銅盤。影照青蓮色，光寒白露團。霞標窺日近，風洞洩雲寒。静坐觀空界，天花繞石壇。太華集

正覺寺西五里許爲萬壽寺，自正殿後殿宇佛閣凡六層。五城寺院册

〔臣等謹按〕萬壽寺，明萬曆五年建，國朝乾隆十六年重修，二十六年再修。寺門内爲鐘鼓樓，天王殿，爲正殿，殿後爲萬壽閣，閣後禪堂。堂後有假山，松檜皆數百年物。山上爲大士殿，下爲地藏洞，山後無量壽佛殿，稍北三聖殿，最後爲蔬圃。寺之右爲行殿，左則方丈。初，寺中懸永樂時所鑄大鐘，内外勒華嚴八十一卷，銑于間勒金剛般若三十二分，名曰華嚴鐘。今移置城北覺生寺，詳見郊坰門。正殿恭懸世宗憲皇帝御書額曰慧日長輝。皇上御書聯曰：戒慧光中，烟雲皆般若；清涼界外，花石盡真如。萬壽閣額曰歡喜堅固，大士殿額曰聲聞普遍，三聖殿額曰法雲常住。殿柱南面聯曰：性海波澄，静涵功德水；福林蔭溥，妙湧吉祥雲。北面聯曰：甘露灑諸天，現清淨身，説平等法；慈航超彼岸，以自在力，顯大神通。方丈額曰棲情物外。聯曰：爽氣挹沖襟，翠連空色；明漪淡塵慮，影借天光。皆皇上御書。正殿前恭立乾隆十六年御製文碑亭二，左爲國書及漢字，右蒙古字、梵字。假山之

後恭立乾隆二十六年碑亭二，左爲國書及漢字，右蒙古字、梵字。又行殿内西間聯曰：春物薰馨含慧業；名禽宛轉入聞思。東間聯曰：於淡泊中尋理趣；不空色際忘言詮。又聯曰：樹色溪光成静賞；花香鳥語絶塵緣。後院樓宇下穿堂聯曰：花宮具見嚴而妙，别室還饒清且嘉。書室聯曰：欣於所遇何空色；樂在其間足古今。又聯曰：聽松真偈演；觀水道心存。皆皇上御書。

〔又按〕萬壽寺之西路北設關門，内有長衢列肆，北達暢春園，爲萬壽街，居人稱爲蘇州街。詳見前暢春園卷内。

御製勑修萬壽寺碑記 自昆明湖循長河而東，緣岸多喬林古木，僧廬梵舍遠近相望。廣源牐、西萬壽寺實爲之冠。宏敞深静，規制壯麗。考碑誌，建自明神宗初，迄今二百餘載矣。朕時從舟過之，乾隆辛未之歲，恭值聖母崇慶慈宣康惠敦和裕壽皇太后六旬大慶，海内臣民舉行慶典，朕恭奉大安輿由暢春園道西直門，至大内。鑾御所經，茲寺適居其中，且喜其嘉名符祝釐之意，命將作新之，更加丹雘，繡幢寶鐸，輝耀金碧，以備臨覽。傳有之曰：萬，盈數也。詩書之稱壽者曰，欲至於萬年，曰萬壽無疆，又有萬有千歲眉壽無有害，皆舉成數以致其歡欣頌禱之誠。而帝王世紀則謂天皇氏壽一萬八千歲，地皇氏壽一萬八千歲，人皇氏壽九千歲，合四萬五千歲，則上古蓋實有之，非虚言也。至釋氏阿含經則謂四天王壽五百歲，以人間五十歲爲一日，忉利天壽千歲，燄摩天壽二千歲，兜率天壽四千歲，化樂天壽八千歲，他化自在天壽一萬六千歲，摩身天壽三萬三千歲，而曰梵天壽命無有大期，古佛且有無量壽之號。貝葉經函，支那傳譯，淨衆敬持，故凡以歡喜心作佛事、植功德林報罔極恩者，咸有取焉。我聖母大慈大恩，沾被一切受氣含生，天上天下有識無識，普徧周浹，以是至仁備諸福德，升恒悠久，紀算靡極，斯固薄海若臣若民同心一詞合掌讚歎，願申萬年之祝，而朕之以天下養，頌純嘏而引遐齡，於萬斯年稱無量壽者，隨所至而三致意焉。修葺工竣，因有司之請，勒文貞珉，以紀歲月。

御製重修萬壽寺碑文 天純祐我函夏，既屢豐錫羨，俾恬養引年。越大濛疏逖畱爽，胥昄章畊牧，躋之春臺，是用大介。蓋貞元嘉會保泰者，兢兢乎千載一時，而我聖母皇太后七袠慶辰適逢斯盛。朕將率億兆臣庶祝嘏延洪，以聖節崇啓經壇，莫萬壽寺宜。爰勅內府丹堊卽工，視乾隆辛未例，弗懈益虔，事載蕆，系之辭曰：維茲寺修建端委，暨諸天無量壽義著在前文者，無俟繁稱矣。曷記乎？則敬頌我聖母愛民延禧之懿訓，以質言臚近事可乎？向者東南耆耈，顒迓安輿，樹領翹趾者相屬。偶會偏隅賙賑，朕上體慈懷，載稽撰日，閱丙子而丁丑，閱辛巳而壬午，迨取道展禮清涼，則祥霙甘霨，醞醇繽紛，九寓奄觀倍稔，揆諸古德所云覺照佛心，福利仁化，何以加茲？若乃西人敂關請師，亟於救焚拯溺，朕荷天祖鴻庥，寅承敢後，每旁午擘畫，禀命璇闈，備仰我聖母始事之勤劬，與功成之愷豫，迄今流沙數萬里，悉古烏孫、大宛、勃律、于闐諸部，不啻偃修羅之弓戟而亭以慧雲，沃以法雨，同登極樂國土者。我聖母壽世無量之心，一我佛壽世無量之心，而朕額手慶抃，卽願以無量萬世壽壽我聖母者，庶於是焉徵實可記也夫！遂繹其旨而爲之讚。我聞法王法，不受轉輪轉。調御大能仁，安車濟五衍。以慈壽者相，超劫長圓滿。一萬二萬年，迦葉那含闡。至六萬七萬，昆舍拘留展。次佛及初佛，積萬乃無算。同聲祝聖慈，金口宣元典。壽世而壽身，真實義斯踐。佛云四部洲，玉燭平燎旱。化日諸衆生，各各得飽暖。是名恒春國，有穀無不戩。佛云彼羅刹，種種方所限。銷兵窮荒徼，薄海壹清晏。是名大願船，淨域歸重趼。聖慈皆佛慈，是諦參密顯。歡喜證人天，三呼善哉善。

乾隆十三年御製題萬壽寺方丈詩　三度輕舟過，今年舟過萬壽寺者三，茲始一游云。一來方丈游。地偏白足靜，松老緑陰稠。馴鴿香臺集，涼蟬古樹收。略參今昔景，門外聒清流。

又御製萬壽寺口占賜方丈明鼎詩　試問闍黎悟未曾，與僧何不可言僧。却憐佛子親逢佛：叵識能仁有不能。昔皇考喜闡示禪流，因而得悟者，指不勝屈。明鼎尚屬濟宗名宿，獨未獲許可，故嘲之。

乾隆二十八年御製舟過萬壽寺戲題詩　廣源高水拍船脣，長河之水以玉泉爲源，過萬壽寺左側廣源牐始有高下之分。船過祇園古岸濱。識矣松篁三徑路，置之空色不言津。愛他有力風前布，笑我竟爲門外人。望雨憂愁得雨喜，欲詢調御屬何因。

由萬壽閣東穿堂入別院，齋堂五楹爲指鉢思恩。前宇五楹，後爲法壇，爲方丈，由閣西穿堂入爲行殿。五城寺院册

原萬壽寺在廣源牐西數十武，殿宇極其閎麗。寺左鐘樓前臨大道。鐘鑄自文皇，徑長丈二，内外刻佛號，彌陀、法華諸品經，蒲牢刻楞嚴咒，銅質精好，字畫整雋，相傳爲沈度筆，少師姚恭靖公監造。近年自宮中移此，擊之聲聞數十里。有山亭在佛閣後，可結趺坐。長安客話

原萬曆五年三月，建萬壽寺於西直門外七里。先是，京師有番經、漢經二廠，年久頽圮，穆皇帝重修未竟。上移貯漢經於此中。其正殿曰大延壽，閣曰寧安，重樓複榭，隱映蔽虧。寺後壘石爲三山，以奉西方三大士，蓋象普陀、清涼、峩嵋。凡占地四頃有奇，浹歲即成。時司禮監大璫馮保領其事，先助萬金，潞邸及諸公主妃嬪以至各中貴無不捐貲，其藻繪丹雘視金陵三大刹不啻倍蓰。野獲編

〔臣等謹按〕寧安閣今改爲萬壽閣。

原 萬壽寺在真覺寺西二里，神宗朝勑建。丹樓紺宇，幾與大内等。蓋上幸山陵嘗爲駐蹕地也。方丈築山上，有廣榭，下峙小亭，寺僧云：先帝曾於此尚食。後有圃數頃，賜出萬石大鐘，乃太宗時製，昔懸於樓，邇年有訛言帝里白虎分不宜鳴鐘者，遂卧鐘於地。燕都遊覽志

原 萬壽寺在廣源牐之西，萬曆五年，太監馮保奉命作。中大延壽殿五楹，旁羅漢殿各九楹，後藏經閣高廣如中殿，左右韋馱、達摩殿各三楹。方丈後輦石爲山，所取土處爲三池。山上三大士殿各一，三池共一亭，山後圃百畝。寺碑，大學士張居正奉勑撰。先是，文皇帝鑄大銅鐘，内外書華嚴八十一卷，銑于間書金剛般若三十二分，向藏漢經廠。於是有勑懸諸寺，日俾六僧擊之。天啓中置不復擊，卧地上。帝京景物畧

〔臣等謹按〕萬壽寺明大學士張居正碑今已無存。

原 西郭外萬壽寺，今上所建。大内出一鐘，成祖時少師姚廣孝監鑄，重八萬七千斤，徑丈有四尺，長丈五尺，銅質甚古。内外刻華嚴經一部，華亭沈度所書。鑄時年月日時皆丁未，今徙置之日爲六月十六日，亦四丁未相符，事亦奇矣。燕邸紀聞

〔臣等謹按〕姚夔碑今無存。

原 張居正勑建萬壽寺碑 皇上踐阼之五年，聖母慈聖宣文皇太后出帑儲，命司禮監太監馮保卜地於西直門外七里廣源牐之西，特建梵剎，爲尊藏漢經香火院。中爲大延壽殿五楹，旁列羅漢殿各九楹。前爲鐘鼓樓、天王殿，後爲藏

經閣，高廣如殿。左右爲韋馱、達摩殿各三楹，修簷交屬，方丈庖湢具列。又後爲石山，山之上爲觀音像，下爲禪堂，文殊、普賢殿，山前爲池三，後爲亭池各一，最後果園一頃，標以雜樹。環以護寺地四頃。工始於萬曆五年三月，竣於明年六月，以内臣張進主寺事，賜名曰萬壽。太岳集

原朱國祚萬壽寺詩　貝葉三車少，華鐘萬石餘。聲仍到長樂，地合置精廬。蕭灑人王界，莊嚴學士書。秋來霜落後，流響更何如。介石齋集

〔臣等謹按〕長河沿堤一帶古刹甚多，惟萬壽、五塔兩寺内有行殿，謹編樂善園後，餘俱詳載郊坰門。

欽定日下舊聞考卷七十八

國朝苑囿 西花園 聖化寺

西花園在暢春園西，南垣爲進水牐，水北流，注於馬廠諸渠。西花園冊

〔臣等謹按〕西花園與暢春園接。皇上問安之便，率詣是園聽政。

西花園河北正殿五楹，爲討源書屋。左室五楹，右爲配宇，再後敞宇三楹，爲觀德處。西花園冊

〔臣等謹按〕討源書屋額爲聖祖御書，左室額曰松響舜絃彈，配宇額曰千峯出翠微，與觀德處額皆聖祖御書。正殿内恭懸皇上御製討源書屋記。

聖祖御製暢春園西新園觀花詩 春光盡季月，花信露羣芳。細草沿階緑，奇葩撲户香。寸心惜鬢短，尺影逐時長。心向詩書奥，精研莫可荒。

御製討源書屋記 暢春園之西有屋數楹，臨清溪，面層山，樹木蓊蔚，既静以深。溪之藻匪蒲伊荷，山之禽匪嘵伊歌。額之楣曰討源，則我皇祖摛天文而垂擘窠也。昔予小子

日侍清宴之所，今以問安視膳之暇，亦每憩此，咨政掄材。肯構繼志之衷，久而弗敢懈。蓋嘗深維討源之義，豈以其據渾渾之泉府，似窈窈之洞天，騷人寓意所爲武陵花源之比也哉！孟子曰：原泉混混，不舍晝夜，盈科而後進，放乎四海。朱子解之曰：如人有實行則亦不已而漸進以至於極。斯言也，引而未發。然内聖外王之學，實隱括而無遺。夫水則有源，人何獨無？是故堯舜，政治之源也；孔孟，道德之源也。非特此也，頡之書，羿之射，輸之巧，曠之音，鵲之醫，僚之丸，秋之弈，無不各得其源。或曰：如是則其源已紛，而流益莫可同矣。顧嘗論之，聖人人倫之至，而武周夷齊相反，是得謂之同乎！然其心之自安，各行其至，是則無不同。故百越適京師則北轅，朔漠適京師則南首。南首北轅，大不同矣。及其既至則同。故堯舜政治之源在心，而孔孟道德之源亦在心。頡之書，羿之射，輸之巧，曠之音，鵲之醫，僚之丸，秋之弈，何一不在心哉！且夫天下之水其源多矣，而海則無源。無源正衆水之源，則水之源亦在心，昭昭明矣。如是則聖人討源之旨，直上接十六字之心傳，而非怡情山水之爲益可知矣。

乾隆七年御製討源書屋恭瞻皇祖御筆詩　廿年春色閟靈園，徙倚空懷歲月奔。雨過藥欄花解笑，風迴琴沼水添痕。璇題耀日瞻飛白，綺席當秋想弄孫。心法從來含治法，討源深愧未窮源。

乾隆十三年御製討源書屋詩　湖烟欲斂曉涼浮，長樂朝迴此憩留。是地近暢春園，皇太后處問安之便，率傳膳視事於此。要識溪山如舊日，頓憐風物報新秋。雨餘荷氣迎人馥，風過竹聲似管繁。佳景便教成卽景，討源終愧未窮源。鳶魚天趣適飛潛，向遠虛明萬景兼。荻雨荷風三伏裏，紅橋緑水一痕添。尚書履向花間度，侍史囊從柳外傳。豈以游觀疏晝接？不因清宴忘朝乾。

乾隆十七年御製討源書屋視事詩　解作亦已息，晨暘良足怡。萱階問寢退，視事言臨兹。兹屋匪我作，曰我神堯詒。童年陪豫游，卅載去如馳。未敢乖憲章，何有致雍熙！憶昔勤政心，撫景興齎咨。

乾隆二十三年御製討源書屋對雨詩　昨日慈輦扶賞荷，今朝問安仙苑過。退卽書屋理庶政，密雲忽隱西山螺。殿庭教射有故事，晝長值此幾暇多。更番引見已頒勅，院外早則侍衛羅。罷之翻壓勞來往，寧趁未雨觀如何。抨弦發羽不數隊，須臾飛點傾滂沱。塞山較獵憶往歲，丙子秋日出塞行圍，成列而雨，卽於雨中較獵，有詩紀事。習武那辭烝涉波？中去聲。的有賜視各藝，濕衣之賚仍同科。朝會遇雨，往往賚及從官，是日因教射，澍雨霑衣，從臣及命中者亦各賜紗。陡懷三軍冒炎潦，不遑他矣攻蓬婆。

乾隆二十九年御製討源書屋對雨詩五月十六日。　渥羽剛欣數日晴，朝來解作應時行。詢安退憩資搜詠，視事疇咨慰利耕。乍見庭凹起泡影，更聞牖口落泉聲。片時西北旋開朗，宜麥宜禾總愜情。是時麥將收宜晴，禾初苗宜雨。雨而即晴，實愜農望。

乾隆三十年御製討源書屋對雨詩 五月初六日。 昨日天中奉賞憑，侵晨仙苑問居興。甘霖既渥還優霈，農諺無妨更絶勝。農占有午日雨生蟲之諺。 聽處溜聲原不改，去歲夏日亦有書屋對雨之作。 望來漲影已徐增。政勤材選弗遑逸，别爲衣濡例賜仍。是日引見官有衣被雨濕者，依例行賞。

〔臣等謹按〕討源書屋御製詩，謹繹有關紀述事實者恭載卷内，餘不備録。

園西南門内爲承露軒，後廈爲就松室，東有龍王廟。西花園册

〔臣等謹按〕承露軒、就松室額皆皇上御書。西北有門，即西花園之大北門也。

乾隆三十二年御製承露軒詩 松軒瀟落有書筵，樹古全贏銅鑄仙。試看瀼瀼承瑞露，依然寶甕見堯年。

又御製就松室詩 構室實非難，老松特艱致。因教室就松，滿院覆涼翠。拂簷聆謖聲，迎窗眄古意。據牀小息偃，寓懷得别寄。丈夫不輕從，子輿訓此義。

〔臣等謹按〕承露軒、就松室御製詩，恭載首見之篇，餘不備録。

暢春園西北門内正宇五楹，後室三楹，舊稱爲東書房。其右爲永寧寺。寺内正殿三楹，配殿各三楹，後殿五楹，内供十六羅漢。寺門外爲崇臺，臺後爲船塢。西花園册

〔臣等謹按〕永寧寺正殿額曰調御丈夫，聖祖御書。又額曰智光普照。聯曰：寶幢時

護曼陀雨；金界常函般若珠。皇上御書。

永寧寺西爲虎城，稍西爲馬廄，再西爲閱武樓。西花園册

〔臣等謹按〕閱武樓額曰詰戎揚烈。聯曰：輯寧我邦家，以時講武；懋戒爾衆士，於茲課功。又聯曰：講武惟期徵有福；居安每念式無愆。皆皇上御書。

乾隆四十二年御製閱武樓作 節前閱武甸場實，組練生光了弗寒。可勿用仍要以備，不忘危敢恃其安？新疆舊部茲同扈，北貉西戎許並觀。破險衝鋒或經見，正旗堂陣俾初看。銷兵氣共陽和鬯，訓旅心殷揚覲難。示義方還頒禮賜，武臣莫重詡登壇。

〔臣等謹按〕閱武樓御製詩，恭載首見之篇，餘不備録。

西花園之前有荷池，沿池分四所，爲皇子所居。南所門三楹，二門内正殿五楹，東廊門内正室九楹，西廊門内正室五楹。南所之東爲東所，門三楹，門内正殿五楹，西廊門内正室二層，再西正室七楹。由東所而西爲中所，門三楹，門内正殿五楹，東廊門内正室三楹，東爲垂花門，正室二層，各三楹，西廊門内正室二層，各三楹。南所之西爲西所，門三楹，門内正殿五楹，西廊門内正宇二層。西花園册

丹稜沜水在宛平縣西。畿輔通志

〔臣等謹按〕暢春園宫門之南有菱池，俗稱菱角泡子者，相傳卽丹稜沜水。其源自萬

泉莊北流而來，舊説多訛。御製萬泉莊記爲釐正之。沿堤而南，則達聖化寺、泉宗廟也。

出小西廠之南門二里許爲聖化寺，北門門内西爲河渠，東爲稻田，前臨大河。山門三楹，對河爲高臺，大殿五楹，二門内三皇殿五楹，西角門内爲觀音閣，東角門龍王殿三楹，後星君殿三楹。聖化寺册

〔臣等謹按〕聖化寺大殿額曰香界連雲，觀音閣額曰海潮月印，聖祖御書。聖化寺内簷額曰能仁妙覺。聯曰：三藏密微超色相；十分安穩得津梁。皇上御書。

聖化寺山門外左右建橋，由東牐橋度河迤西爲北所。宫門三楹，正殿五楹，西院正殿三楹，左爲虚静齋，臨河爲欣稼亭。聖化寺册

〔臣等謹按〕北所正殿額曰青翠霄漢，西院正宇額曰和風霽月中，及虚静齋額皆聖祖御書。宫門内額曰怡庭柯，與欣稼亭額皇上御書。

乾隆八年御製西園泛舟至聖化寺詩　萬泉十里水雲鄉，蘭若閒尋趁曉涼。兩岸緑楊蟬嘒嘒，輕舟滿領稻風香。遠山螺黛映澄潭，潤逼溪村緑意含。誰向蕭梁庾開府，幀頭買得小江南。淰淰輕寒上葛裳，物情人意釀秋光。芰荷惆悵西風裏，作意臨波艷晚妝。苾蒭一滴覓曹溪，覓得曹溪也是迷。何似無心閒逐景，好山迎我作詩題。連朝

甘雨活彫枯，水畛山畦翠更腴。猶見西峯雲氣潤，阿香重展米家圖。

乾隆九年御製泛舟至聖化寺詩　萬泉十里接西湖，兩度舟行憂喜殊。一夜甘霖盈尺澤，高原下隰總迴蘇。兩岸溪田一水通，維舟不斷稻花風。課耕農父蓑臺笠，只此憂欣爾我同。潤逼林軒露氣濛，捲簾天水淨長空。黄庭七字何須悟，人在和風霽月中。右五字乃聖化寺別墅題額，皇祖御筆也。

乾隆三十一年御製由萬泉堤上至聖化寺卽景雜詠　暢春本就戚園築，春明夢餘録載丹稜沜旁爲明戚畹李武清別業，暢春園蓋因其舊址建置。稜沜猶堪遺蹟尋。咫尺萬泉資灌溉，重教平聲。相土一詳斟。甲申疏治起農功，泉利猶遺可擴充。春仲鳩工闢塍甽，萬泉久湮塞，甲申歲始命疏濬，卽其地開水田，今春復加墾闢。稻畦鱗次，屬以長堤，迤邐至聖化寺，宛然江鄉風景。稻秧今看已菁葱。沙泉大小滙成池，瀦蓄宣通實賴之。利在農田合祈報，經營方向構神祠。宛轉循堤竺宇通，清溪左右繞烟宮。仲春曾此一停蹕，仲春啓蹕謁泰陵，曾於此停蹕視事。又覺流陰瞥眼中。閒齋精潔足磐桓，爛漫階前綻牡丹。春雨頻滋風復少，枝頭花朵大於盤。芟葑剔淤前歲爲，引泉曲注已成池。齋旁仍有餘閒地，可作稻田命墾治。

乾隆八年御製虚静齋詩　虚静齋，皇祖舊題額也，感而賦此。守静志常虚，致虚心斯静。一二二而一，泊然萬慮屏。是語古聖傳，皇祖得要領。六十一年間，用此安萬井。孫臣誠愚芚，汲古乏修綆。身肩乃知勞，沉多愧衾影。別墅闢松雲，近此招提境。

虛靜齋别墅近聖化寺，皇祖常幸此。欲驗農桑功，因攬湖山景。窗虛古梧翠，座静天籟冷。尋流未逢源，安得親質請？言念噢咻恩，潸焉涕淚永。

乾隆十三年御製虛静齋小憩詩　長堤界西湖，萬泉居左側。因成内外河，别業隣香域。謂聖化寺。土階示儉規，齋額垂遺則。虛静，皇祖所名齋也。易舟就路便，倚檻聊憩息。松濤泛翠寒，峯黛多古色。布席頓經年，聽漏無停刻。

乾隆二十九年御製虛静齋詩　祇園前有讀書軒，虛静標楣聖藻存。久别無端驚往事，每來輒復憶深恩。憑窗不改虛中趣，坐席偏欣静可論。挑剡茭泥引泉眼，聖化寺園近萬泉莊，河中泉眼亦因歲久淤塞，並命疏濬。爲去聲穿新脈自溪源。

〔臣等謹按〕聖化寺、虛静齋御製詩，謹繹有關紀述事實者恭載卷内，餘不備録。

自北所東橋轉西，重簷宫門内正殿三楹，爲含淳堂。殿後重簷佛樓一楹，其右臨池正宇五楹，佛樓後正宇六楹，爲得真齋。其西爲帶嵒亭，東爲羃翠軒，軒東爲仙楹佛樓，東宇爲湛凝齋，左爲敷嘉室。仙楹之東爲襟嵐書屋，稍南循廊而西爲矚巖樓，又南敞宇曰泉石且娱心。聖化寺册

〔臣等謹按〕含淳堂、湛凝齋、仙楹諸額，聖祖御書。得真齋、帶嵒亭、羃翠軒、敷嘉室、襟嵐書屋、矚巖樓諸額，皆皇上御書。含淳堂聯曰：水鏡湛階前，近含清

景；松雲生棟裏，上契淳風。湛凝齋聯曰：波影湛空明，簷楹澄照；林光凝碧淨，几席含清。皇上御書。

乾隆三十二年御製含淳堂詩　青山環綠水，堂據水之濱。聖藻額猶煥，含淳義最親。禽魚適性趣，草木亦天真。底識蒙庥處，貽予樂利民。

又御製題得真齋　面水水依砌，背山山倚楣。迴環挹明淨，映帶味華滋。花木含佳趣，琴書得静怡。問予真意託，端在雨暘時。

又御製羃翠軒詩　築室喬林下，菁葱羃翠陰。天然得庇蔭，自爾效深沉。六月那知暑？假山成古岑。偶來值斯暇，便與染毫吟。

又御製賦得仙楹　一幛仙楹對，雙珠聖藻張。樂山學尼父，寓意緬軒皇。日照林岑影，煙生紫翠光。敢云肯斯構，實覺見於牆。

又御製湛凝齋口號　碧水澄潭波不興，憑欄欣俯湛而凝。心如高密猶鄰市，恰似招提入定僧。

又御製題敷嘉室　虚榭臨池近，平鋪鏡影空。波光玩座上，山色入窗中。吟倚興無竭，清嘉致不同。當前參位育，猶在擴而充。

又御製襟嵐書屋詩　一溪綠水横拖帶，半障青嵐斜展襟。設問會心何處是，灑然而静澹而深。

又御製矚巖樓詩　跨水書樓更矚巖，巖情水態緑窗銜。詎惟一晌供游目，興會於斯正不凡。

〔臣等謹按〕含淳堂御製詩，恭載首見之篇，餘不備録。

聖化寺北門有行殿二所，東距行殿二里許爲東門，門内爲永寧觀。聖化寺册

〔臣等謹按〕永寧觀大殿額曰翊輔北樞，聖祖御書。

欽定日下舊聞考卷七十九

國朝苑囿 泉宗廟

泉宗廟建於萬泉莊，繚垣三百九十四丈，廟南爲池，左右立坊二，廟門三楹，榜曰泉宗廟。廟内爲涵澤門三楹，正殿三楹，左右爲配殿，後爲樞光閣，上下五楹，左右配殿各五楹。泉宗廟册

〔臣等謹按〕泉宗廟東西亭苑兩所，門内碑亭二，西亭恭勒御製泉宗廟記，碑陰恭勒丁亥御製詩，東亭恭勒丁亥乙未御製詩。廟前東坊額曰禹甸原隰，曰既清既平。外聯曰：疏濬會其歸，萬原統一；品題隨所托，實總循名。内聯曰：循玉岫明湖，於焉映帶；導西勾東雉，因之委輸。西坊額曰豳風畫圖，曰迺疆迺理。外聯曰：露刈亞鱗塍，溉從谷口；雲漿分乳竇，溯得源頭。内聯曰：夏木靄東菑，烟中飛鷺；春渠縈北渚，雲際疏龍。正殿額曰普潤殿，殿内供龍神像，額曰靈源廣濟。聯曰：溯委仰憑依，萬殊有本；濬川資利用，六府惟修。龕聯曰：千頃沃豐穰；神貽之福；

萬源資挹注，水得其宗。樞光閣内供真武像，閣下供龍王龍母神像，額曰涵元溥利。與涵澤門樞光閣諸額皆皇上御書。

御製泉宗廟記　萬泉莊之記，記泉之源委，泉宗廟之記，記神所憑依。或曰：泉之數以萬而神之祠惟一，其一以貫萬之旨乎？曰然。又曰：知一以貫萬，則玉泉山天下第一泉不既有祠乎？其亦可以概之矣，而又爲是若殿宇若像設者，不已多乎？曰否。奚以然？然乎然。奚以否？否乎否。於是申其義而詔之曰：天一之精流而爲水，四瀆四海一水而已。綜而括之，其神惟一，散而分之，各有所司。非特此也，一黄河而神之祠不啻數百十，此謂之非合且不可，而謂之是分，又豈得乎？故泉之所在神斯在焉，則吾之構殿宇而嚴像設之意其亦如此而已矣。且玉泉之水自西山諸泉伏流而來，其義已見於向記。兹萬泉之地實近長河之東堤，其伏流隱脈至此而一蓄一現。於是乎泛濫演漾，溉町塍而資挹注，仍一玉泉之功用也。則以河瀆神祠例之，實亦不見其異，而又何必言同哉？祠之後爲傑閣，奉北極以鎮之，蓋亦取乎元武主水之義，而所以崇肸蠁祈昭佑，永灌注之利，無旱暵之虞，重農興穡，則吾之意實在斯乎，實在斯乎！因爲之記而泐之廟前。

乾隆三十二年御製六月四日詣泉宗廟瞻禮遂奉皇太后游覽詩　祠建泉宗始昨春，落成此日禮泉神。爲開稻町資輪注，亦構松軒備豫巡。皓日宜暘輝綵棟，薰風遞爽奉安輪。園樓拾級猶堪望，香在緑疇樂是真。

乾隆三十五年御製出暢春園門自堤上至泉宗廟雜詠　政務詳裁無逸齋，餘閒未報午時牌。出園一攬泉宗勝，減從何須法駕排。自南流水落鳴湍，停注溪田凍尚寬，未是靈臺推步舛，候遲因閏致春寒。泉出萬泉莊名原瀉北，石橋惟賸説巴溝。春明日下胥差記，安得高粱有逆流？日下舊聞、春明夢餘録皆謂丹稜沜之水出巴溝以達於高粱，今丹稜沜雖不能確指爲何地，而巴溝橋之名尚存。橋南爲萬泉莊，地既高於巴溝，其水實自南而北，安得由巴溝逆流以入高粱乎？高粱實源於玉泉，滙爲昆明湖，經長河南注，與此何涉？向爲萬泉莊記，曾詳辨之。靈源不凍玉泉同，五里而遥莅梵宫。頗有亭臺各綴景，遂教散步自西東。

又御製出暢春園門自堤上至泉宗廟卽景雜詠　清曉起居謁壽萱，壽萱春永在暢春園内，皇太后所居齋額也。遂乘幾暇出園門。水田千罫都芃緑，多少殷心箇裏存。暑雨全收快霽宜，豆苗稻穗曝秋曦。所經見固堪欣慰，未見還愁可若斯。沙堤宛轉栽桃柳，春仲經斯花未開。茂葉長條忽爾許，流陰五月倏過哉。肩輿輕拂曉風涼，泉上祠無六里强。自暢春園至泉宗廟止五里餘。最是新秋澄爽氣，暫教停蹕賞烟光。

〔臣等謹按〕泉宗廟御製詩，謹繹其有關紀述事實者恭載卷内，餘不備録。

東所内院中南宇三楹，稍南爲曙觀樓，上下六楹。樓西山後敞室三楹，東北爲挹源書屋。右有六方亭，南爲觀瀾亭，亭北爲扇淳室，東爲向綠軒三楹，北爲主善堂。堂西爲秀舉樓，上下八楹，右有正廳三楹。主善堂北爲湛虛樓，上下各三楹。泉宗廟册

〔臣等謹按〕曙觀樓、挹源書屋、觀瀾亭、扇淳室、向綠軒、主善堂、秀舉樓、湛虛樓諸額，皆皇上御書。秀舉樓下御書聯曰：諸峯秀起標高朗；一室包涵悦静深。

乾隆三十二年御製曙觀樓詩　小閣臨牆外，沙泉座裏披。夏中拍堤岸，風處漾漣漪。野鷺飛翻起，遠山影倒垂。水田闢百頃，灌溉始從兹。

又御製挹源書屋詩　泉上書廬號挹源，寧爲清泚玩潺湲。學如未到精微處，可不翻然悔失言？

又御製觀瀾亭詩　溪上虚亭四柱分，憑欄俯視水溶沄。如斯因憶仲尼在，有術何殊孟子云？

又御製扇淳室詩　吴樣新成扇式室，滿窗清籟綠篁林。淳風設喻民懷始，尚覺慚哉大寶箴。

乾隆三十三年御製向綠軒詩　高者樹葉綠，低者稻苗綠。爲綠雖云同，所向意有屬。稻結實供食，樹佈陰玩目。有用與無用，其殊無待卜。雨後對芃芃，蓄眼慰以穆。

乾隆三十二年御製主善堂詩　泉畔建書堂，湘巊足縹緗。名標師主善，義會德無常。一

本愼夙夜，萬殊歸紀綱。阿衡精密語，心學繼虞唐。

又御製秀舉樓詩 三架横樓面假山，奇遮詭邐岌孱顔。稜稜秀舉清輝映，蕭緬真稱伯仲間。

又御製湛虚樓即目詩 爲灌溪田因鑿池，蓄輸節制藉先資。樓臨碧水虚明湛，塍接緑苗實潁滋。無礙鳶魚亦飛躍，有懷蓑笠實胼胝。心紓贏得頻摛藻，幸值暘時雨復時。

〔臣等謹按〕曙觀樓諸處御製詩，恭載首見之篇，餘不備録。

樞光閣右廊而西正廳五楹曰依緑軒，軒南爲輝淵榭，東接樂清館三楹。榭之南建石坊二，駕以石橋，橋外稍東方亭曰津逮亭。樂清館之南爲碑亭，西南敞廳三楹曰愛景庭，後爲集遠堂三楹，樂清館之西正宇三楹，再西爲苑之西罩門。

〔臣等謹按〕樂清館之南碑亭内恭勒御製萬泉莊記，碑陰恭勒御製詩。依緑軒、樂清館、津逮亭、愛景庭、集遠堂諸額，皇上御書。輝淵榭南二坊，東坊額曰源隨地湧，曰滙川印月，西坊額曰景自天成，曰引派涵星。依緑軒額曰澄照含虚。聯曰：一桁青來，楣端皴畫稿；千畦緑遶，隴畔訂農經。樂清館聯曰：觸目無非遠塵俗；會心皆可入研覃。又曰：雲霞流麗東西映；天水空明上下鮮。西書房聯曰：蘿徑因幽偏得趣；雲峯含潤獨超羣。集遠堂聯曰：苕霅溪山吴苑畫；瀟湘烟雨楚天雲。皆御書。

御製萬泉莊記　萬泉莊之名，不見於日下舊聞、春明夢餘録二書，而經其地指其村，無不知爲萬泉莊。若夫丹稜沜之稱，互見於二書，而經其地指其村以問諸土人，則茫然不知所謂。吾於是慨然嘆千古紀載家之述耳食而鮮目擊，於是乎失實者多矣。繼又思失實者固由彼之未平心精思，廣諮博考，不究乎實而不已。然尚賴有此失實者存，而得以考其是非，辨其差訛，則彼述耳食而鮮目擊者，亦未嘗無小補於後世，未足深怪也。丹稜沜之説，二書所載雖小異，而謂出巴溝以達於高梁則同。然其同歸於失實者，實亦在此。蓋丹稜沜本明戚清華園之蹟，今暢春園其故址也。園之前有水一溪，俗所稱菱角泡子者，疑卽其地。其水實由南而北，巴溝在其南，安能逆流而上以入於高梁橋乎？蓋高梁之水自由玉泉發脈，滙爲昆明湖，流爲長河，以經高梁而爲通惠河，其詳悉已具於向作之麥莊橋記，與此無涉也。今巴溝橋之名尚存，而橋之南實有大沙泉、小沙泉在焉。其平地淙淙出乳穴者不可勝數，與二書所載東雉、西勾水入地中者頗合。獨水盡向北流，從無涓滴向南者，此爲異耳。夫水性就下，人所易知。萬泉莊高於巴溝，巴溝又高於丹稜沜，則水之北流而不南流，不待燭照數計矣。而猶有此訛焉，則吾謂朱彝尊、孫承澤之述耳食而未目擊非刻論也。且二人去今不過百餘年，所記者又不過明季之事，其訛已如此之甚。溯而上之，其紀載之訛，又豈待燭照數計哉？而又豈啻丹稜沜之與萬泉莊哉？夫人皆知此爲萬泉莊，而泉之源又實在此，此不可不正其名而核其實也。因命所司建泉宗廟於此地，若大沙、小沙、巴溝皆立碣以誌之，而廟之内東西爲池沼亭臺若干所，其淙泉處亦皆與之名而誌之，碣凡二十有八。廟之外噴出於稻町柳岸，如盂漿、如蹄涔者，蓋不可勝記。則萬泉之名蓋應在此而不可他屬。因綜其大要，樹以豐碑，以證二書之訛如右云。

〔臣等謹按〕廟内外淙泉之處，皇上各錫嘉名，立石以志。其在廟門之外者凡三：南曰大沙泉、小沙泉；北曰沸泉。廟内東所廳宇對岸曰滮泉，曰屑金泉。曙觀樓後曰冰壺泉、錦瀾泉、規泉。山後度紅橋曰露華泉、鑑空泉、印月泉。觀瀾亭畔曰藕泉、躍魚泉、松風泉。扇淳室後爲晴碧泉、白榆泉。向緑軒畔曰桃花泉。主善堂之西曰琴脈泉。秀舉樓之右曰杏泉、澹泉。再南曰瀏泉。樞光閣東配殿南爲洗鉢泉，西所依緑軒右曰浣花泉，輝淵榭之南曰漱石泉，橋畔曰乳花泉、漪竹泉、柳泉、楓泉、雲津泉，樂清館之南方池曰月泉，西曰貫珠泉，凡二十有八，皆御書。

乾隆三十二年御製依緑軒詩　書軒新構倚泉宗，過雨林光緑意濃。合相印來呈近沼，疏情通處露遥峯。繡塍秈稻青千疊，皴石莓苔翠幾重。漫道柏冬應改色，依然階下有蒼松。

又御製輝淵榭詩　玉壺冰榭枕横川，峭蒨叢中落石泉。珠灑璣淙光上下，底須育蚌始輝淵！

又御製樂清館詩　山静水致清，是處山則遠。臨泉築神祠，祠側葺亭苑。左右皆逢源，水光清挹近。波瀾底藉生？澄澈斯多藴。樂此饒後意，民猶籌政本。

又御製津逮亭詩　平流爲玉落爲珠，亭子臨流味静娱。設使於茲秘書讀，吾惟一意企唐虞。

又御製愛景庭詩　假山之上敞閒庭，遠巘近泉無遁形。北望暢春園咫尺，愛茲恒得奉慈寧。

又御製集遠堂詩　虚明開向遠，近遠景全披。既豁仍藏密，言幽轉復奇。展屏全是畫，點筆雅宜詩。驀憶武侯語，於斯亦集思。

〔臣等謹按〕依緑軒諸處御製詩，恭載首見之篇，餘不備録。

原巴溝自青龍橋東南入於淀，淀南五里丹稜沜，沜南陂五六，達白石橋，與高粱水并。沜之西可汎船，李武清以爲園，方十里。正中挹海堂，堂北亭置清雅二字，明肅太后手書也。園北有橋曰婁兜，一曰西勾。帝京景物畧

【補】左思魏都賦有掘鯉之淀，或云卽狐狸淀。廣韻：淀，泊屬，韻會：淺泉也。今京師有南淀、北淀，近畿則有方淀、三角淀、大淀、小淀、清淀、洄淀、勞淀、護淀、疇淀、延芳淀、小蘭淀、大蘭淀、得勝淀、高橋淀、金盞兒淀、葦淀、大蓮花淀、小蓮花淀、浮雞淀、白羊淀、黑羊淀、黄龍淀、鵝巢淀、牛横淀、火燒淀、下光淀、大光淀、糧料淀、破船淀、水紋淀、百水淀、五官淀、康池淀、廣平淀、陳人淀、武盍淀、洛陽淀、齊女淀、邊吴淀、燕丹淀、趙襄子淀、孟宗淀，其他不能悉記，凡九十九淀。按説文無淀字，傳寫者或作洵，或作澱，或作墊，皆非。（風庭掃葉録）

【原】武清侯別業額曰清華園，廣十里，園中牡丹多異種，以緑蝴蝶爲最，開時足稱花海。西北水中起高樓五楹，樓上復起一臺，俯瞰玉泉諸山。御書青天白日四字於中，東西書光華乾坤相對，字各長二尺餘。（燕都游覽志）

【補】燕中不乏名勝，大抵皆貴璫墳院，位置一律，殊不雅觀。惟武清侯海淀別業引西山之泉滙爲巨浸，繚垣約十里，水居其半。疊石爲山，巖洞幽窅。渠可運舟，跨以雙橋。堤旁俱植花果，牡丹以千計，芍藥以萬計。京國第一名園也。（澤農吟稾）

【補】清華園前後重湖，一望漾渺，在都下爲名園第一。若以水論，江淮以北亦當第一也。（明水軒日記）

補 海淀清華園，戚畹李侯之別業也。去都門西北十里。湖水自西山流入御溝，人無得而游焉。淀之水，濫觴一勺，都人米仲詔濬之，築爲勺園。李乃構園於上流而工制有加米，顔之曰清華。初至見茅屋數間，入重門，境始大。池中金鱗長至五尺。別院二，遂麗各極其致。爲樓百尺，對山瞰湖，堤柳長二十里，亭曰花聚，芙蕖繞亭，五六月見花不見葉也。池東百步置斷石，石紋五色，狹者尺許，修者百丈。西折爲閣，爲飛橋，爲山洞，西北爲水閣，疊石以激水，其形如簾，其聲如瀑。禽魚花木之盛，南中無以過也。雪後聯木爲冰船，上施軒幕，圍鑪其中，引觴割炙，以一二十人挽船走冰上若飛，視雪如銀浪，放乎中流，令人襟袂凌越，未知瑶池玉宇又何如爾！罌詩

〔臣等謹按〕明李偉清華園地臨丹稜沜，方十里，正中爲挹海堂，又爲樓百尺，對山瞰湖，今之暢春園就其舊址亦不過十餘里。挹海堂已廢，惟樓尚存。今之延爽樓，相傳爲當時遺甓。所云叟兜橋，一名西勾，在園北者，今其跡已莫可辨。惟丹稜沜水係自巴溝北流，不能逆流而上。蔣一葵長安客話所云達白石橋與高粱水合并者，訛也。恭繹御製萬泉莊記釐訂其謬，原委瞭如矣。

原 帝京西十五里海淀凡二，南則觭於白龍廟，又南湊於湖，北斜鄰嶁峋河。又西五里爲饔山，又五里爲青龍桁河，東南流入於淀之夕陽，延而南者五里。旁與巴溝鄰曰丹稜

泋，泋之大以百頃，十畝瀦爲湖，西有貴人别業在焉。後有樓，泋自垣以西入於樓之湑爲小湖，中多菱芡魚蝦，上有竹萬箇，又有石苔沙棠甘菊忍冬蘼蕪之屬，蔓延以入於泋。樓外有大查，鐵鎖纜之以度行者。南爲官道，東入海淀，循泋而西，町畽相連，有石梁曰西勾，復瀦爲小溪。溪上有大磐石，溪中倒映見西山諸峯，小魚淰淰如吹雲。又南爲陂五六，泋水再瀦爲溪。有村曰東雉。水入地中，出於巴溝，自溝達於白石，以入於高粱。泝而北，自嶁峋入於西湖。東有古祠，斷碑尚存，乃元上都路制使都哩沁撰文，上有丹稜泋字，餘皆磨滅。泋雖小，然忽瀦忽隱，可舟可釣，蓋神泉之勝也。薊邱

集按：都哩義見前，沁，唐古特語大也，舊作朶里真。今譯改。

原 高粱橋西北十里平地有泉四出，瀦爲小溪，凡數十處。北爲北海淀，南爲南海淀。北海之水來自巴溝。或云巴溝，卽南海淀也。有石梁一，是曰西勾。巴溝之旁有水，從青龍橋河東南流入於淀南五里，爲丹稜泋。又南爲陂五六，出於巴溝，達白石橋，與高粱水合。長安客話

原 李開先游海淀詩序：嘉靖乙未三月，王遵巖謫判毘陵，武選吴皖山檄、吕汪峯高、熊南沙過、翰林唐荆川順之、陳後岡束、禮部張少室元孝、李克齋遂，及予共八人，餞之海淀。望日出阜成門，至則荒涼殊甚。蓋張昌國以癸巳罹禍，已三年矣。亭臺傾圮，惟水聲潺潺不異舊時。酒酣賦詩，皖山先成，詩曰：五侯臺榭競芳菲，三日花深車馬稀。絃管不從流水奏，綺羅應化暮雲飛。空聞玉饌分天府，曾覩金葩捧御幃。借問樓前桃李月，從來此地幾人非？次日夏桂洲遂劾張李二司屬無事慢游下獄。未久，七人相次罷謫，皖山至而獨免，詩卷歸於予。事如隔世而人多下世，愴然作序，不惟感諸友之易消歇，而且歎大臣之善傾陷也。中麓閒居稿

原朱德潤同王編修游西山海子詩 晴川低徊山蒼蒼，涵烟夾谿十里長。山腰澗曲網泉響，下激石竇爲微潢。枯梢挽風秋色裏，修林落葉堆長岡。林疏石露見茅屋，時有小徑通微茫。招提橫截翠微上，闌干九曲雲飛揚。自從束書離故鄉，脚頭青鞵走山梁。山川悠長日月速，躋攀方寸何能强？太原高人知我意，請列紈素書滄浪。丹青不闗名利眼，虎頭癡絶非王郎。百年有懷良可哂，還拂長松思道場。存復齋稿

原王嘉謨海淀嘍兜橋作 淵淵溪水中，青蒲葉靡靡。翳然林木間，幽懷信予美。細藻唼潛鱗，山梁雊文雉。尋幽復遠涉，濟勝良堪喜。夕陽忽西流，平湖淡烟起。慷慨賦新詩，行歌出山市。薊邱集

原又海淀西勾橋上作 微風何淡淡，宿雨隨人飛。遥望石梁前，楊柳蔭重圍。淵壑寂無聲，獨行向霏微。寒芳自可藉，寄賞幸不違。徙倚豐林間，坦步徐言歸。同上

原朱國祚西勾橋口占 東雉村邊水，西勾橋下流。濯纓人不至，處處浴沙鷗。介石齋集

原袁中道海淀集李戚畹園詩 滿目塵沙塞路蹊，夢魂久已憶山棲。誰知烟水青溪曲，只在天都紫陌西。鎮日浮舟穿柳澗，有時調馬出花畦。到來賓主紛相失，總是仙源路易迷。珂雪齋集

原費尚伊海淀莊詩 一鑑藏山溜，雙虹跨石梁。浦蓮侵檻出，溪樹引杯長。暑薄青絲綌，涼生白苧裳。帝城風日好，拚醉到斜陽。市隱園集

原區懷瑞友人招飲海淀不果往却寄詩 羽扇驅蠅不暫閒，焦烟赤日掩重闗。輸君匹馬城西去，十里荷花海淀還。游業

原北淀有園一區，水曹郎米萬鍾仲詔新築也，曰勺園，又曰風烟里。中有曰色空天，曰太一葉，曰松坨，曰翠葆榭，曰林於澨。都人稱曰米家園。仲詔念園在郊闗，不能日涉，因繪園中景爲燈，邱壑亭臺，纖悉具備，都人又稱米家燈。仲詔於元夕集客賦詩，吕邦耀卽席口占二首。其一曰：玉綃疊出上元村，雙炬懸來景物繁。恍惚重游邱壑裏，米家燈是米家園。其二曰：輕舟寒夜渡無冰，波入銀綃訝月升。宛似夢中曾一照，米家園是米家燈。長安客話

原勺園徑曰風烟里，入徑亂石磊砢，高柳蔭之。南有陂，陂上橋曰纓雲，集蘇子瞻書。

下橋爲屏牆，牆上石曰雀浜，勒黄山谷書。折而北爲文水陂，跨水有齋曰定舫，舫西高阜題曰松風水月，阜斷爲橋曰逶迤梁，主人所自書也。踰梁而北爲勺海堂，吴文仲篆。堂前怪石蹲焉，栝子松倚之。其右爲曲廊，有屋如舫，曰太乙葉，週遭皆白蓮花也。東南皆竹，有碑曰林於澨。有高樓湧竹林中曰翠葆樓，鄒迪光書。下樓北行爲槎枒渡，亦主人自書。又北爲水榭，最後一堂，北窗一拓，則稻畦千頃，不復有繚垣焉。燕都游覽志 以上十八條原在郊坰門，今移改。

〔增〕福清葉公向高過海淀曰：李園壯麗，米園曲折，米園不俗，李園不酸。帝京景物畧

〔臣等謹按〕淀水濫觴一勺，明時米仲詔濬之，築爲勺園。李戚畹構園於其上流，是勺園應在清華園之東。今其園不可考，海淀之東有米家墳在焉。

欽定日下舊聞考卷八十

國朝苑囿 圓明園一

圓明園在掛甲屯之北，距暢春園里許。圓明園冊

〔臣等謹按〕圓明園爲世宗憲皇帝藩邸賜園，康熙四十八年所建。園額今恭懸圓明園殿者，聖祖御書。懸大宮門者，世宗御書。

世宗憲皇帝御製圓明園記 圓明園在暢春園之北，朕藩邸所居賜園也。在昔皇考聖祖仁皇帝聽政餘暇，遊憩於丹陵沜之涘，飲泉水而甘。爰就明戚廢墅，節縮其址，築暢春園。熙春盛暑，時臨幸焉。朕以扈蹕，拜賜一區。林皋清淑，波淀渟泓，因高就深，傍山依水，相度地宜，構結亭榭，取天然之趣，省工役之煩。檻花堤樹，不灌溉而滋榮；巢鳥池魚，樂飛潛而自集。蓋以其地形爽塏，土壤豐嘉，百彙易以蕃昌，宅居於兹安吉也。園既成，仰荷慈恩，錫以園額曰圓明。朕嘗恭迓鑾輿，欣承色笑。慶天倫之樂，申愛日之誠。花木林泉，咸增榮寵。及朕纘承大統，夙夜孜孜。齋居治事，雖炎景鬱蒸不

爲避暑迎涼之計。時踰三載，僉謂大禮告成，百務具舉，宜寧神受福，少屏煩喧。而風土清佳，惟園居爲勝。始命所司酌量修葺，亭臺邱壑，悉仍舊觀。惟建設軒墀，分列朝署，俾侍值諸臣有視事之所。構殿於園之南，御以聽政。晨曦初麗，夏晷方長，召對咨詢，頻移晝漏，與諸臣相接見之時爲多。園之中或闢田廬，或營蔬圃，平原膴膴，嘉穎穰穰。偶一眺覽，則遐思區夏，普祝有秋。至若憑欄觀稼，臨陌占雲，望好雨之知時，冀良苗之應候。則農夫勤瘁，穡事艱難，其景象又恍然在苑囿間也。若乃林光晴霽，池影澄清，淨練不波，遥峯入鏡，朝暉夕月，映碧涵虛，道妙自生，天懷頓朗。乘幾務之少暇，研經史以陶情，拈韻揮毫，用資典學。凡茲起居之有節，悉由聖範之昭垂。隨地恪遵，罔敢越軼。其采椽栝柱素甓版扉，不斲不枅，不施丹雘，則法皇考之節儉也。晝接臣僚，宵披章奏，校文於墀，觀射於圃，燕閒齋肅，動作有恒，則法皇考之勤勞也。春秋佳日，景物芳鮮，禽奏和聲，花凝湛露，偶召諸王大臣從容游賞，濟以舟楫，餉以果蔬，一體宣情，抒寫暢洽，仰觀俯察，游泳適宜，萬象畢呈，心神怡曠，此則法皇考之親賢禮下對時育物也。至若嘉名之錫以圓明，意旨深遠，殊未易窺。嘗稽古籍之言，體認圓明之德。夫圓而入神，君子之時中也。明而普照，達人之睿智也。若舉斯義以銘户牖，以勗身心，虔體天意，永懷聖誨，含煦品彙，長養元和，不求自安而期萬方之寧謐，不圖自逸而冀百族之恬熙。庶幾世躋春臺，人游樂國，廓鴻基於孔固，綏福履於方來，以上答皇考垂祐之深恩。而朕之心至是或可以少慰也夫。爰宣示予懷而爲之記。

皇上御製圓明園後記　昔我皇考因皇祖之賜園修而葺之，略具朝署之規，以乘時行令，布政親賢。而軒墀亭榭、凸山凹池之紛列於後者，不尚其華尚其樸，不稱其富稱其幽。樂蕃植則有灌木叢花，怒生笑迎也；驗農桑則有田盧蔬圃，量雨較晴也；松風水月，入襟懷而妙道自生也；細旃廣厦，時接儒臣，研經史以淑情也。或怡悦於斯，或歌詠於斯，或惕息於斯，我皇考之先憂後樂，一皇祖之先憂後樂，周宇物而圓明也。圓明之義，蓋君子之時中也。皇祖以是名賜皇考，皇考敬受之而身心以勗，户牖以銘也。不求自安而期萬方之寧謐，不圖自逸而冀百族之恬熙，則又我皇考綏履垂裕於無窮也。予小子敬奉先帝宮室苑囿，常恐貽羞，敢有所增益？是以踐阼後所司以建園請，卻之。既釋服，爰仍皇考之舊園而居焉。夫帝王臨朝視政之暇，必有游觀曠覽之地，然得其宜適以養性而陶情，失其宜適以玩物而喪志。宮室服御奇技玩好之念切，則親賢納諫勤政愛民之念疏矣。其害可勝言哉！我皇考未就暢春園而居者，以有此圓明園也，而不斲不雕，一皇祖淳樸之心。然規模之宏敞，邱壑之幽深，風土草木之清佳，高樓邃室之具備，亦可稱觀止。實天寶地靈之區，帝王豫游之地，無以踰此。後世子孫必不舍此而重費民力，以創建苑囿，斯則深契朕法皇考勤儉之心以爲心矣。藉曰祖考所居不忍居也，則宮禁又當何如？晉張老之善頌，甚可味也。若夫建園之始末，聖人對時育物，修文崇武，煦萬彙保太和，期躋斯世於春臺，游斯人於樂國之意，則已具皇考之前記，予小子何能贅一辭焉！

園内爲門十八，南曰大宮門，曰左右門，曰東西夾道門，曰東西如意門，曰福園門，曰西南門，曰水牐門，曰藻園門。東曰東樓門，曰鐵門，曰明春門，曰隨牆門，曰蘂珠宮門。西曰隨牆門。正北曰北樓門。爲閘三，西南爲一空進水牐，東北爲五空出水牐，爲一空出水牐。圓明園册

〔臣等謹按〕圓明園之水發源玉泉山，由西馬廠入進水牐，支流派衍，至園内日天琳宇、柳浪聞鶯諸處之響水口，水勢遂分，西北高而東南低，五空出水牐在明春門北，一空出水牐在蘂珠宮北，水出苑牆經長春園出七空牐，東入清河。大宮門前輦道東西皆有湖，是爲前湖。圓明園册

〔臣等謹按〕前湖西岸有石刻御製前湖詩。

乾隆二十八年御製前湖詩 御園之前本無湖，而今疏濬胡稱乎？石衢之右地下濕，邇年遭潦水占諸。衢左亦不大高衍，往來車馬愁泥塗。因卑爲澤事惟半，取右益左功倍俱。

歉歲受僱兼代賑，三冬畚鍤集衆徒。役成春水有所受，路東濘去誠坦途。一舉三得惠不費，對敭來者咸歡娱。蓋聞王者無私事，有事皆應史筆書。此非綴景漫修剔，什用播告賢與愚。

〔臣等謹按〕前湖御製詩，恭載首見之篇，餘不備録。

大宮門五楹，門前左右朝房各五楹，其後東爲宗人府、内閣、吏部、禮部、兵部、都察院、理藩院、翰林院、詹事府、國子監、鑾儀衛、東四旗各衙門直房。東夾道内爲銀庫，又東北爲南書房，東南爲檔案房。西爲户部、刑部、工部、欽天監、内務府、光禄寺、通政司、大理寺、鴻臚寺、太常寺、太僕寺、御書處、上駟院、武備院、西四旗各衙門直房。西夾道之西南爲造辦處，又南爲藥房。大宮門内爲出入賢良門五楹，門左右爲直房，前跨石橋，度橋東西朝房各五楹，西南爲茶膳房，再西爲繙書房，東南爲清茶房，爲軍機處。圓明園册

〔臣等謹按〕出入賢良門額世宗御書，是爲二宮門。凡武職侍衛引見，御此門較射。左右直房爲各部院臣工入直之所，東西設兩罩門，各衙門奏事由東罩門遞進，茶膳房太監人等由西罩門出入。門前河形如月，中駕石橋三。其水自西來，東注如意門閘口，會東園各河而出。

出入賢良門内爲正大光明殿七楹，東西配殿各五楹，後爲壽山殿，東爲洞明堂。圓明園册

〔臣等謹按〕圓明園四十景中世宗御題四字額者凡十有四，正大光明殿其一也。餘如牡丹臺今爲鏤月開雲，蓬萊洲今爲蓬島瑶臺，乃乾隆九年皇上恭依避暑山莊三十六景四字題額之例，更錫嘉名，用昭畫一。敬就各條下加案，並恭載御製四十景詩。至附近各景詩，已載御製詩全集者，兹不備録。

〔又按〕正大光明殿内聯曰：心天之心而宵衣旰食；樂民之樂以和性怡情。爲世宗御書。又聯曰：迺求寧觀成，無遠弗届；以對時育物，有那其居。爲皇上御書。東壁懸御書周書無逸篇，西壁懸豳風圖，東爲洞明堂。世宗御書額。

乾隆九年御製正大光明殿詩　園南出入賢良門内爲正衙，不雕不繪，得松軒茅殿意。屋後峭石壁立，玉筍嶙峋，前庭虚敞，四望牆外，林木陰湛，花時霏紅叠紫，層映無際。勝地同靈囿，遺規繼暢春。當年成不日，奕代永居辰。義府庭羅璧，恩波水瀉銀。草青思示儉，山静體依仁。只可方衢室，何須道玉津？經營徵峻宇，出入引賢臣。出入賢良門扁額，皇考御筆也。洞達心常豁，清涼境絶塵。每移雲館蹕，未費地官緡。生意榮芳樹，天機躍錦鱗。肯堂彌廑念，俯仰惕心頻。

〔臣等謹按〕正大光明殿御製詩，恭載首見之篇，餘不備録。

正大光明殿東爲勤政親賢正殿五楹。圓明園册

〔臣等謹按〕勤政殿額曰勤政親賢，四十景之一也。後楹額曰爲君難，皆世宗御書。聯曰：至治凜惟艱，修和九敍；大猷懷用乂，董正六官。後楹聯曰：懋勤特喜書無逸；攬勝還思賦有卷。皆皇上御書。寶座屏風上，御書無逸一篇。後楹東壁陳御製創業守成難易説，臣梁詩正敬書，西壁陳御製爲君難跋，臣于敏中敬書。

御製創業守成難易説　唐太宗與廷臣較創業守成孰難，時房喬、魏徵各以所見對。太宗皆見其難。獨岑文本則曰：創撥亂之業其功既難，守已成之基其道不易。踵其論者率無軒輊於其間。蓋以難卽不易，不易卽難也。而予則以爲不然。夫難與不易豈可同日而語哉？今有二人焉，甲則饑，乙則不飽。不飽者縱不果腹，堪遲待焉；而饑者一再不食將餒而僵矣。以是喻難與不易，其輕重不可立見耶！或曰：難亦不易也，不易亦難也。今必强爲低昂，是視死與不生爲二也，其可乎？予曰：是正所以爲二也。蓋不生者雖不得生，而其實尚未至死，其死者又安可復生乎？以是喻難與不易，其輕重不又可立見耶？難與不易之説明，則岑文本所云撥亂難守成不易之説，予又以爲不然。蓋創業固難矣，然以守成較之，但可謂之不易，而守成則實難耳。何則？創業之主捄焚拯溺，危然後安，其難可謂至矣。然於制度紀綱時有未暇，留俟後人，未爲不可。守成者遺大投艱，

單心繼序，苟無以光前烈啟後圖，斯懍然有不終畝之憂。是創業者未竟之難，亦守成者分内之難也。所繫不愈重乎哉？世之治産者，或致億，或致萬，或致千百，無不可也。子若孫持其業者，增之可耳，少有所損於其間，人將訾之。然則嗣先王之基者，不待失道失衆始爲慚負前人，但使式廓之版圖或有侵削，垂裕之成憲或有廢弛，是卽無以覲耿光而揚大烈。昔舜之稱禹曰：克勤於邦，克儉於家，不自滿假。君天下者勤儉尚已。顧創業者櫛風沐雨，不期勤而自無不勤，篳路藍縷，不期儉而自無不儉。至於守成之主，席豐履厚，易至於驕，驕則怠生焉。故陳宵旰於太平之時，言茅茨於玉陛之世，輒厭而不納。是非安不忘危，存不忘亡，鮮有不盛滿中之者。以此思難，則所以持難者可知矣。況乎守成之責，固開國之主與繼體之君所同一仔肩者也。夏之王也以禹爲創業，以啟爲守成。殷之王也，以湯爲創業，以太甲三宗爲守成。周之王也，以文武爲創業，以成康爲守成。然禹湯文武未聞不自守其所創者以貽後昆也，我不可不監於有夏，我不可不監於有商，我不可不監於有周。嚮使爲子孫者咸知守成之難，雖三代至今存可也。惟世少守成之主，而後有創業之君出焉。故予之獨以難責夫守成者，非敢忘創業者之難，正以慰創業者之初心耳。尚書五十八篇，其涉創業者惟湯誓、湯誥、泰誓、武成諸篇，其自二典三謨以至太甲、説命、立政、周官，罔不於致治保邦爲兢兢。無逸一篇，蔡傳謂周公所舉三宗皆繼世之君，一篇中凡七更端，深嗟永歎，其意深遠。周禮爲致太平之書，所言體國經野，皆守成之事，古人惟深見其難，故言之不厭其詳也。如文本之説，將以繼世而有天下者坐享成功，視開創爲有間，則古來守文令辟與蒙業而安者，幾可等量而齊觀。且使中才之主得所藉口，謂昔之人既爲其難，我僅居其不易，稍自暇逸，亦無不可，何用是汲汲爲？甚者溺於宴安，弗克負荷，棄厥基焉。夫孰階之厲也？故闡明其説如此。既申儆於後，且藉以自勗焉。

御製爲君難跋　予昔爲創業守成難易説，亦既反覆辨論難與不易之輕重懸殊，不可同日而語，以爲岑文本之言非是，而定之曰開創不易守成難矣。此非在守成言守成，蓋實有見其難也。兹特引伸觸類，敬述勤政殿後楣皇考御書爲君難之義而爲之跋曰：大哉王言，示大清億萬斯年家法大訓歟！夫爲君難之言，孔子道人之言耳，而吾直以爲皇考之言者何？蓋耕當問僕，織當問婢，豈不以習焉安焉，不見異物而遷之謂乎？孔子非爲君者也，其云難亦不過思其理而度其勢，究未身歷其境而心親其勞也。皇考稟内聖之姿，行外王之道，質諸心得驗以躬行，故取孔子之言而銘之楣端，所以自警也，所以訓予小子也，所以詔世世孫曾，常凛此志以迓天庥而基命宥密永永無極也。是故言政莫備於尚書，而言難亦權輿於尚書。放勳重華一再曰欽，引而未發，至於大禹，祗承於帝，首曰后克艱厥后。艱者難也，承於帝舜者，舜實承於帝堯也。惟帝其難之，則益深切著明言之矣。無輕民事惟難，伊尹之申誥也。先知稼穡之艱難，周公之作訓也。五十八篇之中其於天命民喦之可畏，暑雨祁寒之宜思，誨之諄諄，三致意焉。甄古今之得失，綜政典之治亂，無知難而不興之世，亦無不知難而不亡之朝。然而知難非空言，知其難而已。其必勑命謹幾，明德修身，以立其本。懲忿窒欲，親賢遠佞，以正其施。凛凛焉惴惴焉，以謹對越而培永圖。予故曰大哉王言，示大清億萬斯年家法大訓也。或曰：爲君難爲臣不易，孔子之言也。今獨舉其一，豈股肱交儆之義哉？予曰：向不云乎？難與不易輕重懸殊，不可同日而語。則爲臣之不易，吾將俟爲臣者自言其不易可耳，未若爲君之難也。且也當其不易者恒多，語有之，衆擎易舉，則不易者亦將成易，而當其難者一人而已。嗚呼，豈不甚難？

乾隆九年御製勤政親賢詩 正大光明之東爲勤政殿，日於此披省章奏，召對臣工，亭午始退。座後屏風書無逸以自勗，又東爲保合太和，秀石名葩，庭軒明敞，觀閣相交，林徑四達。庭訓昭雲日，欽承切式刑。勑幾宵豈暇，籲俊刻靡寧。一念徵蒙聖，羣言辨渭涇。乾乾終始志，無逸近書屏。

乾隆二十四年御製賦得爲君難六韻 圓明園勤政殿後楹，奎題高揭，蓋我皇考取魯論爲君難語御書箴座者也。由一言興道之幾，見千聖傳心之要，於以對揚棐訓，默契清衷，視子玉銘系有恒，藴古篇呈大寶，瞠乎後矣。其奚足云？爰憑乙夜書紳，敬藉五言綴簡。宣尼著明訓，曾未試躬行。身體惟皇考，手書示後生。絶勝銘几杖，詎止見牆羹？辭約義該富，思艱圖易亨。勑幾所無逸，保泰凛持盈。三字垂家法，萬年奉永清。

〔臣等謹按〕勤政親賢、爲君難御製詩，恭載首見之篇，餘不備録。

勤政親賢之東爲飛雲軒，東有閣爲静鑑，其北爲懷清芬，又北爲秀木佳蔭，轉後爲生秋庭。静鑑閣東爲芳碧叢，後爲保合太和，正殿三楹。後爲富春樓，樓東爲竹林清響。圓明園册

〔臣等謹按〕飛雲軒、懷清芬、秀木佳蔭、生秋庭諸額皆御書。保合太和殿壁恭懸御書聖訓四箴，箴已載養心殿卷内，不備録。其西暖閣亦有勤政親賢額。西暖閣内額曰叢雲，曰養性，北曰隨安室。富春樓下額曰坐擁琳琅，曰蔚然深秀，曰無倦齋，曰清風明月。樓與竹林清響額皆御書。

正大光明後有湖，亦稱前湖。湖正北爲圓明園殿五楹，後爲奉三無私殿七楹，又後爲九州清宴殿七楹。東爲天地一家春，西爲樂安和，又西爲清暉閣，閣前爲露香齋，左爲茹古堂，爲松雲樓，右爲涵德書屋。圓明園册

〔臣等謹按〕九州清宴額，世宗御書，四十景之一也。前第一層殿恭懸聖祖御書圓明園額，聯曰：每對青山緑水會心處，一邱一壑總自天恩浩蕩；常從霽月光風悦目時，一草一木莫非帝德高深。世宗藩邸時書。聯曰：恤小民之依，所其無逸；稽古人之德，彰厥有常。皇上御書。第二層爲奉三無私殿，内恭懸皇上御書聖祖仁皇帝聖訓曰：天下之治亂休咎，皆係人主之一身一心。政令之設必當遠慮深謀，以防後悔，周詳籌度，計及久長。不可爲近名邀利之舉，不可用一己偏執之見。採羣言以廣益，合衆志以成城。始爲無偏無黨之道。孝者百行之原，不孝之人斷不可用。義者萬事之本，非義之事必不可爲。孝以立身，義以制事，無是二者，雖君臣父子不能保也。世宗憲皇帝聖訓曰：敬天法祖，勤政親賢，愛民擇吏，除暴安良，勿過寬柔，勿過嚴猛。同氣至親，實爲一體，誠心友愛，休戚相關。時聞正言，日行正事，弗爲小人所誘，弗爲邪説所惑。聖祖所貽之宗室宜親，國家所用之賢良宜保，自然和氣致祥，綿宗社萬年之慶。額曰清虚静泰。聯曰：澗泉無操琴，泠然善也；風竹有聲畫，顧而樂之。寶座聯曰：所無逸而居，動静適徵仁智；體有常以治，照臨並叶清寧。皇上御書。九州清宴殿後額曰蔚然深秀。聯曰：紅篆爐烟看氣直；緑苞庭竹愛心虚。與樂安和、清暉閣諸額皆御書。清暉閣北壁懸圓明園全圖，乾隆二年命畫院郎世寧、唐岱、孫祐、沈源、張萬邦、丁觀鵬恭繪。御題大觀二字，並題聯曰：稽古重圖書，義存無逸三宗訓；勤民咨稼穡，事著豳風七月篇。

乾隆九年御製九州清宴詩 正大光明直北爲幾餘游息之所。棼橑紛接，鱗瓦參差。前臨巨湖，渟泓演漾。周圍支汊，縱横旁達。諸勝仿佛潯陽九派。騶衍謂裨海周環爲九州者九，大瀛海環其外，兹境信若造物施設耶！昔我皇考，宅是廣居。旰食宵衣，左圖右書。園林游觀，以適幾餘。豈繫廊廟，泉石是娱。所志維何，煌煌御書。九州清晏，皇心乃舒。肯構孰責？繼序在予。業業兢兢，奉此遺模。一念之間，敬肆攸殊。作狂作聖，繫彼斯須。謂天可畏，屋漏與俱。謂民可畏，敢欺其愚！六膳八珍，牣乎御廚。念彼溝壑，曷其飽諸？水榭山亭，天然畫圖。瞻彼茅簷，痌瘝切膚。慎終如始，前聖之謨。嗚呼小子，毋渝厥初。

乾隆三十年御製題清暉閣四景 閣前喬松已燬，石壁獨存。突兀横亘，致不愜觀。山以樹爲儀，新松長成，復需歲月。乃因高就低，點綴爲樓齋若干間。取其小無取其大，取其樸無取其麗，坐閣中頗似展倪黄横披小卷也。閣對横陳石壁修，因高新築兩層樓。隔牆延得松雲意，閣前松遭燬，牆外者猶存喬柯，此樓近之，因以命名。小許居然勝一籌。右松雲樓 假山有真樹，秋露零瀼瀼。高下綴枝葉，沆瀣凝珠光。寧須詡其甘，訝可裛其香。玲瓏石竅閒，然疑卽上皇。

硬黄待揮毫，却愧米襄陽。右露香齋　書屋剛容方丈寬，愼修勤浴敢圖安？其粢斧藻猶慚若，漫擬東京八殿看。右涵德書屋　巖堂何所貯，所貯惟縹緗。雖非鄴侯多，開卷益有方。詎祇資詠吟，將以驗幾康。獲心在古人，茹豈因柔剛。右茹古堂

乾隆三十九年御製賦得樂安和詩有序　顔寢殿之額曰樂安和，意雖一貫，義亦各具。昔湯之盤，武之席，莫不各有銘，所以觸目警心也。盤席祇日用物，猶亟亟焉，而況朝夕所處之室乎？各成六韻以勅一躬。樂亦六情一，因而額寢齋。弗耽斯得正，從欲實爲乖。花鳥引機緒，詩書藴道荄。當思不可亟，恒念與之偕。應在雨暘若，寧須絲竹排？三端姑彼置，五字識吾懷。右樂　向祇隨所遇，舊額所居書屋曰隨安室，取隨遇而安之義。今惟安在斯。朝乾實切矣，夕惕亦居之。適己非爲合，圖民乃得宜。禮經著和樂，堯典仰文思。建久賈生策，計情鼂氏辭。更殷深念者，永固萬年基。右安　和者寬仁施，去聲。是誠得衆緣。温而厲則可，柔以發斯偏。性命保合正，起居安養便。莫慚衾影獨，那溺景光妍？無欲心常泰，有爲身弼肩。春臺一氣[illegible]，與物共闓然。右和

〔臣等謹按〕九州清宴、清暉閣、樂安和御製詩，恭載首見之篇，餘不備録。

鏤月開雲在富春樓之後，即紀恩堂，北爲御蘭芬。圓明園册

〔臣等謹按〕鏤月開雲，四十景之一也。原名牡丹臺，乾隆九年，易今名。三十一年，

御題額曰紀恩堂。詳御製紀恩堂記。御蘭芬諸額皆皇上御書。

御製紀恩堂記　圓明園之後記成於昔壬戌，紀恩堂之題額乃於今丙戌，始黽勉以亟爲，既鄭重以有待。事若相殊，理則一致。我皇考之爲圓明園前記也，凡夫遵訓勤民親賢勵己之要，深切言之，而於昔恭迓皇祖鑾輿，欣承色笑，綢繆懇款，三致意焉。予小子敬奉先帝園囿，此對時而此臨政，故敬成後記，申闡皇考遵訓勤民、親賢勵己之義，唯日孜孜，毋敢少懈，黽勉亟爲者以此。若今紀恩堂之題額，實因紀皇祖之恩。紀皇祖之恩必有差所謂不負皇祖之恩者，是不易言也。我皇考迓皇祖承色笑者，每一再舉行，至予小子之恭承皇祖恩養育宮中，則在康熙壬寅春，即駕臨之日而覲於斯堂之內云。斯堂在圓明園寢殿之左，舊謂之牡丹臺，即四十景内所稱鏤月開雲者，向於詩中亦經言及。惟時皇考奉皇祖觀花，燕喜之次，以予名奏聞，遂蒙眷顧，育之禁廷，日侍慈顔而承教誨。即雍正十三年詔尚以是爲言。故予小子自踐阼以來，敬惟古帝王所以凛承付托者，不過於其考，或偶於其祖。若予則皇祖、皇考付托所洊重，言念及此，自視常若不足，遑敢弛朝乾夕愓之志？故凡出治臨民，罔不盡心籌度，日慎一日。至於今三十年，仰蒙天祐，内恬外鬮。政雖未臻上理，而民則可謂粗安。此所謂差不負皇祖之恩者乎！鄭重有待者以此。夫人之論周室，率謂太王欲傳位王季以及文王，泰伯知而避去。此非也。蓋知子莫如父，王季其勤王家，實足以興周家也。若泰伯之不從，朱子以爲即夷齊叩馬之心，予以爲在夷齊則可，在泰伯則不可。何則？從聖父以翦寖衰之商。正也，太王知泰伯有廉讓而無締搆，王季又聖，故傳位焉。是亦正也。是知以及文王之言，乃後人想當之談，政恐後人之謬爲比擬。是以申而論之。然則紀皇祖之恩，即所以紀皇考之恩，則先此之不敢遽云紀恩者，以有待也。雖然，豈一題額即可以告畢吾事而息吾肩者哉？苟吾志之偶渝，即吾言之自寒，矜矜焉，惴惴焉，將日觸吾目而警吾心，且以告後來之入斯堂者亹繼繩而篤勤敬云爾。

乾隆九年御製鏤月開雲詩　殿以香楠爲材，覆二色瓦，煥若金碧。前植牡丹數百本，後列古松青青，環以雜蘤名葩，當暮春婉娩，首夏清和，最宜嘯詠。雲霞罨綺疏，檀麝散琳除。最可娛幾暇，惟應對雨餘。牡丹四月始盛，而京師率值望雨時。朕幸圓明園屈指已七年，而花時宴賞者祇一次耳。殿春饒富貴，陸地有芙渠。名漏疑刪孔，詞雄想賦舒。徘徊供嘯詠，俯仰驗居諸。猶憶垂髫日，承恩此最初。予十二歲時，皇考以花時恭請皇祖幸是園，於此地降旨，許孫臣扈侍左右云。

乾隆三十二年御製賦得御蘭芬詩有序　鏤月開雲爲圓明園四十景之一，即舊所謂牡丹臺也。其後齋堂名之曰御蘭芬。蓋一軒一室，向背不同，景概頓異，而興趣因之亦殊。故園内每有一區宅而名十數者，率是道也。夫豈以建置之多爲誇勝哉！偶臨蘭蕙畹，前即牡丹臺。麗豈同世尚？幽還寄別裁。較雖三徑異，可以四時開。（花中惟蘭四季皆開。）風處香盈谷，月中曲抱隈。標真有如士，聞遠底須媒？體物文林妙，（李善爲文林郎。）獨稱楚國才。

〔臣等謹按〕鏤月開雲、御蘭芬御製詩，恭載首見之篇，餘不備録。

鏤月開雲後有池一區，池西北方樓爲天然圖畫。樓北爲朗吟閣，又北爲竹薖樓。東爲五福堂五楹。堂後迤北殿五楹，爲竹深荷淨。其東南爲静知春事佳，又東渡河爲蘇堤春曉。（圓明園册）

〔臣等謹按〕天然圖畫，四十景之一也。與朗吟閣、竹薖、竹深荷淨、静知春事佳諸額皆世宗御書。竹薖樓簷額曰桃花春一溪，亦世宗御書。五福堂額爲聖祖御書。簷額曰蓮風竹露。聯曰：欣百物向榮，每識乾坤生意；值萬幾餘暇，長同海宇熙春。皆世宗御書。對楣額曰葉嶼花潭，曰蘇堤春曉，皆皇上御書。

乾隆九年御製天然圖畫詩　庭前修篁萬竿，與雙桐相映，風枝露梢，緑滿襟袖。西爲高樓，折而南，翼以重榭，遠近勝概歷歷奔赴，殆非荆關筆墨能到。我聞大塊有文章，豈必天然無圖畫？茅茨休矣古淳風，於樂靈沼葩經載。松棟連雲俯碧瀾，下有修篁戛幽籟。雙桐薈蔚矗烟梢，朝陽疑有靈禽噦。優游竹素夙有年，峻宇雕牆古所戒。詎無樂地資勝賞？湖山矧可供清快。巋然西峯列屏障，眺吟底用勞行邁？時掇芝蘭念秀英，或撫松筠懷耿介。和風萬物與同春，甘雨三農共望歲。周阿苔篆緑蒙茸，壓架花姿紅瑣碎。徵歌命舞非吾事，案頭書史閒披對。以永朝夕怡心神，忘筌是處羲皇界。試問支公買山價，可曾悟得須彌芥？

乾隆二十四年御製朗吟閣詩　畫閣雲楣聖藻書，題名猶在我生初。閣名猶皇考潛邸時所題也。爾時海闊天空意，厥後朝乾夕惕居。空色佛詮付茫若，治安道要正慚如。孩提常此聞詩禮，石火流陰越感予。

又御製五福堂六韻　春光酣百六，景物逗吟憑。園内此堂古，祖恩皇考承。堂名皇祖所賜也。翹心思好德，聖意示含宏。竹埭琳瑯峙，蘭池綺縠澂。對時常契會，肯構敢云能？斂錫遵前訓，欽哉勗繼繩。

〔臣等謹按〕天然圖畫、朗吟閣、五福堂御製詩，恭載首見之篇，餘不備録。

由五福堂渡河而北，山阜旋繞，内爲碧桐書院，前宇三楹，正殿五楹，後照殿五楹。其西巖石上爲雲岑亭。圓明園册

〔臣等謹按〕碧桐書院，四十景之一也。額爲世宗御書，恭懸正殿内。

乾隆九年御製碧桐書院詩　前接平橋，環以帶水。庭左右修梧數本，緑陰張蓋，如置身清涼國土。每遇雨聲疏滴，尤足動我詩情。月轉風迴翠影翻，雨窗尤不厭清喧。即聲

即色無聲色，莫問倪家獅子園。

〔臣等謹按〕碧桐書院御製詩，恭載首見之篇，餘不備録。

碧桐書院之西爲慈雲普護，前殿南臨後湖三楹，爲歡喜佛場。其北樓宇三楹，有慈雲普護額，上奉觀音大士，下祀關聖帝君，東偏爲龍王殿，祀圓明園昭福龍王。（圓明園册）

〔臣等謹按〕慈雲普護，四十景之一也。與歡喜佛場額皆世宗御書。龍王殿額曰如祈應禱，關帝殿額曰昭明宇宙，皆世宗御書。又龍王殿額曰功宣普潤。聯曰：正中德備乾符應；利濟恩敷解澤流。皇上御書。

乾隆九年御製慈雲普護詞（調寄菩薩蠻） 一徑界重湖間，藤花垂架，鼠姑當風。有樓三層，刻漏鐘表在焉。殿供觀音大士，其旁爲道士廬，宛然天台。石橋幽致，渡橋即爲上下天光。

偎紅倚緑簾櫳好，鶯聲瀏栗南塘曉。高閣漏丁丁，春風多少情。幽人醒午夢，樹底濃陰重。蒲上便和南，樅樅聲色參。

〔臣等謹按〕慈雲普護御製詞，恭載首見之篇，餘不備録。

慈雲普護之西臨湖有樓，上下各三楹，爲上下天光。左右各有六方亭，後爲平安院。（圓明園册）

〔臣等謹按〕上下天光，四十景之一也。額爲皇上御書，聯曰：雲水澄鮮，一憕波光

開罨畫；烟嵐杳靄，四圍山色浸分奩。亦御書。右六方亭額曰欽和，及平安院額皆

世宗御書。左六方亭額曰奇賞，皇上御書。

乾隆九年御製上下天光詩 垂虹駕湖，蜿蜒百尺，修欄夾翼，中爲廣亭。縠紋倒影，滉瀁楣檻間。凌空俯瞰，一碧萬頃，不啻胸吞雲夢。上下天水一色，水天上下相連，河伯夙朝玉闕，渾忘望若昔年。

〔臣等謹按〕上下天光御製詩，恭載首見之篇，餘不備録。